D1412372

Trinidad de sangre

Trinidad de sangre

Sherrilyn Kenyon
y
Dianna Love

Traducción de Violeta Lambert

Título original: *Blood Trinity*

Primera edición: marzo de 2014

© de la traducción: Violeta Lambert
© de esta edición: Roca Editorial de Libros, S. L.
Av. Marquès de l'Argentera 17, pral.
08003 Barcelona
info@terciopelo.net
www.terciopelo.net

Impreso por Liberdúplex, s.l.u.
Crta. BV-2249, km 7,4, Pol. Ind. Torrentfondo
Sant Llorenç d'Hortons (Barcelona)

ISBN: 978-84-15410-97-3
Depósito legal: B. 1.810-2014
Código IBIC: FMR

Nos gustaría dedicar este libro a nuestras madres.
Ambas nos dejaron demasiado pronto
y vivirán para siempre en nuestros corazones.

DOS AÑOS ATRÁS

Utah: bajo las minas de sal

«Defender mis promesas y morir.»

«¿O romper mis promesas y morir?»

Evalle Kincaid se había enfrentado a la muerte más de una vez durante los pasados cinco años, pero nunca con aquel porcentaje de probabilidades de éxito. Si tenía una oportunidad del uno por ciento sería un milagro.

Un hedor cítrico le quemaba los pulmones, confirmando que la magia Medb permeaba las paredes de roca, el alto techo y el suelo de tierra de la prisión subterránea. Era la peste de sus peores enemigos.

Todavía seguía sin poder creer que uno de los suyos, un velador, la hubiera traicionado.

No solo a ella.

La ira por la traición y por haber sucumbido al engaño la carcomía por dentro. Pero la empujó hacia abajo, sabiendo que no haría nada más que debilitarla. Y justo ahora, necesitaba todos sus sentidos alerta.

Ojeando cuidadosamente entre las pestañas para que nadie supiera que estaba despierta, se fijó en los otros dos prisioneros —hombres de la raza de los veladores— que también se mantenían erguidos por sujeciones invisibles.

Cualquier ser humano estaría ciego en aquel agujero negro, pero su visión se desarrollaba en la oscuridad total. Era dueña de una visión nocturna natural que le permitía ver en una gama de grises azulados monocromáticos. Una rara ventaja de ser un mutante, un híbrido de la raza de los veladores, a diferencia de esos dos purasangres con las espaldas apoyadas en la brillante pared de piedra de un rojo anaranjado.

¿Esos dos hombres se conocerían mutuamente?

¿Pero eso a ella realmente le importaba? Ellos eran sus aliados o sus enemigos. Y hasta que no supiera más acerca de ambos, definitivamente eran enemigos.

Similares en altura y tamaño, eran tan diferentes como el día y la noche en el color de la piel y la ropa que vestían. El que no llevaba nada más que unos tejanos estaba consciente cuando ella había recobrado la cordura veinte minutos antes. Completamente quieto, no había emitido ni un solo sonido desde entonces... como una serpiente agazapada hasta que viera la oportunidad de atacar. Con los brazos extendidos y las piernas separadas, miraba ahora de soslayo hacia el crujido que señalaba movimiento.

El chico de pelo rubio de su izquierda luchaba por recobrar la lucidez.

El hecho de estar prisionera junto a dos veladores normalmente hubiera significado que no tendría posibilidad de escapatoria, por la habilidad que estos tenían para unirse entre ellos y combinar sus poderes. Cuando eso ocurría, los veladores luchaban juntos con una fuerza que únicamente una criatura sobrenatural del siguiente nivel podía superar. Eran casi condenadamente invencibles.

Pero esa unión requería una confianza incuestionable. Y en aquel momento, ella no podía ofrecer esa confianza tan fácilmente. No justo después de que la petición de ayuda telepática de un velador la hubiera metido en aquel agujero... directamente en manos de los hechiceros de Medb. Su tribu llevaba dos mil años luchando contra ese grupo.

«Si me quemas una vez, el remordimiento es tuyo. Si me quemas dos veces...»

«Morir con dolor.»

Incluso así, ¿podía negarse a ayudar a esos dos guerreros, miembros de su tribu, si existía una oportunidad de salvarlos? Los veladores eran una raza secreta de criaturas celtas conectadas entre sí por una poderosa genética, que vivían en todas partes del mundo. Ella solo conocía a unos pocos.

No a esos dos.

Pero cada miembro de la tribu había hecho unos votos y había jurado respetar un código de honor, con la promesa de proteger a los inocentes y a cualquier otro velador que necesitase ayuda.

Si un guerrero rompía ese voto, todos los miembros de la familia se enfrentaban al mismo castigo que el guerrero, incluso al castigo de muerte.

Evalle no tenía a nadie que pudiera resultar afectado por sus decisiones. La única persona cercana que había tenido era una tía que había muerto sin que Evalle lo lamentara. No después de lo que esa mujer le había hecho.

Pero aunque no tuviera a nadie de quién preocuparse mantenía sus votos desde el día en que cumplió los dieciocho años. No porque tuviera que hacerlo, sino porque quería. Y hasta ahora siempre había apoyado a su tribu sin cuestionarla.

Si supiera tan solo de qué lado del lago nadaban esos dos. ¿Del suyo o de la orilla de Medb?

Tenía una sola oportunidad para contestar esa pregunta correctamente.

Vivir o morir...

¿Acaso era una novedad?

—¿Alguien sabe quién nos ha convocado para esta deliciosa pequeña reunión?—gruñó el hombre de pelo rubio con una voz suavizada por la genética manipulada y un deje de acento británico. El sonido combinaba bien con los ángulos sofisticados de su rostro europeo, que podía ser tanto eslovaco como ruso. Enderezó los hombros como si eso pudiera suavizar las arrugas de su carísimo traje, obviamente hecho por encargo para que sentara perfectamente a ese cuerpo atlético que el propio James Bond envidiaría. Evalle calculó que tendría treinta y pocos años y que mediría cerca de metro noventa.

El negro malvado y retorcido que había a su lado debía de ser un poco más bajo, pero compensaba la diferencia con unos kilos extra de esos músculos que prometen palizas.

—Me parece que son necesarias las presentaciones... a menos que os conozcáis. —El tipo rubio miró en su dirección y luego en la dirección del otro hombre, pero ella dudaba de que pudiera ver algo en aquella oscuridad.

Por otra parte, ¿quién sabe cuáles eran los poderes que tenía como velador? Aquel pensamiento envió otro escalofrío a través de su columna.

Evalle combatió con una sonrisa de superioridad el tono demasiado seco del chico y su estudiada despreocupación. Nunca había conocido a un velador que no fuera en el fondo un macho alfa. Pero no tenía la intención de saltar a la primera después del engaño que la había llevado allí.

Uno de esos dos podría ser perfectamente un infiltrado de vigilancia de Medb.

La traición de esa noche suponía un impedimento serio para su mentalidad de equipo, y ardía en carne viva dentro de ella.

—Supongo que tendré que empezar yo —continuó el chico guapo, sin inmutarse por aquel grosero silencio—. Soy Quinn.

El otro prisionero todavía no se había movido desde que lo habían tirado dentro de la cueva cuatro hechiceros de Medb y golpeado contra la pared. Fue el último en ser capturado. La sangre que antes goteaba de los cortes en su pecho expuesto ahora se había secado... y los cortes habían desaparecido. Corrían rumores de que unos pocos de los guerreros velador más poderosos eran capaces de curarse heridas en una noche, pero ella nunca había sabido de ninguno que lo hiciera tan rápidamente. Era extraño.

Tenía la cabeza completamente rapada, lo que añadía una apariencia letal a su rostro. Ese gran cuerpo bajaba estrechándose hasta la fina cintura de sus tejanos. Se aclaró la garganta, e incluso eso sonó peligroso.

—Soy Tzader.

—¿El Maestro? La mirada de Quinn recorrió de arriba abajo al otro guerrero, evaluándolo.

—Sí.

«¿Verdad o mentira?» Evalle nunca había conocido a Tzader Burke, comandante de todos los veladores de Norteamérica. Si él era el Maestro, eso podría explicar por qué estaba allí. Podría dar el golpe maestro en cualquiera de los asuntos de Medb.

Lanzó una mirada de soslayo al autoproclamado anfitrión de la cueva, a la espera de que Quinn hiciera el próximo movimiento.

Este movió la cabeza en dirección a Evalle.

—Puedo ver otra débil aura brillando frente a nosotros. Supongo que una mujer, por la apariencia que tiene.

¿Cómo era posible que otros veladores pudieran ver auras y ella no? ¿Qué habría hecho ella para fastidiar al hada de las auras?

Como ella no recogía el hilo de la conversación, Quinn preguntó:

—¿Eres una mujer?

—Jódete. —Evalle mantenía los ojos abiertos todo el tiempo.

Él sonrió.

—Me encanta tu nombre, cariño. ¿Puedo referirme a ti simplemente como «Jode»?

Ella ignoró su sarcasmo.

—No es por ofender, pero voy a necesitar un poco más de información antes de estar dispuesta a ser colega de nadie. Especialmente de dos que podrían estar mintiéndome.

Quinn, que fue el primero en recoger el envite, asintió.

—Había dado por supuesto que solo los veladores respondieron a la llamada, pero tu aura es…

—… no es de velador —intervino Tzader.

El momento de vacilación de Quinn fue más elocuente que sus palabras.

—Eso veo.

Despreciada de nuevo. ¿Qué otra cosa esperaba? Por más que hubiera oído la llamada de ayuda del traidor telepáticamente, exactamente igual que aquel par de purasangres, y sintiera el chisporroteo de la conexión tribal en su piel, seguían sin considerarla uno de los suyos.

Una furia cruda hirvió en sus venas. ¿Qué es lo que tenía que hacer para ser considerada una más del grupo? Lástima que no bastara una simple novatada como la de comer peces de colores crudos. Pero por otra parte, ¿por qué se sorprendía o se sentía incluso herida? Su propia familia no había querido tener nada que ver con ella. ¿Por qué habría de ser diferente con otros?

Sin embargo, se negaba a que la despreciaran tan fácilmente.

—Puede que los dos seáis capaces de ver auras, pero dudo que ninguno vea algo en medio de esta maldita oscuridad. Y en cambio yo sí puedo.

—Eso lo explica todo. —No había modo de pasar por alto el tono de disgusto en las palabras de Tzader.

—¿Qué es exactamente lo que explica? —Quinn permitió que su enfado quedara en evidencia esta vez. Finalmente no resultó ser el feliz anfitrión de la cueva.

—Es una mutante. —Tzader miraba fijamente en su dirección, estudiando algo—. La única mutante que no está bajo custodia protegida de VIPER.

Evalle soltó una afilada corriente de aire entre los dientes apretados.

—Bien. Bajo custodia protegida suena mucho más civilizado que enjaulada, que es lo que realmente les ocurrió a los otros cuatro mutantes. No estoy allí porque no merecía estar allí y me negué a vivir en una jaula... igual que lo hubierais hecho vosotros en caso de haber estado en mi lugar. Así que hazte cargo.

Ella ya había estado allí, había pasado por eso y había conseguido quemar aquel recuerdo y haría falta más que la raza entera de veladores para volverla a llevar a aquel lugar. Y sabía muy bien cuál sería el voto de él si ella se convirtiera en una bestia allí delante.

Pulgares abajo. Que cuelguen a la mutante.

Sí, el péndulo estaba enterrado del lado en que ellos eran sus enemigos.

Tzader frunció el ceño.

—¿Trabajas para VIPER?

VIPER (Regimiento de Élite de Protectores Internacionales de Vigilancia) era una coalición multinacional de todo tipo de seres extraordinarios y entidades poderosas creadas para proteger el mundo de los depredadores sobrenaturales. Los veladores constituían la mayoría de las fuerzas de VIPER, y si era realmente Tzader Burke quien estaba frente a ella, conocería al único Mutante libre que trabajaba con VIPER. Convenía reconocerlo.

—Estoy en la región del sudoeste.

Quinn se aclaró la garganta.

—Yo pertenezco a VIPER también e iba de camino para investigar a un demonio Birrn que fue visto en el lado salado de la City cuando oí la llamada. ¿Y vosotros dos?

—Iba a reunirme con un informante en Wendover —respondió Tzader, mencionando la pequeña ciudad de videojuegos en la frontera de Utah-Nevada—. ¿Qué hacías tú en esta zona esta noche, mutante?

«Seguía una pista que no tengo la intención de compartir contigo..., gilipollas.»

Al ver que ella no respondía, Tzader soltó una risita malhumorada que a ella le hizo sentir un escalofrío de incomodidad.

—Escucha, cariño. Puede que tengamos otro par de horas, o tal vez nos queden solo un par de minutos. Los Medb no piden rescate. Atrapan, saquean las mentes, usan los cuerpos de formas abominables y arrojan la carcasa a una cantera en llamas. Podría alcanzar a Brina incluso a esta profundidad bajo tierra, pero soy incapaz de atravesar el hechizo que recubre estas paredes. Así que no vendrá una caballería de veladores a rescatarnos. Puedes escoger entre unirte a nosotros y ayudarnos a encontrar un modo de escapar, o prepararte para la peor de las muertes que seas capaz de imaginar.

Como si ella no supiera lo que había en juego...

Y como si no hubiera vivido ya un destino peor que el de la muerte. No tenían ni idea de con quién y con qué estaban tratando.

—Estoy completamente de acuerdo, cariño —añadió Quinn—. Puedo entender que te resistas a confiar en alguien después de haber sido capturada en esta trampa. Yo también quiero la cabeza de ese velador traidor adornando el capó de mi Bentley, pero ninguno de nosotros tendrá la ocasión de descubrir su identidad si no sobrevivimos, y eso pone en peligro a toda nuestra gente.

Evalle tenía que darle la razón en eso, pero estar allí sujeta a una pared de piedra por un hechizo mágico no infundía en ella un sentimiento de camaradería precisamente. Más bien le traía recuerdos que la enfurecían.

Ella tenía la llave que quizá superaría el poder de Medb... una habilidad psíquica para adoptar una forma mucho más poderosa que les permitiría a los tres combinar su energía en luchar para salir de allí. Pero emplear esa habilidad dejaría al descubierto el secreto que había estado ocultando durante cinco años y daría al Tribunal, el consejo de gobierno de VIPER, todas las razones que necesitaban para encerrarla.

Los adultos mutantes no tenían una segunda oportunidad si cometían una infracción. Los cuatro machos mutantes con ojos verde pálido antinaturales como los de Evalle se habían convertido en bestias abominables en los últimos seis años y habían matado humanos y veladores antes de ser encarcelados.

Cuando cumplió los dieciocho años y un viejo druida apareció ante ella para informarle de que estaba destinada a convertirse en una guerrera veladora, Evalle le había explicado que las gafas de sol oscuras que llevaba constantemente protegían sus ojos ultrasensibles. Cuando los veladores se dieron cuenta de que sus ojos eran del mismo verde pálido de los mutantes, ella todavía no se había convertido ni representaba un peligro. Únicamente por esa razón, la reina guerrera Brina había pedido al Tribunal que permitiera a sus guerreros entrenar a Evalle con el acuerdo de que todas las partes aceptarían lo que ocurriera en el caso de que Evalle se transformara.

Encerrarían a la bestia bajo rejas si esta daba a conocer su presencia.

Esos dos veladores que estaban en la cueva con ella habían jurado apoyar el código de los veladores para la protección de la humanidad… lo que suponía entre otras cosas informar sobre cualquier mutante que se transformase.

En una ocasión Evalle casi se había transformado en una bestia.

Casi.

Incluso ahora, ella misma no sabía si sería capaz de hacerlo y mantener el control. Lo que significaba que podría transformarse y que los Medb podrían matarla.

Así que su única alternativa real de escapatoria dependía de confiar en esos dos hombres de manera que los tres pudieran unirse y emplear sus habilidades naturales acumuladas para defenderse de Medb.

Si no…

La hora de la tumba.

Sus oportunidades se estrechaban con cada latido del corazón, y Quinn tenía razón en una cosa: no podría encontrar a aquel que la había traicionado y hacerle pagar su merecido si moría en aquella prisión subterránea.

—Soy Evalle. Mi razón para estar en esta zona esta noche es personal. —Dirigió su atención hacia aquel que claramente estaba al frente contra los Medb—. ¿Tenemos un plan, Maestro T?

—Estamos en ello. Deben de haber usado agua del Loch Ryve para recubrir las paredes y mantener el hechizo. Es la única sustancia que conozco capaz de mermar los poderes de los veladores. No sé cuánto tiempo llevamos aquí abajo, pero probablemente esté funcionando...

—No con mis poderes —le corrigió ella, disfrutando de un momento de satisfacción al descubrir otra inesperada diferencia entre ella y los purasangre—. Tengo todavía todas mis fuerzas.

Tzader hizo una pequeña pausa y luego asintió.

—Bien. Es un punto más a nuestro favor, pero nosotros estamos perdiendo poder, ¿no es cierto, Quinn?

—Correcto. Estoy probablemente en la mitad de mis fuerzas, por lo cual debemos atacar pronto mientras todavía seamos capaces de luchar.

Evalle miró a los dos hombres que tenía enfrente.

—¿Alguno de vosotros tiene alguna idea de cómo podríamos salir de aquí?

—Por lo que puedo saber, hay cinco hechiceros Medb y un velador traidor. —La voz profunda de Tzader se endureció al pronunciar aquella última palabra. O estaba tan cabreado como ella o era un mentiroso muy convincente—. No he podido ver del todo bien al quinto de los Medb, pero no era grande y llevaba ropa de sacerdote. Esta es una fiesta de guerra de cazadores. Si fueran a llevarnos ante alguien de mayor rango, ya no estaríamos aquí. Planean torturarnos para sonsacarnos información o tal vez usarnos para tender otra trampa. Yo también quiero la sangre de ese traidor, pero no permitiré que los Medb hieran a otro velador a pesar de lo que haya hecho ese bastardo.

La inmediata preocupación de Tzader por su tribu hizo sentir a Evalle un golpe de culpa, al darse cuenta de que había estado más preocupada por mantenerse con vida que por proteger a su tribu. Lucharía junto a los veladores para defender a los suyos hasta estar cubierta de sangre y agotada.

Y para probar su valor.

Si ahora se negaba a ayudar a otro velador destruiría la confianza que se había ganado en algunos de ellos y daría voz a esos otros que murmuraban que ella era poco más que un animal entrenado.

Quinn intervino.

—Estoy de acuerdo con Tzader.

Antes de que Evalle tuviera la oportunidad de decir sí o no, Tzader comenzó a idear una estrategia.

—Hagamos una comprobación rápida de los recursos. Ya que ella está recelosa con nosotros, empezaré yo. Tengo capacidad kinésica, telepatía y fuerza energética, además de dos cuchillas sensibles que me quitaron junto a mi armadura. Si consigo salir de aquí, podré convocarlas.

Quinn fue el siguiente.

—Igualmente tengo capacidad kinésica, telepatía y fuerza energética, y además puedo cerrar mentes.

Evalle no tenía ni idea de qué estaba hablando.

—¿Qué quieres decir con cerrar mentes?

—Puedo alcanzar otra mente desde la distancia, meterme en sus ondas cerebrales y ver a través de sus ojos. También puedo guiarlos... y si no se dan cuenta puedo invadir sus mentes y su resistencia. Entonces tendría el control en mis manos.

—Pensaba que el hechizo que recubre las paredes nos impedía llegar a nadie. ¿Cómo podrías acceder a la mente de alguien desde aquí? —No habría llegado a vivir tanto si hubiera aceptado cualquier cosa al pie de la letra.

—No puedo llegar más allá de este recinto, pero siento movimiento en el aire. Los Medb deben de tener corredores de aire entre las cuevas o ya hubiéramos muerto asfixiados. Puedo acceder a cualquiera en otro espacio conectado a este aunque sea por una diminuta grieta entre las rocas.

Tzader reaccionó ante la última afirmación.

—¿Puedes destruir su mente mientras estás en el interior de la cabeza de una persona?

Aunque su pregunta hubiera sido planteada por una razón

puramente estratégica, Evalle quería oír la respuesta por otra razón. ¿Podría Quinn falsificar su mente si se vinculaban? Aquella idea no le gustaba en absoluto.

La pausa de Quinn indicó que se lo pensaba antes de responder la pregunta de Tzader.

—Sí, pero no lo haré. No sin la aprobación de nuestra reina guerrera.

Por otra parte, Evalle había esperado que compartiera algo que nadie supiera acerca de él, un secreto que hiciera a Quinn tan vulnerable como lo sería ella si tenía que transformarse.

Había pocas posibilidades de que alguno de esos dos hombres cometiera un error así.

—¿Tú estás... vestida, Evalle? —Quinn lo preguntó con una preocupación sincera que logró sorprenderla. ¿Creía que la habían desnudado?

—Sí. Llevo tejanos y una camisa. —Llevaba la camisa marrón oscura desabrochada por encima de una camiseta que era una de las dos que tenía... Prefería vivir su vida sin cargar con nada, ni siquiera con un armario. Se había trenzado el pelo a la altura del hombro por debajo de un gorro deshilachado para pasar una noche de vigilancia en Wendover. Perdió el gorro cuando fue capturada.

—¿Qué hay de tus poderes, Evalle? —Estaba claro que Tzader quería que todas las armas fueran puestas sobre la mesa para poder idear un plan sólido.

—Tengo una visión excepcional, similar a la de las ópticas nocturnas iluminadas por infrarrojos. Tengo capacidad kinésica, telepatía, fuerza energética... y los Medb fallaron al no quitarme las botas, que esconden cuchillos. —«Y puedo ser empática, pero eso es un descubrimiento reciente y carece de importancia ahora».

Quinn soltó una risa grave.

—No puedo esperar para verte.

—Tu capacidad óptica es otra ventaja. —Los ojos de Tzader miraban en su dirección—. El próximo paso va a requerir cierta confianza. ¿Estás dispuesta a vincularte con nosotros de manera que tengamos todo tu poder y tu visión nocturna?

No si Quinn podía subyugar su mente.

—Evalle, siento la vacilación por tu parte al saber que tengo la capacidad de controlar tu mente. —La voz de Quinn era suave, como si hubiera leído sus pensamientos. ¿Podía ser que así fuera?—. Pero piensa que ya podría haberlo hecho y mirar a través de tu visión si hubiera querido.

Tenía razón.

Consideró sus menguantes opciones y no tenía más alternativa que ceder.

—Vincularnos es nuestra única posibilidad, pero antes quiero llegar a un acuerdo con los dos.

—¿De qué se trata? —La sospecha se coló en la voz autoritaria de Tzader.

—Que sea lo que sea lo que tengamos que hacer para salir de aquí será un secreto entre nosotros. Lo juraréis por la vida de nuestra diosa Macha.

—¿Te hicieron una herida en la cabeza cuando te atraparon, mujer? —Quinn sonó enfadado y ya no tan refinado, como si escondiera un fondo menos educado detrás de esa voz tan suave—. Jurar por la vida de Macha es una buena manera de ver el fin de la tuya.

—¿Crees que hay algo más loco que dar un salto de fe con vosotros dos después de que uno de nuestra tribu me haya traicionado?

—¿Cómo que de nuestra tribu? —preguntó Quinn.

—Sí. —Evalle estaba cansada de ser siempre cuestionada—. Yo hice el mismo juramento que vosotros. He puesto mi vida en peligro muchas veces por defender a otros veladores, aun sabiendo… —se mordió la lengua para no pronunciar las últimas palabras, deteniéndose para no soltar «aun sabiendo que soy tratada como un chucho de sangre manchada». Nunca les permitiría saber cuánto minaban sus fuerzas sus miradas displicentes y su constante vigilancia.

Los veladores podían tolerar a un mutante, pero cualquier muestra de confianza que hubiera recibido en el pasado se había vuelto una alianza incómoda en esa época de tensiones. Admitía que la tribu tenía razones para desconfiar de los mutantes después de que el último de los machos se hubiera transformado dos meses atrás y hubiera matado a nueve veladores que trataban de contenerlo. Pero ella había sido puesta a prueba durante cinco duros años y merecía respeto.

Era una pena que no vieran las cosas como ella.

—No hay trato. —La mirada inmisericorde de Tzader se afiló en su dirección en la oscuridad con la intensidad de un relámpago.

—Yo también opino que no —coincidió Quinn.

¿Qué iba a hacer ella ahora?

El tramo de pared curva que había a su izquierda entre ella y Tzader comenzó a desvanecerse.

Evalle se tensó. No tenía ninguna ventaja de ofensiva. No hasta que se vinculara a los dos hombres o quedara libre de las cadenas para poder transformarse. Ambas opciones le producían un nudo de terror en el estómago.

Cuando la piedra desapareció, dejando un agujero lo bastante grande como para que pasara un automóvil, entró la diminuta figura de un Medb con una túnica gris pálido. La luz brillaba en el interior de su capucha. ¿Dónde estaban los cuatro brutos que habían arrastrado a Tzader al interior de aquella cámara?

—No deberías estar aquí. —La suave voz de Quinn estaba llena de sentimientos tiernos.

Evalle lo miró. ¿Le estaba hablando a ese hechicero?

La criatura de la túnica se movió hacia Quinn como si flotara sobre el suelo. Evalle se debatía acerca del riesgo de vincularse a Quinn y estaba a punto de decirse que debía ayudarlo cuando la capucha se deslizó poco a poco dejando la cabeza del Medb al descubierto. No era un hechicero sino una bruja deslumbrante, con el pelo tan brillante como el color de una llama natural.

Inclinando la barbilla hacia él, la bruja se situó de pie al lado de Quinn. Sin decir una palabra, se puso de puntillas y cogió su rostro entre las manos, luego lo besó dulcemente en los labios. Quinn no se limitó simplemente a permitir el beso: se unió a él hasta que finalmente ella se apartó.

—Cuando mis hombres describieron a los tres veladores que habían atrapado no quería creer lo que estaba oyendo. Tenía que verlo con mis propios ojos. ¿Qué estás haciendo aquí?

—Protegiendo a mi tribu. —El pesado suspiro de Quinn salió con remordimiento—. Vete antes de que tus hombres te encuentren aquí.

—No sé cómo ayudarte —susurró ella desesperadamente.

—No puedes. Si lo haces, te matarán por traición, a pesar de que seas una sacerdotisa.

—No deberías haber caído en esta trampa —susurró—. No te estaban buscando a ti…

—¿A quién querían? —El tono de Quinn se endureció.

La bruja negó con la cabeza.

—Te llevarán en último lugar. Daré con una forma de liberarte. Ahora tengo que irme.

Se volvió para marcharse.

—Kizira.

Cuando la bruja se dio la vuelta, Quinn suavizó el tono de nuevo.

—No trates de salvarme. Estoy vinculado a mi tribu y moriré con ellos dos si no pueden salvarse también.

—El mismo tonto de siempre. —Negó con la cabeza—. No debiste haberme protegido ese día.

—Debo mantener mi juramento de honor en todas las situaciones, sin excepciones.

La respuesta de Quinn renovó la esperanza de Evalle de ganar un aliado capaz de guardar secretos. Si ella tenía que transformarse para escapar, ¿estarían dispuestos aquellos dos a decir que lo había hecho con un propósito honorable?

La bruja Medb que visitaba a Quinn volvió a colocarse la capucha y se dispuso a salir, luego vaciló.

—Tu hora se acerca. —Desapareció, y la pared volvió a quedar sólida.

Los músculos tensos en el pecho de Evalle se relajaron después de esa escena tan extraña. Quinn tenía amistad —y más que amistad— con una sacerdotisa Medb. No era legítimo en el mundo de los veladores, pero ella no podía culparlo si había actuado movido por el honor salvando a un enemigo en lugar de matarlo con la sed de sangre de sus ancestros. Su diosa respetaría eso, pero Quinn tenía un secreto que proteger tan vigorosamente como Evalle el suyo.

Si Tzader también tuviera algo que esconder.

Pero él era un guerrero que moriría antes de exponer cualquier vulnerabilidad. Ella apostaba a que tampoco había compartido todos sus poderes.

—¿Quieres explicar esa visita, Quinn? —preguntó Tzader.

—Lo siento, tío. Preferiría no hacerlo.

Evalle sonrió.

—Tal vez deberíais reconsiderar mi oferta de comprometerse a guardar los secretos del otro para ponernos de acuerdo en escapar.

Quinn negó rápidamente con la cabeza.

—No os pediría a ninguno de los dos que pusierais en peligro a Brina o a Macha. Por mi parte, no.

Maldición. Maldición, Maldición. ¿De qué iban aquellos dos? ¿Por qué no podían ceder ni un ápice? Evalle no iba a considerarse derrotada, pero ganar su libertad no parecía demasiado prometedor. La bruja había dicho que les quedaba poco tiempo.

Quinn afiló la mirada.

—Estoy errando mentalmente a través de los túneles en busca de una mente.

A Evalle empezaba a gustarle aquel tipo a pesar de tener una relación íntima con una Medb. Él sabía que estaría en aprietos si llegaba a Brina una palabra acerca de su relación con una Medb, pero estaba decidido a ayudar. Tal vez ella podía confiar en él.

Tzader, por otra parte, ya había conseguido su voto.

—Tengo uno… no creo que sea el líder. —La voz de Quinn se había vuelto monótona—. Está escuchando a uno de los otros brujos… no pueden esperar a que aquel hechizo consuma a los veladores… Kizira discute que deberían esperar… Los veladores son peligrosos incluso de uno en uno… dice el líder… —Quinn echó hacia atrás la cabeza. Sus ojos conmocionados se volvieron hacia ella—. Es a ti a quien quieren, Evalle, y no querrás saber lo que planean para ti.

—Suéltalo —dijo ella con más arrogancia de la que era capaz de sostener en ese momento.

Las cejas de Quinn se tensaron, y sus ojos miraban al vacío mientras se concentraba. Sorbió una bocanada de aire.

—Espero que puedas manejarte con cuatro hechiceros tú sola, porque vienen en tu busca… Ahora mismo.

El sonido de advertencia en su voz le puso la piel de gallina a lo largo de los brazos.

—Únete a nosotros, Evalle. ¡Ahora! —El tono de Tzader no admitía discusiones ni preguntas.

Le quedaban segundos para preparar su mente. Tzader y Quinn no podrían vincularse con ella a menos que bajara los escudos mentales.

—¿Cómo sé que no me estás engañando solo para que acepte vincularme?

—No lo sabes. —Quinn se encogió de hombros—. Del mismo modo que yo no sé en qué me estoy metiendo al vincularme con una mutante, estoy dispuesto a confiar en ti para tener una oportunidad de escapar.

La pared de su izquierda comenzó a desvanecerse otra vez, ensanchándose lentamente como para permitir el paso de más gente esta vez.

Por la gracia de Macha, era la hora de decidir si iba a vivir o a morir.

Mientras la pared de la cueva se desintegraba bajo el efecto de la magia Medb, Evalle se dio cuenta de que solo tenía que responder a una pregunta. ¿Podía permitir la muerte de tan solo un velador después de haber jurado proteger a su tribu?

La respuesta afortunadamente para ella era una…

No.

Suspiró suavemente.

—Hagámoslo.

Flexionando los dedos rápidamente antes de que los hechiceros entraran, abrió el canal de su mente para Tzader y Quinn.

La inmediata sinergia que se disparó entre los tres chisporroteó en el aire con el poder combinado. Quedó marcada físicamente por un par de segundos, experimentando lo agotados que estaban los otros dos; luego se concentró únicamente en enviarles energía.

«Tienes una óptica de escándalo, cariño», susurró la voz de Tzader en su mente.

«Y su visión no es su único valor». Quinn hurgaba a través de sus pensamientos como una cálida inundación de whisky fino.

Si no hubiera estado tan preocupada ante la amenaza que

entraría tan pronto como la pared desapareciera, habría sonreído ante el cumplido.

«No os mováis hasta que yo dé la señal». Tzader dio la orden de modo lo bastante enérgico como para dejar claro a todos que no estaba de humor para bromas.

Supongo que tendremos que dejarle ser el líder en esto, ¿verdad? El sarcasmo de Quinn restó importancia a la ansiedad de Evalle y la llenó de una ráfaga de confianza. Alzó la mirada al pícaro y le hizo un guiño, luego envió un mensaje a los dos.

«Esperaré la orden antes de atacar, pero dejad que me desencadenen antes de hacer nada si queréis toda la fuerza de mi poder.»

Tzader hizo un leve asentimiento con la cabeza.

Quinn levantó un dedo en señal de acuerdo.

La pared se desplazó.

Cuatro hechiceros con túnicas grises arremolinadas y sin capuchas entraron en la habitación con antorchas en las manos, todos en dirección a Evalle. Sin sus gafas de sol puestas, afiló la mirada para lograr ver lo que, para sus ojos, era una luz brillante.

Tatuajes de serpientes envolvían sus gruesos cuellos, y luego subían en círculos por cada cabeza calva. El final puntiagudo de la cabeza de la víbora se situaba en el puente que había encima de cada una de las anchas narices de los hechiceros. Los ojos de las víboras brillaban con un color naranja amarillento y tenían estrechos centros de diamantes negros. Cuando cada hechicero se detuvo frente a Evalle, todos cantaron al unísono y le quitaron las cadenas.

Ella cayó al suelo.

Uno de los hechiceros extendió su mano, sin tocarla. Sus dedos, únicamente por energía kinésica, se enroscaron en torno a su garganta y la levantaron del suelo.

Ella luchó por respirar. «¿Tzader? ¿A qué estás esperando?»

—Está sujeta, sacerdotisa —dijo en voz alta el hechicero que asfixiaba a Evalle.

Kizira apareció en la entrada, con rostro inexpresivo.

Quinn lanzó sus pensamientos a Evalle: «Tzader estaba esperando a que entrara Kizira. Yo me ocuparé de ella».

Kizira cerró los ojos y sostuvo las manos frente a ella con las palmas hacia arriba. Sus ojos tenían un brillo amarillento. Comenzó a murmurar palabras extrañas que sonaban antiguas y letales.

«Ahora, Evalle», rugió Tzader en su mente.

Evalle adquirió su aspecto de batalla, un mínimo cambio físico que todos los veladores estaban capacitados para usar cuando peleaban. Cerró los dedos en puños. Clavos de cartílago surgieron a lo largo de sus brazos. El poder la recorrió, extendiendo tejidos de músculos y alzando su adrenalina a un nivel volcánico.

Aferró con las dos manos el brazo invisible que la sujetaba y mostró los dientes.

—Tú morirás el primero, únicamente para inaugurar esta fiesta con una nota alta.

El hechicero de nariz roma sonrió y apretó con más fuerza, provocando lágrimas en los ojos de ella.

Empleando su habilidad kinésica, Evalle golpeó las antorchas contra el suelo de tierra, logrando que se apagaran las llamas. Los hechiceros aullaron con ira.

«¿Preparados?»

Tzader y Quinn se liberaron de sus cadenas, rodeando a los otros tres hechiceros para enfrentarse a ellos.

Los gritos de la batalla chocaban contra las paredes, reuniendo fuerza como el gemido de una criatura de ultratumba.

Empujando en direcciones opuestas con cada mano, Evalle contuvo la fuerza que le oprimía la garganta. El hechicero gritó de dolor, y sus brazos cayeron impotentes a los lados. Al liberarse de su poder, Evalle volvió a caer al suelo. Él aulló de dolor y cayó a su lado. Ella levantó las manos, con las palmas hacia arriba, bloqueándolo con un escudo de poder. Él rebotó y cayó de nuevo al suelo.

Kizira se balanceó, sumida en un profundo trance.

Evalle golpeó el suelo con cada pie y unos clavos plateados con puntas afiladas salieron de las suelas de sus botas. Dio un paso hacia Tzader, que luchaba con dos hechiceros.

Quinn quebró el cuello del Medb contra el que luchaba, lanzando el cuerpo a un lado con más rapidez de la que se emplea para deshacerse de la basura acumulada, luego se ocupó de uno de los oponentes de Tzader.

El hechicero que Evalle había tumbado logró ponerse en pie. Cargó contra ella, abriendo la boca para soltar maldiciones demoníacas en una ráfaga de aliento negro.

Ella se dio la vuelta, alzando la bota en alto, y las puntas letales se clavaron en el cuello del hechicero como una sierra circular. Un líquido púrpura brotó a borbotones de la herida mortal, llenando el aire de un hedor a naranjas amargas. Evalle sacudió la bota hacia arriba de nuevo con una patada cruzada. La cabeza del hechicero cayó de costado, golpeando a Kizira en el pecho. Eso sacó del trance a la sacerdotisa. Sus ojos comenzaron a aclararse.

Cielos.

Evalle volvió a la lucha, pero no podía soltar patadas y arriesgarse a matar a los veladores, que ahora luchaban contra los otros dos hechiceros que seguían con vida. De los dos muertos, uno yacía boca abajo con la cabeza girada mirando hacia el techo.

Tzader luchaba contra un hechicero armado con una espada triple que instantes antes no llevaba.

Quinn arrojó hacia atrás al cuarto hechicero con un golpe de energía, y luego produjo tres triquetas celtas con cuchillas serradas y las arrojó con letal puntería. Las cuchillas se clavaron en la garganta del bastardo, en el corazón y en los ojos, matándolo al instante.

—¡No, mi hermano no! ¡No! —chilló Kizira. Miró a Quinn, en su rostro desesperado había una mezcla de conmoción y traición. Cuando la sacerdotisa alzó las manos hacia Quinn, Evalle saltó hacia ella.

—¡No, Evalle! —gritó Quinn.

Ella se deslizó para detenerse junto a Kizira, que había quedado congelada en mitad de un movimiento con los brazos extendidos, y los ojos totalmente abiertos llenos de furia.

Quinn se puso junto a la sacerdotisa.

—He atrapado su mente, pero no puedo mantenerla por mucho tiempo sin hacerle daño. —Miró a Evalle con ojos llenos de tristeza—. Ayuda a Tzader.

Ella asintió, luego sintió un golpe en su estómago que la

hizo doblarse. Quinn gruñó pero mantuvo su posición en el fondo de la habitación. Cuando ella se volvió hacia Tzader, lo encontró en el suelo, con la lanza de triple filo clavada en el pecho.

Tzader alzó la vista hacia ella. Su rostro se retorcía de dolor.

«Corta el vínculo... antes de que muera, y déjame aquí —habló en su mente—. Puedes matar al que queda.»

Evalle miró al último hechicero, que reía triunfante hasta que vio a Kizira inmovilizada. Fue entonces cuando los ojos de serpiente tatuados en su frente cobraron vida. Eso significaba que llevaba en sus venas la misma sangre que la gran sacerdotisa Medb.

Evalle miró a Tzader.

«Escapar o morir, todos somos uno.»

«Estoy de acuerdo —confirmó Quinn con un jadeo—. Pero no puedo ayudarte a ti y mantener inmovilizada a Kizira.»

Evalle se encaró con el hechicero. La intimidación jugaba un papel en cada batalla ganada.

—No pareces tan duro como para matar.

El hechicero susurró un canto, mientras llevaba las manos a los labios y soplaba a través de las palmas. Las dos manos triplicaron su tamaño, convirtiéndose en zarpas. Golpeó la larga palma contra la pared más próxima, excavando a través de la piedra como si cortara mantequilla con un cuchillo de carnicero. Torció la misma garra, sonriendo al provocarla para que atacara.

Bueno, mierda. Realmente no esperaba salir de aquel desastre sin tener que enfrentarse a esa decisión. Pero ella únicamente se había transformado una vez —apenas parcialmente— y eso había sido como reacción al terror. Recuperar su forma física normal le había supuesto mucho esfuerzo. ¿Podría volver a hacerlo? ¿O quedaría convertida para siempre en una bestia mecánica?

No había tiempo para preocuparse por lo que podía ocurrir. Si se quedaban allí, morirían. Si ella se transformaba...

Evalle buscó mentalmente en su interior, en lo profundo del centro de fuerza de su vida. Animó a su cuerpo a liberarse por sí mismo. El poder creció a través de su centro, extendiéndose por sus brazos y sus piernas. Los huesos crujieron y explotaron, y la piel se tensó. Sus ropas se desgarraron, deshaciéndose en pedazos que se separaron de su cuerpo.

El cuero se rasgó con un chasquido cuando sus pies se ensancharon, con los dedos del tamaño de una mano humana. Su mandíbula se extendió para adaptarse a una doble fila de dientes que se afilaron hasta convertirse en colmillos de sierra.

Los nervios y tendones gritaron de dolor. Rugió dejando escapar un sonido fantasmal y resonante, capaz ahora de mirar al hechicero desde una altura de más de tres metros por encima del suelo.

El hechicero se atrevió a reír, y luego le lanzó una bola de energía.

Ella la esquivó de un golpe, haciendo un agujero en la pared de roca.

El hechicero ladeó la cabeza, todavía sonriendo, pero un poco sorprendido. Cargó contra ella, balanceando los brazos hacia atrás para arrojar una garra contra su cuello. Antes de que pudiera cortarle la cabeza ella lo bloqueó, empleando un brazo de un tamaño descomunal que crepitaba con un poder inagotable.

Él rebotó hacia atrás, atónito durante los dos segundos que ella le permitió seguir con vida.

Evalle cerró sus curtidos dedos en un puño y le aplastó la cara, golpeándolo hacia atrás contra la pared, donde dejó aferrado su cuerpo tembloroso. Rayos de energía explotaron y arrojaron chispas en torno a él antes de que cayera al suelo. Cuando se acercó más al hechicero, él jadeó:

—Eres un monstruo muerto…

Ella levantó un pie tan pesado como dos bloques de cemento y le dio una patada en el estómago, partiéndolo por la mitad.

Su último aliento emergió de él como un grito, un sonido de agonía que Evalle no quisiera volver a oír nunca más.

Brillantes luces naranjas iluminaban el interior de la cueva. Su cuerpo gorgoteó una espuma púrpura, y luego se desintegró en una nube de humo marrón. Un signo seguro de que pertenecía a la realeza Medb.

Evalle respiró varias veces, calmando el poder que latía en

su interior. Rogó que su cuerpo recobrara su forma ahora que ya estaban a salvo. Cada respiración que daba obligaba a alguna parte de su cuerpo a tensarse y encogerse, pero aleluya... estaba revirtiendo el cambio. Su piel estaba cubierta de sudor. Sentía un dolor lacerante en los brazos y las piernas, y se le revolvía el estómago. La cabeza le dolía como si tuviera una estaca clavada en las sienes, pero tendría que enfrentarse a algo mucho peor si el Tribunal descubría que se había transformado.

Al sentir que todo su cuerpo recuperaba al fin la forma humana, Evalle se volvió hacia Tzader, que yacía en el suelo totalmente inmóvil. Al llegar junto a él, le extrajo la lanza. La sangre brotó de los tres agujeros. Mortificada por su desnudez, pero incapaz de reparar su ropa despedazada, se dejó caer de rodillas y apretó las manos contra los agujeros para detener la hemorragia. Pero no tenía poder para reparar todo el daño interno.

—No puede estar muerto, porque nosotros estamos vivos —dijo Quinn con un resuello por encima de su hombro, pues aún seguía inmóvil controlando a Kizira.

—Tienes razón. —Evalle y Quinn tenían una oportunidad de sobrevivir si se desligaban de Tzader y escapaban, pero ella no podía abandonar a Tzader. Él no era el velador traidor. Si rompía el vínculo, él perdería la fuerza que ella todavía le daba. A ella también le dolía el abdomen, pero no tanto como si hubiera sido apuñalada. ¿Por qué no se sentía como si se estuviera muriendo?

¿Acaso un mutante vinculado a un velador podía no morir?

Tzader agitó los párpados.

—Estoy aquí —le aseguró ella—. No te dejaré.

Él jadeó para coger aire, con el pecho pesado. Movió la mano para agarrarla del brazo con una fuerza que la sorprendió.

—Él vive... estoy sintiendo que se hace más fuerte.

Evalle miró a Quinn por encima del hombro.

—Yo también.

Tzader gruñó.

—Ya puedes quitar tu mano.

Cuando ella bajó la vista, su rostro estaba lleno de vida. Ella apartó las manos. Los agujeros del pecho de Tzader se estaban encogiendo. Ella miró conmocionada.

—¿Qué has hecho?

Tzader se sentó y se estiró; luego sus hombros se desplomaron por el esfuerzo.

—Me has salvado la vida, Evalle.

—No, no lo he hecho. —Se levantó y se apartó de él—. Yo no tengo esos poderes.

Tzader se puso en pie y se volvió hacia ella, señalando educadamente su cuerpo desnudo.

—Deberías ponerte una túnica.

Ella cogió una túnica que había quedado en el lugar donde uno de los hechiceros había sido desintegrado. Metió los brazos en las mangas

—Y ahora dime… ¿qué te ha ocurrido, Tzader?

Él se movió lentamente, todavía recuperándose.

—Hasta donde puedo decir, las puntas de la lanza estaban hechas de lava de volcán. No hace falta que os diga a ninguno de los dos que es la única cosa que puede matarme. Pero las puntas tienen que estar en su lugar mientras voy muriendo lentamente. Si tú no hubieras derrotado al último hechicero y no me hubieras extraído la lanza, habría muerto.

Los veladores no eran inmortales, como norma, hasta donde ella sabía.

—¿Por qué no has muerto?

Al ver que Tzader no respondía, Quinn lo hizo.

—Más vale que nos lo digas. Luego Evalle compartirá también qué es lo que la mata a ella. No voy a salir de aquí sin saber más de vosotros dos.

Ella le dedicó una mirada traviesa.

—Creo que ahora los dos sabéis todo lo que necesitáis saber sobre mí.

Tzader se encogió de hombros.

—Digamos que soy descendiente de un velador que me bendijo, o me maldijo, dependiendo del punto de vista, y dejémoslo así, ¿de acuerdo? —Caminó hasta Quinn—. ¿Podemos salir de aquí?

—Sí. Emprenderé la salida de la mente de Kizira.

Evalle se puso de pie ante ellos.

—Dudo que nos deje ir sin luchar cuando sueltes su mente.

—No la mataré. —Quinn lo dijo muy convencido—. Puedo provocar un blanco en sus pensamientos cuando la suelte que puede durar un minuto. Tiempo suficiente para llegar a la superficie.

—Hazlo. —Tzader miró la pared todavía abierta. Silbó de modo estridente. Dos cuchillos giratorios con diseños celtas en la empuñadura entraron volando en la habitación y lo rodearon, aterrizando en cada una de sus caderas. Las puntas de las cuchillas rugieron y silbaron.

Evalle echaba de menos sus botas más que su ropa, pero tenía preocupaciones mayores. No creía que aquellos dos protegieran su secreto a menos que le dieran su palabra. ¿Pero qué velador arriesgaría su existencia y la de su familia por una mutante?

—Tenemos que irnos ahora. —Quinn se apartó de Kizira, que seguía inmóvil, como una estatua escalofriante. Guio el camino, corriendo a través de un laberinto de galerías oscuras que subían hasta la superficie.

Tzader siguió a Evalle, que mantenía el paso con Quinn.

—¿Estamos todos de acuerdo en guardar algunos secretos, verdad?

Evalle se moría de ganas de saber por qué ninguno de los hombres había comentado nada acerca de su transformación. Ella haría cualquier cosa para proteger a su tribu, pero no estaba dispuesta a que la metieran de nuevo en una jaula.

No después de haber pasado su infancia encerrada como un monstruo.

Los pasos de Tzader sonaban cerca detrás de ella.

—Primero salgamos de aquí, luego hablaremos.

El miedo la atravesó. Él iba a llevarla ante las autoridades. Lo sabía. Solo que no era lo bastante hombre como para decírselo hasta que estuviera a salvo.

—Puedes hablar y correr. Reconoce lo que has visto. Volví enseguida a mi estado normal. No perdí el control. Escogí cuándo transformarme y cuándo recuperar mi forma.

—Es complicado, Evalle. —Quinn los guiaba con confianza, escogiendo los giros sin vacilar y siempre corriendo.

Hasta que llegaron a una pila de rocas que les impedía el paso.

Todos derraparon al detenerse.

Ningún hombre podría hacer nada para apartar esas rocas, y los minutos que les quedaban estaban a punto de agotarse. Evalle los miró.

—Empleemos la fuerza kinésica, ¿de acuerdo?

Quinn negó con la cabeza.

—No podemos mover estas rocas de esa forma. Extraje varios cánticos de Kizira que creo que están conectados a esta ruta, pero...

—¿Pero qué? —La rabia se mezclaba con el miedo en su interior—. Empieza a soltar tu maldito cántico antes de que la loca de tu sacerdotisa despierte de su pequeña siesta.

—Moriríamos todos si usara un cántico equivocado. Y ella no está loca. —El tono de Quinn le indicó que su paciencia se estaba agotando.

Un chillido sobrenatural que parecía salido de una película de serie B recorrió el túnel subterráneo.

—Parece que la bella durmiente se ha despertado —suspiró Evalle.

—Me gustas más cuando estás callada —le espetó Quinn, perdiendo la compostura.

—A mí no me gustáis ninguno de los dos en este momento. —Tzader los miró con rabia—. Abre la maldita salida o voy a tener que matar a una sacerdotisa seriamente mosqueada.

Los chillidos de Kizira aumentaron de volumen.

Quinn se puso frente a las rocas y lanzó una secuencia rápida de palabrerío que Evalle no pudo empezar ni a traducir ni a recordar.

Las rocas comenzaron a caer a cada uno de los lados, separándose para crear una abertura. Ella echó un vistazo rápido hacia atrás para ver a Kizira. Puede que Quinn no quisiera herir a su dulce diablesa, pero Evalle sí lo haría. Si no fuera por los Medb no se estaría enfrentando ahora al encarcelamiento, o peor aún, a la posibilidad de transformarse.

—Vamos. —Tzader la agarró del brazo y la arrastró a través del espacio abierto—. ¡Sella eso, por todos los demonios, Quinn!

El cántico de Quinn se perdía entre el sonido de las rocas apiladas detrás de ellos.

Cuando Evalle recuperó el equilibrio ya estaba en la superficie.

A la luz del día. Sin un refugio a la vista.

El sol de agosto abrasaba el paisaje desierto y la abrasaba también a ella.

—¡No! —Se acurrucó dentro de la túnica, buscando protegerse. La piel del dorso de su mano expuesta comenzó a adquirir un asqueroso color verde.

Tzader y Quinn gritaron algo, pero los gritos de Evalle ahogaron los suyos. El calor abrasaba la sangre en los vasos sanguíneos del brazo y en el interior de su cuerpo, llevando el veneno a todo el sistema.

Finalmente no tendría que enfrentarse a la prisión.

El sol la mataría antes.

ÉPOCA ACTUAL

Atlanta, Georgia

Uno

Evalle mantuvo una manzana de distancia entre ella y el demonio Cresyl que deambulaba a lo largo de la calle Peters en uno de los barrios más peligrosos del centro de Atlanta, después del anochecer.

La oscuridad de las tres de la madrugada. El cementerio estaba tranquilo esas primeras horas del domingo. ¿Acaso toda la gente despierta estaría en los bares? Debería haber en la calle más de la que había.

Pero más importante que eso era... ¿quién había enviado a un demonio Cresyl a aquel territorio y por qué? Era la segunda vez en diez días, y ella no habría identificado a aquel ser tan rápidamente si no fuera porque los había estudiado concienzudamente después de que el primero apareciera y le arruinara el día.

Tantas criaturas no humanas sobre las que aprender, y tan poco tiempo. Especialmente si había que cazarlas. Pero el último Cresyl visto en Atlanta había desaparecido antes de causar ningún problema.

Esta vez no eran tan afortunados. Un humano había muerto, y de una forma sospechosa para tratarse del ataque de un demonio. Una muerte que pondría a Evalle en apuros con VIPER.

El cuerpo de una mujer joven había sido maltratado y únicamente había desaparecido el corazón. Lo peor había sido el hedor a azufre, que indicaba de manera precisa que el ataque no había sido humano. Pero aquello no tenía sentido. Un demonio tenía que ingerir a un ser humano entero para llevarse su alma, ¿entonces por qué había escogido solo un órgano? ¿Y por qué maltratar el cuerpo?

Aquello no encajaba con un demonio. Encajaba con la forma en que los mutantes habían descuartizado cuerpos en el pasado.

¿Acaso alguien estaba intentando que el atacante y asesino de la mujer pareciera un mutante?

«¿O tan solo estoy siendo paranoica?»

Deseaba que Tzader y Quinn no hubieran sido llamados fuera de la ciudad. Ellos eran capaces de distinguir la realidad de la paranoia. Ella no había sido muy buena haciendo eso desde que había sobrevivido a su huida de los Medb dos años atrás.

¿Aquel demonio habría sido enviado por los Medb?

¿Todavía estaban tratando de atraparla?

Pero eso tampoco tenía sentido. Los Cresyls eran sudafricanos, y no celtas, por tanto no eran el tipo de demonios que usarían los Medb.

«Detén esas ideas locas y atrapa esa maldita cosa que anda moviéndose furtivamente por la ciudad.»

Si hubiera conseguido demostrar ante VIPER qué era lo que había matado a esa persona antes de que ellos abrieran una investigación, no habría tenido que enfrentarse incluso a una suspensión. Si no, habría un dedo señalándola en el mismo minuto en que descubrieran a un ser humano despedazado.

Siempre funcionaba así.

«Culpable más allá de toda duda. Cargados de pruebas contra mí, no importa cuánto me haya demostrado a mí misma.

»Bastardos.»

Ella nunca había hecho daño a un ser humano, pero después de todo era una mutante, perfilada en el más puro sentido de la palabra como una amenaza depredadora simplemente por estar respirando el mismo aire.

Incluso una suspensión temporal sería insoportable, porque eso significaría ver reducidos sus poderes a un mínimo nivel. Eso la dejaría prácticamente indefensa en una ciudad donde había criaturas sobrenaturales moviéndose de manera furtiva y letal.

Con un propósito.

Como la criatura que reptaba constantemente por delante de ella.

Si ella corría por Atlanta sin sus poderes esta criatura tendría la temporada abierta y ella terminaría en una losa de la morgue cerca de esa pobre mujer a la que habían arrancado el corazón.

Por más que la idea de perder sus poderes la inquietara, su mayor preocupación era que la repentina carencia de poderes desatara una transformación involuntaria en su forma de bestia por un instinto natural de autoprotección.

Eso acabaría con cualquier duda respecto a la cuestión de su culpa por parte de VIPER, y estaría condenada.

Se enfrentaría a una habitación llena de demonios con tal de evitar ese escenario. Además, VIPER necesitaba de su trabajo. Ella tenía los mejores informantes de la ciudad cuando se trataba de inteligencia sobrenatural.

Por eso había encontrado a aquel demonio en tan poco tiempo.

El Cresyl tropezó, recuperó el equilibrio y luego se detuvo como clavado en su sitio. Dividiendo la atención entre él y el camino, ella apenas esquivó una pila de heces de olor pútrido que él había dejado en su estela.

Estupendo... era como caminar detrás de un caballo. ¿Es que no tenían el menor sentido de la limpieza?

Él —el género de los demonios viene determinado por el tamaño de sus cuernos —destellaba apareciendo y desapareciendo, semejante más que otra cosa a sombra y niebla para los humanos desprevenidos que circulaban a las tres de la madrugada. Aun a través de las gafas oscuras, la visión nocturna natural de Evalle captó su columna huesuda, su cola escurridiza y su piel curtida con tanta nitidez como la de una imagen en alta resolución.

¿Por qué se movía a un paso tan lento? Los Cresyls eran en general rápidos y peligrosos... y viajaban en parejas.

¿Dónde estaba el compañero de este?

Sería aquel que había desgarrado al humano esa noche... ¿O habrían sido los dos?

Lo que estaba claro era que alguien o algo lo había hecho, y aquellos dos eran los candidatos más probables. Los restos de la mujer joven se habían expuesto en la morgue de la ciudad de Atlanta pocas horas antes. La morgue donde Evalle trabajaba media jornada como técnico de mantenimiento desde las diez de la noche hasta las cinco de la madrugada. Se esperaba que todos los agentes de VIPER estuvieran integrados en la comunidad, preferiblemente en algún lugar que les permitiera obtener información sobre algún tipo de actividad sobrenatural.

La morgue era un lugar perfecto donde estar. No solo por VIPER, sino también por sus propias razones personales.

La muerte no era una amenaza.

La mayor parte del tiempo.

¿Y qué mejor lugar donde enterarse de asesinatos inusuales o muestras de ADN extraño? Estar de guardia la madrugada del domingo habitualmente suponía ocuparse de las escenas de violencia comunes y corrientes de la noche del sábado, y no del ataque de un demonio. El supervisor de turno del cementerio que había recibido el cuerpo de la mujer había rellenado una solicitud para que control animal acudiera a inspeccionar el cuerpo devastado y el pecho escarbado.

Esa visita no habría tenido lugar hasta el lunes por la mañana en horas laborables. Pero Evalle no podía arriesgarse a la posibilidad de que VIPER descubriera la mutilación antes del lunes, ya que tenían otros espías con acceso a la morgue aparte de ella.

Incluso si algún animal salvaje escapado del zoo hubiera arrancado el corazón del cuerpo tan limpiamente, cualquier investigador se preguntaría por qué un depredador terrenal no habría devorado el cuerpo.

Los animales acostumbraban a ser asesinos chapuceros. Los demonios, no tanto.

Todo en relación a esa muerte era extraño, y no concordaba con nada de lo que hubiera oído respecto a los demonios Cresyl... ni tampoco a los de otro tipo, por otra parte. Su sentido de la contradicción le producía un cosquilleo fuera de lo corriente y no podía sacudirse de encima la sensación de que aquello era malo para ella. Realmente malo. Como había estado sola justo hasta antes de acudir al trabajo, no tenía ninguna coartada en el momento de la muerte.

«No es paranoia. Me han tendido una trampa. Tiene que ser eso.» Ninguna otra cosa tiene sentido.

Quinn y Tzader la habrían ayudado en el mismo momento de saberlo, pero estaban en Charlotte, y ella se negaba a llamarlos como una mujer desvalida.

«He llegado a este mundo sola y puedo arreglármelas con cualquier cosa que me echen.»

Y por todos los dioses que podía arreglárselas con los Cresyls.

Si no cometía un error.

O si le faltaba tiempo. La luz del día llegaría en menos de dos horas y se vería obligada a escapar de las calles para protegerse del sol de agosto. Por eso había simulado estar mal del estómago en la morgue para acabar temprano e irse a casa. No era del todo falso. Realmente le revolvía el estómago que alguien le quisiera hacer daño.

O mejor dicho, que la quisiera en una jaula.

Evalle se encogió de dolor cuando los recuerdos involuntarios la aferraron con afiladas garras ante aquel pensamiento. Nada provocaba más sus ataques de pánico que la idea de ser encarcelada.

Bueno, sí, había otra cuestión que también la atemorizaba, pero prefería no pensar en eso tampoco.

«Concentrarse.» Pero era duro. No importaba cuánto tratara de enterrar el pasado, cosas como aquella amenaza afloraban sus peores miedos y reabrían las viejas heridas.

Por eso prefería batallar con los demonios de fuera. Una vez los mataba, permanecían muertos. Era una pena que los del interior no cooperaran tanto. Incluso cuando lograba matar alguno, una docena más emergían de golpe para atacarla.

Como diría Quinn, malditos gilipollas desconsiderados.

Pero nada de eso importaba. Había conducido diez minutos hasta la seguridad de su apartamento, ubicado debajo de un aparcamiento en el centro de la ciudad, solo para recoger un arma, una daga especial con una empuñadura de hueso que tenía tallados motivos celtas. La cuchilla centelleaba con magia mortífera. Extremadamente letal, podía emplearse para matar a la mayoría de los demonios si la hundía en la frente de las criaturas, entre los cuernos que crecían encima de cada ojo. La daga había sido un regalo de Tzader y Quinn después de que le salvaran la vida en Utah.

Era uno de los muchos tesoros recibidos de Tzader y Quinn, cuya amistad y confianza eran los más preciados de todos ellos.

Pero ahora tenía que arreglárselas sola.

El demonio se detuvo en mitad de la siguiente manzana a los pies de un vagabundo que dormía envuelto en papel de periódico, un pobre tipo que no molestaba a nadie.

¿Estaría valorándolo como comida?

Evalle se detuvo, perfectamente inmóvil. El sudor le goteaba debajo de la camiseta recorriendo su piel desnuda por la espalda y mojando la parte superior de los tejanos. La parte trasera de su camisa *vintage* se le pegaba a la espalda. Llevaba una camisa militar de algodón por comodidad, pero nada resultaba cómodo con tanto bochorno.Sus botas con punta de acero daban mucho calor, pero eran más prácticas y seguras que las sandalias si alguien o algo precisaba una sacudida. Comprobó con los dedos la daga en la funda de su cadera y arrugó la nariz por el olor a azufre que arrastraba el demonio. El hedor era demasiado débil para tratarse de un demonio que hubiera comido un corazón humano.

Aunque alguno de ellos podría haber descubierto la magia del perfume o el desodorante.

Bien pensado, con perfume la mierda continúa apestando, hagas lo que hagas.

Tal vez aquella cosa no había atacado al ser humano. No le gustaba la idea de herir a nadie sin motivo, pero aquella joven había sufrido una muerte abominable, y la forma más rápida de descubrir a la pareja de aquella cosa sería obligarla a suplicar ayuda.

Además, como agente VIPER, se esperaba que hiciese todo lo necesario para proteger a los humanos de los depredadores.

Y lo haría.

Un coche apareció en la calle y se dirigió hacia ella, con el silenciador gastado, provocando estruendo en la tranquilidad de la noche. Ella mantuvo la vista fija en su demonio. Lo último que quería sería atacarlo frente a un ciudadano civil que vería al demonio con claridad si se solidificaba para luchar, pero no permitiría que matara al mendigo.

El demonio sacudió la cabeza y murmuró por lo bajo, luego continuó, renunciando al humano, aunque a regañadientes.

Ella soltó un suspiro de alivio, ¿pero, por qué habría dejado pasar esa oportunidad?

Cuando los faros del coche que se acercaba iluminaron al demonio, la criatura echó a correr a toda velocidad y desapareció por una calle de la izquierda.

Evalle se metió en el hueco de un portal hasta que el coche la sobrepasó y luego se apresuró, conteniendo la respiración al pasar junto al mendigo, que apestaba a sudor y a orina. Amigo..., aquel hedor competía con el del demonio en el *ranking* de las pestes. Tal vez este se había detenido allí preguntándose si aquel tipo era uno de los suyos.

En la esquina, la calle giraba a la izquierda en un tramo de edificios altos que lanzaban sus sombras a cada lado.

La calle se detenía en la pared de un terraplén de las vías ferroviarias.

Vacío. No había demonio a la vista.

Maldita sea. No podía haberlo perdido.

Evalle avanzó cuidadosamente, atenta a cualquier hilillo de azufre en el aire. Afortunadamente, captó el aroma al llegar a un bloque de cemento de unos tres metros cuadrados infestado de malas hierbas al final de la calle.

El demonio, ahora con su forma solidificada y encorvado, estaba sentado sobre una pila de neumáticos, dándose palmaditas en su cabeza escamosa, por encima de los cuernos. Murmuraba incoherencias. Había un olor a huevos podridos en el aire, pero el olor sería más sobrecogedor en la distancia si se hubiera alimentado de un humano recientemente.

—¿Qué estás haciendo aquí? —Habló con autoridad, aunque dudaba de que el demonio le soltara directamente la verdad. Tenía que empezar la conversación con el Cresyl de alguna forma.

Él levantó la cabeza lentamente. La baba le salía por una

de las comisuras de su ancha boca. Sus apagados ojos amarillos no podían enfocar. Empezó a murmurar otra vez, con un sonido grave gutural.

—Tú.

¿Cómo? ¿Qué le ocurría? Ella dio otro paso hacia él, pero mantuvo una distancia prudencial.

—¿Trabajas para alguien?

—Tú.

Para tratarse de un Cresyl, el tipo no parecía muy peligroso. Actuaba como un demente... o como drogado.

O tal vez estaba triste. ¿Podía estar triste por algo? ¿Y cómo es que ella lo había sentido? Había creído que su emergente sentido empático era más perceptivo.

—¿Quién mató a la humana?

Sus ojos se movieron en extraños círculos y luego se focalizaron en ella.

—Tú.

—Supongo que tendré que preparar un test de opciones múltiples. ¿Tienes más palabras o tengo que comprar una vocal?

«¿Dónde estás, Evalle?», Tzader la llamó telepáticamente.

«A las afueras de Peters, en el lado sur de Atlanta. No muy lejos de donde arrestamos la pandilla de FAE de la luna de medianoche. ¿Por qué? ¿Dónde estás tú?»

«En Atlanta. ¿Qué estás haciendo?»

Gracias a la diosa Macha que Tzader estaba de vuelta. Evalle no rechazaría su ayuda.

«He arrinconado a...»

El demonio rugió y se puso en pie de un salto, con los hombros encorvados en una postura agresiva. Sus ojos ardían con furia.

—Tú la mataste.

—¿Matar a quién? —Extrajo la daga y la hizo girar, preparándose para el ataque.

—Tú la mataste. —Comenzó a aullar, y su cuerpo se sacudió como si reaccionara a una droga, pero las drogas no funcionaban con los demonios, ¿o sí?

Dio un paso y se tambaleó.

¿Alguien habría lanzado un hechizo sobre esa criatura para que acusara a Evalle de matar a la mujer?

—¿Quién es tu amo? ¿Quién te envía?

«¿Evalle?»

«Vuelvo contigo en un minuto, Tzader. Ahora estoy ocupada.»

—Ella murió. Tú. Morir. —El demonio se lanzó contra ella.

Tenía que estar hablando de la muerte de otra criatura. Un Cresyl nunca se vengaría por la muerte de un ser humano.

Lo esquivó moviéndose a la derecha y se dio la vuelta cuando él la perdió.

—¿Quién mató a la mujer?

—Tú. —Tropezó y rugió.

—¿Podemos avanzar más rápido con una nueva pregunta? —Necesitaba una pregunta que él no pudiera responder con un «tú»—. ¿Dónde está tu pareja?

Esa había sido una pregunta equivocada.

Levantó la pila de neumáticos y se los arrojó encima, pero ella fue lo bastante rápida y logró apartarse.

O es que él era demasiado lento para ser un demonio. Ella dejó de girar y se encaró con él. Él se dobló sobre su pecho, gimiendo tan lastimeramente que ella casi sintió simpatía.

¿Por qué no estaba su pareja con él?

Si dejaba de hacer ese horrible sonido el tiempo suficiente para poder hablar, tal vez lograra sonsacarle algunas respuestas. Planeó luchar de tal modo que pudiera atraparle la cola. Los Cresyls son como las comadrejas. Si consigues envolver su cola alrededor de tu antebrazo logras hacerte con su control.

Algo le había arruinado la mente.

Tal vez tenía algún tipo de enfermedad extraña. ¿Los demonios enfermaban? ¿Había un moquillo de demonios o algo así?

No podía herir a una criatura que no luchara contra ella.

Evalle suavizó la voz y fue acercándose a la cola mientras hablaba.

—Vamos, amigo. Solo dime quién te ha enviado aquí y

yo encontraré a alguien que te ayude a sentirte mejor. O dime dónde está tu compañera y la traeré contigo.

El demonio aulló con un chillido tan agudo que ningún humano podía oírlo. Extendió la cola, agitándola para tratar de golpearle las piernas. Ella cayó hacia atrás, y su cráneo rebotó en el cemento.

Aturdida, parpadeó y se tocó las gafas de sol, que le habían quedado torcidas. Nadie le había dicho que los Cresyls pudieran hacer eso con sus colas.

Él se dejó caer sobre ella, colocando las rodillas a cada lado de sus piernas, arqueando los brazos por encima de la cabeza con las garras extendidas para atacar y abriendo totalmente la boca para morder y arrancar un trozo de su cuerpo.

El instinto de supervivencia hizo que su mente superara el dolor del golpe en la cabeza. Alguien gritó su nombre desde lejos... ¿o había sido Tzader en su mente?

El demonio se balanceó hacia abajo en un movimiento lento.

Ella mantuvo los ojos cerrados para evitar ver la expresión de locura en sus ojos. Oía el pulso de la sangre corriendo a través de sus oídos. Los latidos de su corazón como tambores de guerra en su pecho cuanto más se acercaban a su cara los afilados colmillos.

En el último minuto, sacó la daga con las dos manos y se la clavó en la frente.

Un polvo amarillo y pútrido giró en remolino, y luego se desintegró, confirmando que el demonio no había matado a un ser humano. Si lo hubiera hecho, ella habría podido capturar la esencia del monstruo en un puño antes de que desapareciera.

Mierda. No había ninguna prueba. Tendría que atrapar al otro demonio.

—¿No podías esperar a que llegara? —gritó una voz masculina desde el callejón.

Ella se dio la vuelta y se incorporó de rodillas para ver a Tzader corriendo hacia ella. Llevaba camiseta, tejanos y botas, todo tan oscuro que con una visión normal ella no habría logrado verlo.

Se levantó del suelo sacudiéndose el polvo de los tejanos.

—No, no podía esperar.

—¿Qué sentido tiene haberte salvado el culo en Utah si vas a ponerlo en riesgo cada vez que me doy la vuelta?

—¿Podemos evitar tener esta misma discusión otra vez? —Siempre les estaría agradecida a Tzader y a Quinn por haberle salvado la vida y por proteger su secreto, pero a veces se comportaban como dos hermanos sobreprotectores.

La mayor parte de las veces.

—Era tan solo un Cresyl, y estaba completamente colgado.

Una de las cejas de Tzader se alzó con actitud interrogante. Se cruzó de brazos.

Entonces, ¿te tiraste al suelo para que estuvierais en igualdad de condiciones?

Para no tener que admitir que había cometido un error táctico que ningún guerrero entrenado cometería, el de subestimar a su adversario, se encogió de hombros.

—Parecía buena idea en ese momento.

—¿Cuál fue la agresión?

Ella le habló del cuerpo en la morgue.

—No he descubierto quién envió al demonio y no puedo probar que todo mutante, incluyéndome a mí, es inocente de la muerte de un ser humano hasta que atrape a ese segundo Cresyl.

La aparición de otro mutante en juego no desviaría la atención de ella tampoco. De hecho, crearía más problemas. Las cosas habían estado tranquilas durante un largo tiempo, pero dos meses atrás un nuevo mutante se había transformado y había atacado a humanos. Evalle había sido llevada ante VIPER de nuevo y fue extensamente interrogada acerca de su habilidad para prevenir transformaciones involuntarias. En realidad, Sen, el capo de VIPER, había tratado de sorprenderla con alguna mentira para poder ponerla bajo custodia protectora.

«¿Protectora?» Sí, ya.

Tzader alzó la mirada al cielo, que estaba cada vez más claro.

—Te estás quedando sin tiempo.

—Me doy cuenta. Ahora que estás de vuelta, quizás podamos dividirnos para buscar. —Comenzó a caminar hacia Peters.

Él se puso a caminar junto a ella.

—No puedo ir de caza todavía. He regresado para reunirme con alguien que tiene una pista sobre el velador traidor. —Todavía no habían logrado identificar al bastardo que los había traicionado.

Dos años... Dos malditos años y no estaban ni un poco más cerca que cuando se hallaban encadenados en la cueva. Mientras tanto, un traidor se movía en sus filas sin ser detectado, y quién sabe a quién más habría matado y traicionado.

—Es fantástico. —Ella se había preguntado más de una noche si alguna vez encontrarían al tipo que los había traicionado en Utah. Fuera quien fuese, se trataba de alguien habilidoso e inteligente.

—Sería estupendo no tener que preocuparme porque tú estás aquí persiguiendo demonios. Dame una hora para esa reunión y lo haremos juntos.

¿Estaba chalado? Alzó de nuevo la vista hacia el cielo pálido.

—No tenemos una hora. El reloj se mueve y yo puedo encargarme de un demonio Cresyl. Si VIPER oye una palabra sobre este primero ya sabes lo que me harán. Sen tiene tolerancia cero a cualquier cosa que tenga que ver conmigo. —Se detuvo en la esquina, descansando la mano de manera automática sobre la empuñadura de la daga.

—Dudo que oiga nada sobre esta muerte antes del lunes. Encontraremos antes al otro demonio.

—¿Y si no es así, Z? ¿Qué ocurrirá si no lo encontramos antes del lunes?

Tzader miró a lo lejos, con una nube de preocupación en la mirada.

—Entonces me aseguraré de que Brina lo sepa. Ella te apoyará.

Sí, ya. Se fiaría más de que una víbora no la mordiera en el bosque.

Evalle no consideraba a Brina un apoyo tan benevolente

como Tzader creía, no cuando se trataba de mutantes. Brina era la colega de Sen, en el sentido de que los dos ejercían de intermediarios, pero con una diferencia. Mientras Brina era una abogada cuando actuaba de intermediaria entre los veladores y su diosa Macha, Sen era estrictamente un conducto entre los agentes de VIPER y el Tribunal.

Sen forzaba las decisiones del Tribunal. No actuaba como defensa.

Especialmente en lo que concernía a Evalle.

Macha y sus veladores tenían que acatar los decretos del Tribunal. Ir contra este órgano convertiría a todos los veladores en enemigos de la coalición VIPER. Serían todos señalados como proscritos y se ordenaría su ejecución. Si eso ocurría, la tribu de Evalle batallaría en todos los frentes, no solo con depredadores no humanos y otros seres poderosos.

Ella se estremeció ante aquel pensamiento.

—Brina nunca me defendería.

—Ten un poco de fe en ella. Ella intervendrá si yo le digo que tú no te convertiste ni mataste a un ser humano.

¿Y se suponía que Evalle debía confiar en eso? Ya podía incluso sentir la puerta de la prisión cerrándose tras ella.

Apretó la empuñadura de la daga.

—Puede que demuestre fe en Brina si ella alguna vez demuestra tener alguna fe en mí sin que tú se lo pidas primero. En cualquier caso, ella no puede detener la suspensión. Si no encuentro pruebas de quién ha cometido el asesinato, estoy jodida. Tú sabes lo que VIPER me hará si no encuentro al maldito demonio para impedirlo. —Alzó la mano en un gesto cuando los ojos de Tzader se afilaron para darle una lección—. Ninguno de los dos tiene tiempo para esta discusión, y no voy a presentarme ante VIPER sin algo entre las manos que demuestre mi inocencia. Llámame después de tu reunión y nos uniremos.

—Yo puedo cazar a plena luz del día, así que no asumas ningún riesgo. ¿Tienes idea de dónde está el otro Cresyl?

—Todavía no, pero pronto lo descubriré aunque tenga que trincar a cada merodeador nocturno de la ciudad. —Pero con un poco de suerte no haría falta llegar a eso. Lo intentaría primero con Grady.

A pesar de que Grady era una especie de grano en el culo y ella sudaba cada pedazo de información que tenía que sonsacarle al maldito macabro, era uno de los mejores informantes tratándose de asuntos del terreno sobrenatural.

Tzader miró alrededor de la calle, estudiando la situación de todo lo que podía verse y lo que no podía verse.

—¿Tu moto está en la zona?

—Aparcada en la próxima manzana. —Su teléfono móvil vibró por un mensaje. Ella sacó el teléfono del bolsillo trasero de los tejanos.

Él comprobó su reloj.

—Tengo que irme o llegaré tarde. Te llamaré en cuanto esté libre, pero en el peor de los casos pasaré por tu casa cuando amanezca.

—De acuerdo. —Miró la pantalla del teléfono mientras Tzader se movía rápidamente para desaparecer en cuestión de segundos. El texto era de Kellman, uno de los dos brujos adolescentes que vivían en las calles porque no tenían ni familia ni aquelarre.

El mensaje era simple:

SOS… demonio.

Echó a correr y activó el programa GPS que Quinn había instalado en su teléfono para poder rastrear la localización de un móvil.

Por favor, por favor… ojalá ese demonio fuera el compañero del Cresyl. Por una vez en su vida que tuviera algo de suerte…

Teniendo en cuenta que habían sido vistos menos de diez demonios en la región aquel año, las probabilidades de éxito eran altas.

En la siguiente intersección, giró a la izquierda, sacó el control remoto y lo apretó cuando se hallaba a diez metros de su moto, una Suzuki GSX-R con los metales dorados. Adoraba su moto, que salía disparada por la autopista como una bala. La luz delantera lanzó un destello, ahuyentando a los vagabundos apiñados alrededor de la moto. Por fuerza kinésica sacó el casco de donde estaba colgado sobre el espejo del manillar y se lo puso mientras se montaba; luego puso en marcha el motor.

Alejándose de la cuneta, apretó con fuerza el acelerador. El neumático delantero se levantó un metro del suelo.

En doce minutos estaba cruzando la autopista metropolitana. Giró por una calle transversal indicada en su móvil, condujo quinientos metros y se detuvo frente a un edificio de ladrillos de una firma de transportes que estaba cerrada los domingos como indicaba el horario de la puerta. Trató de oír a los chicos por encima del zumbido del motor.

Nada.

Pero había que decir que el aire apestaba a azufre.

Fuerte. Vibrante. Letal.

El olor de los demonios bien alimentados.

Y dentro había dos chicos aterrorizados…

Dos

Ahora que Evalle sabía dónde se ocultaba el demonio, aparcó rápidamente. No era el mejor lugar donde dejar una GSX-R después de anochecer, pero nadie podía robarla. Alguien de la extensa red de contactos de Quinn había protegido la moto de modo que el motor no pudiera encenderse a menos que fuera Evalle quien estuviera sentada sobre ella. Realmente valía la pena tener amigos con habilidades psíquicas.

La moto tenía que estar conectada a su campo de energía para que los neumáticos girasen. Buena jugada.

Cambió el casco por las gafas oscuras, se puso en pie para ir de cacería, y se dirigió hacia el edificio. El silencio seguía la estela de sus pasos, como si no hubiera ninguna amenaza acechando.

Ella sabía que no era así.

El aire apestaba a maldad.

Su demonio estaba allí, y la quietud mortal significaba que el Cresyl también sabía que Evalle estaba allí.

«Vamos…»

Las sombras susurraban, erizándole el vello de los brazos al sentir una presencia que no podía descubrir.

Pisó fuerte con sus botas y las cuchillas asomaron por el borde de las suelas.

No subestimaría a su oponente esta vez.

La peste asquerosa a azufre se hacía más fuerte a medida que se acercaba al edificio. Era una señal sólida de que estaba siguiendo el rastro correcto, pero todavía no había oído ni un sonido de los chicos.

«Por favor, que no sean pienso del demonio…»

Tenía que haber llegado a tiempo. No podía soportar la idea

de que les hubiera ocurrido algo a los gemelos. Los chicos la molestaban a veces, pero eran como de su familia.

«Será por eso que me molestan…»

Se detuvo ante una verja eléctrica, que se extendía entre el edificio de ladrillos y un almacén grande y que clausuraba la ancha entrada que conducía a la zona trasera del muelle de carga.

Evaluó la potencial emboscada.

Definitivamente era una trampa.

¿Pero quién o qué era el demonio que intentaba atrapar? Kardos y Kellman eran adolescentes sin techo que no importaban a nadie. A nadie salvo a ella y al merodeador nocturno Grady, que la ayudaba a mantenerlos vigilados.

Usando energía telekinésica, abrió y levantó la reja para poder entrar. Simultáneamente envió ondas que interferirían el aparato de vigilancia electrónica o las alarmas que la compañía tuviera. Mientras la puerta se movía, los engranajes de metal crujieron en señal de protesta, haciéndola estremecer, ya que no solo alertarían a los demonios sobre su presencia sino que revelarían su exacta localización.

Maldita sea, ¿por qué su poder de telekinesis no incorporaba un silenciador?

Se quedó helada por un segundo, esperando a que ellos se le abalanzaran. Después de varios latidos de su corazón enloquecido, comenzó a avanzar otra vez.

Al llegar a la parte trasera, se encendió una luz de seguridad encima de su cabeza, iluminando lo suficiente como para que un humano pudiera circular fácilmente por la zona cerrada. Había contenedores de transporte de varios metros de longitud apilados junto al extremo más alejado.

Todo estaba demasiado silencioso.

La advertencia de Tzader se abrió paso en sus pensamientos, recordándole que no luchara a solas contra los demonios.

«No eres inmortal ni inmune…»

Una llamada mental pidiendo ayuda serviría para que el velador más cercano se presentara allí para darle apoyo.

Consideró esa idea por una fracción de segundo.

Los veladores vendrían a regañadientes si los llamaba. Eso lograba fastidiarla, y no pensaba molestar a Tzader. Su reunión era también importante.

«No puedo dejar esto de lado con esos dos chicos a merced de un demonio Cresyl.»

Ella respiró hondo y avanzó más rápido en la zona de aparcamiento. Cuanto más se acercaba al demonio, más fétido resultaba el aire. ¿Mantendría la hembra Cresyl su forma de demonio, o aquella criatura se habría alimentado de otro humano y ahora estaría disfrazada de uno de esos pobres chicos?

¿Dónde estaban los gemelos? El pánico por su seguridad iba en aumento.

Un sonido como de un rasguño por encima de ella le hizo mirar por encima del hombro, donde a varios metros del suelo se veían dos chicos rubios idénticos colgados de la pértiga de acero galvanizado que sujetaba la luz halógena de seguridad. Uno de los chicos golpeó su bota contra la pared de ladrillo y luchó por sujetarse, pero no pudo pronunciar ni un sonido.

«Gracias a la diosa que están a salvo.»

El demonio los había dejado mudos... algo que ella hubiera deseado hacer con el insolente de Kardos en ocasiones... pero ahora no era divertido.

Evalle necesitaba algo para impedir su caída. Divisó un contenedor y levantó la mano para moverlo de modo telekinésico.

De repente, un estallido de energía la golpeó lanzándola hacia atrás. Chocó contra la pared de ladrillo a varios metros de altura y se deslizó hacia el suelo, agarrándose con las manos a los bordes para conseguir aterrizar de pie.

Preparada para luchar.

Su mano buscó la daga en su funda y se detuvo.

El demonio que había surgido a la vista entre dos contenedores de acero del lado más lejano de la zona de aparcamiento no era un Cresyl ni era una mujer.

Dibujos de tinta apergaminados corrían a lo largo de un lado de su cara, moviéndose como una maraña de serpientes enfadadas. Medía casi dos metros y medio y Evalle tenía la sensación de que podía hacerse aún más grande. Para determinar el sexo se basó esta vez en la forma muy humana en que le quedaban los tejanos, que estaban lo bastante ajustados como para no dejar duda acerca de su bien dotado miembro.

Ah, mierda, se estaba convirtiendo de humano a demonio.

¿Qué tipo de demonio era esa cosa, y qué estaba haciendo allí? ¿Quién había abierto la boca del infierno en la ciudad?

Y lo más importante, ¿cómo lograría cerrarla de nuevo? Preferiblemente con los demonios en el lado correcto. Sin ánimo de ofender, se estaba cansando de la limpieza.

Él colocó las manos —esas que ahora tenían garras— juntas frente a su pecho. Una sudadera con capucha negra extragrande le cubría los abultados hombros, pero todavía seguía transformándose. Le habían empezado a crecer los cuernos en la gruesa frente justo encima de cada ojo. La nariz se le ensanchó y se le alargó en una punta curva. ¡Puaj! Qué feos eran los demonios jabalí. Sacó una delgada lengua roja entre los dientes puntiagudos.

¿Y qué les había ocurrido a las orejas de ese diablo? En vez de afiladas, eran orejas de coliflor, como las de un boxeador sonado.

La parte trasera de sus pantalones se desgarró, y salieron dos colas de casi dos metros de largo con pinchos en las puntas.

Ahora supo de qué criatura se trataba.

Era un demonio Birrn, mucho más peligroso que un Cresyl.

Justo lo que necesitaba esa maldita noche.

Si las historias que había oído eran ciertas, debería oler como a alquitrán o a goma quemada, no a azufre... a menos que...

Se hubiera comido al Cresyl.

Estupendo. Simplemente estupendo. Mejor incluso. Se había comido la prueba que buscaba. ¿Había alguien conspirando contra ella aquella noche?

Pero un Birrn no era un agente libre. Respondía ante un amo, así que no estaría allí a menos que este lo hubiera enviado. VIPER iría definitivamente detrás de quien sea que hubiera enviado allí a aquel depredador. Si Evalle podía presentarse con esa cosa que olía a Cresyl, incluso Sen vacilaría a la hora de dirigir su dedo hacia ella para acusarla de la muerte de un ser humano.

Eso esperaba.

El demonio soltó un bramido mientras curvaba y extendía sus cuernos.

—Hola, señor Feo. ¿Podría explicarme por qué ha colgado a

mis amigos de un mástil? —Y ella que pensaba que solo los humanos bravucones eran así de crueles.

—Quiero tu poder —susurró el demonio, con un sonido amenazante y mecánico.

¿Iría a la caza de cualquier ser poderoso... o solo de ella?

—Sin ánimo de ofender. Creo que voy a quedármelo por un tiempo más. —Evalle se cruzó de brazos y miró por encima del hombro—. ¿Y qué me dices de esos dos?

¿Los habría succionado?

—Son cebo.

«De acuerdo... ¿cómo sabía que alguien acudiría a ayudar a los gemelos... y mucho menos alguien con cierto nivel de poderes?» Eso requeriría una buena investigación, pero aquel tipo de seres no tenían esa forma de inteligencia.

—Vamos a soltarlos y hablaremos.

Él negó con la cabeza en un movimiento relajado.

—El cebo siempre muere.

—Eso es una mala noticia para ti.

El demonio retrocedió. Una leve confusión nubló sus brillantes ojos rojos.

—¿Por qué?

—Ya que no eres lo bastante inteligente como para haber venido tras de mí por tu propia cuenta, significa que tú eres el cebo de alguien.

La preocupación asomó a su rostro por una fracción de segundo, justo lo bastante para que Evalle sacara ventaja de su falta de atención. Lanzó ambas manos hacia delante apartándolas de su cuerpo de modo que formó un arco de energía contra él que le golpeó hacia atrás. La criatura chocó contra el acero de los contenedores de transporte, que se estrellaron contra él, con un sonido devastador en el silencio que precedía el amanecer.

Usando su poder telekinésico, dirigió un contenedor para que cruzara la zona de aparcamiento y lo situó debajo de los chicos.

—¡Saltad!

¿Y si el contenedor no estaba vacío?

O peor aún, ¿y si había algo mortífero para ellos? Sin duda no serían tan estúpidos.

Bueno... Kell no era tan estúpido.

Pero cuando los chicos saltaron sonó como si hubieran aterrizado sobre una mullida superficie de desperdicios. Gracias, Macha.

—Salid de aquí —ordenó Evalle a los gemelos cuando treparon hasta el borde del contenedor y se dejaron caer frente a ella—. Y daos un baño. Oléis a meado de rata.

—No oleríamos así si nos hubieras cogido en lugar de hacernos caer en ese montón de mierda. —Kardos se sacudió las manos, luego se detuvo para observarla de la cabeza al abdomen.

—Hola, mi mami zorra...

Su hermano Kellman le dio un empujón.

—Disculpa a mi hermano, Evalle, es deficiente mental. De verdad estamos encantados de volver a verte. Gracias por la ayuda.

—De nada. Ahora toca luchar contra el demonio. Marchaos.

Kardos la miró con codicia antes de adoptar la pose de un niño malo.

—Cariño, no vamos a abandonarte. No quisiéramos que le sucediera nada malo a este... diseño de *software* para el que tengo un buen disco duro.

—Ah, creo que acabo de vomitar. Sí, definitivamente tengo en la boca sabor a bilis. —Tendría que encontrar un aquelarre en la ciudad para ellos antes de que terminaran en la pandilla del metro Red Guard.

Evalle se acercó un paso a Kardos, que quedó al mismo nivel de los ojos de ella. Los gemelos tenían la misma altura, pero Kardos trataba de sonar como si fuera varios centímetros más alto.

—Para empezar, vuestros poderes solo funcionan con animales pequeños, no con demonios. Segundo, estáis en mi camino. Y tercero, realmente necesitáis crecer un poco, sobre todo en lo que a madurez se refiere. Ahora deja de actuar como un brujo y muévete o disponte a ser devorado.

Kardos hizo una mueca farfullando algo que normalmente reservaba para los Medb.

El acero chocó contra el acero. El demonio estaba logrando salir de debajo de la pila de contenedores.

Kellman agarró a su hermano del brazo y lo arrastró hacia la calle.

—Si nos quedamos, solo conseguiremos que ella se haga daño.

Kardos dio un par de pasos a regañadientes y luego aceleró la marcha con actitud arrogante.

—Ya nos veremos tú y yo más tarde.

Ni en sueños. Ella les abrió la verja, luego volvió a cerrarla para enfrentarse al demonio, que ya se estaba poniendo en pie.

Hizo una mueca. Debería haberlo atacado mientras estaba atrapado ahí debajo en lugar de permitir que los gemelos la distrajeran.

Había aumentado de tamaño, su cuerpo grueso había desgarrado la sudadera con capucha. Escamas negras le cubrían los brazos, la mitad de la cara y el pecho.

Mierda. Eso significaba que estaba ganando fuerza. Debería sentirse halagada de que la considerara más que una amenaza. Pero en realidad, preferiría derrotarlo rápidamente.

—Sabes… te he estado buscando. —Esperaba posponer el ataque hasta obtener algunas respuestas.

Él dejó de crecer.

—¿Por qué?

—Te has comido a una hembra Cresyl, ¿verdad?

El eructo que soltó se extendió a través del espacio para abofetearla en la cara con su mal aliento de azufre. Añadiendo a eso su sonrisa retorcida, era suficiente como respuesta afirmativa.

—¿Qué me dices del macho? ¿Sabe que te comiste a su compañera?

Otra sonrisa demoníacamente grotesca.

—¿Tú lo mataste?

—Sí.

—Eso imaginaba.

¿Qué quería decir?

Él le lanzó un golpe con la mano.

Ella saltó a un lado, esquivando por los pelos el estallido de energía que golpeó contra el suelo a sus pies.

El Birrn aulló de risa.

Ella dejó escapar un sonido onomatopéyico.

—¿Tu mamá nunca te explicó que es de mala educación jugar con la comida? —Que aquel Birrn se hubiera zampado al otro demonio no era una coincidencia, no en su línea de trabajo—. ¿Qué estáis haciendo aquí tú y los Cresyls? Aparte de comer turistas y convertir su propia vida en un infierno.

El demonio extendió los brazos a lo ancho, abriendo las manos en actitud de indiferencia.

—Yo cazo. Ellos mueren. Puede que tú no... todavía.

Evalle debería haberse sentido alentada por eso, pero los demonios podían hacer cosas que hicieran que la muerte sonara atractiva.

—Comprenderás que no te responda con la misma oferta.

Él arremetió contra ella, lanzando el cuerpo por el aire, dirigiéndose hacia ella como un demonio torpedo.

Evalle fue hacia la derecha, rodando y poniéndose en pie, ahora de cara a la pared donde habían estado colgados los dos chicos. El demonio lanzó un golpe y se dio la vuelta, aterrizando con pie firme y preparado para luchar. Ella juntó las manos, como serpenteando para entretejer un hilo invisible a increíble velocidad, y luego arrojó contra él esa bola de energía.

Eso debería lanzar su cuerpo contra el edificio de ladrillo.

La pelota de poder le dio de lleno en el pecho, pero él apenas soltó un gruñido, y luego se rio con una carcajada siniestra. Estaba disfrutando.

Dudaba de que siguiera jugando con ella mucho tiempo o que la dejara sacarle ventaja de nuevo.

El Birrn bajó la cabeza y gruñó, pateando el suelo con la concentración de un toro después de detectar un intruso en sus pastos.

Ella lanzó un campo de fuerza energética para detenerlo cuando él salió disparado hacia delante.

No funcionó.

Él hizo tanta fuerza que envió el campo de energía hacia atrás contra ella, lanzándola por el aire hasta el muelle de carga, haciéndola chocar contra las anchas puertas. El metal ondulado se dobló en torno a Evalle y se deslizó sobre el suelo de cemento, con ella encima moviéndose con dificultad entre las cajas de mercancías.

Ahora simplemente sentía dolor. Mañana sería incapaz de moverse. Pero era mejor que esta noche se moviera o ya no tendría que volver a preocuparse de nada. Y su forense favorito estaría pesando sus órganos el lunes.

Cuando logró detenerse, la espalda y las piernas le dolieron como para dar gritos. Se sentó, apartando de ella las cajas, y se frotó la cabeza.

No sonó ninguna alarma. Bien, sus poderes permanecían y todavía estaban interfiriendo. Lo último que necesitaba era a la policía. Si venían, solo contribuirían a dificultarle el trabajo.

Realmente quería matar a ese demonio, pero eso no la ayudaría nada con VIPER. Lo único que tenía que hacer era contenerlo y luego llamar a Sen, que teletransportaría al demonio a los cuarteles, donde podrían sonsacarle información. No sabía cómo interrogaba Sen, pero Tzader y Quinn aseguraban que Sen podía sacar respuestas hasta del mismísimo infierno.

Todo lo que tenía que lograr era pasarle ese demonio. Y para ello tendría que dejar ciega a la criatura.

El demonio rugió y avanzó aporreando con los pies los tres últimos pasos en la zona de aparcamiento, luego saltó sobre el muelle de carga. Ahora que había alcanzado su tamaño completo, su cabeza sobrepasaba la abertura dejada por la estropeada puerta, a más de cuatro metros y medio del suelo.

Los dibujos de tinta continuaban por la parte inferior de su cuerpo, pero ahora podía ver mejor las formas. Las líneas que se desplazaban eran como un tejido celta...

¿Pero qué...?

Los Birrns eran de origen nigeriano. No debería haber en ellos nada celta.

Por otra parte, había millones de demonios de todas partes del mundo. A veces había criaturas no catalogadas, y como había aprendido ella a base de palos, muchas páginas web de clasificación eran un desastre.

Sin ganas de ponerse a pensar en eso, tenía que detenerlo para impedir que se acercara tanto que no pudiera defenderse de su ataque. Los demonios Birrn eran peligrosos, pero también estúpidos.

Y lo mejor de todo era que odiaban quedar en ridículo.

—Ni siquiera sabes por qué te han enviado aquí, ¿verdad? Pobre pequeño demonio usado de cebo. —Se rio con sarcasmo, moviéndose lentamente para sentarse, y luego deslizándose hacia delante hasta quedar de rodillas. Él pensaría que estaba actuando de manera sumisa.

Debía funcionar.

Él se detuvo para responder, probablemente porque no podía caminar y pensar al mismo tiempo.

—Sí lo sé.

—¿Ah, sí? —Ella puso los ojos en blanco—. Si lo supieras me lo dirías. Pero no lo sabes. Olvida la pregunta. No quería insultar tu falta de inteligencia.

—He dicho que sí lo sé. —El demonio sonaba como si estuviera a punto de hacer un puchero, lo que podía haber resultado gracioso si no fuera por los dientes afilados y las garras curvas de sus gruesos dedos.

—Ahhh, no te sientas mal, pequeño demonio. —Ella suavizó la voz como lo haría para hablar con un niño de tres años—. Nadie espera que un Birrn sepa por qué hace nada de lo que hace. Solo eres el chico de los recados de alguien. —Sonrió con cordialidad, logrando que la atención del demonio quedara fija en su rostro y no en el sutil movimiento de su mano hacia el puñal.

Consigue cegar a un Birrn y lo tendrás a tu merced.

Bajó los cuernos sobre los ojos al fruncir el ceño.

—Sí sé lo que hago. Estoy buscando al mutante.

Esas palabras la sobresaltaron.

¿Quién iba tras ella?

Y más importante aún, ¿por qué iban tras ella?

—¿Quién te envía?

Cuando él negó con la cabeza, ella recorrió mentalmente lo que había ocurrido y cómo había ido a parar allí.

—¿Tú sabías que encontraría al otro Cresyl?

La sonrisa parecía ser su forma de decir *sí*, así que tomó esa sonrisa como una afirmación.

—¿Hechizaste a los Cresyls?

—No.

—Tu amo lo hizo.

Él se hinchó de orgullo y asintió.

Alimentar su ego funcionaba, así que golpeó de nuevo.

—De acuerdo, eso es impresionante, pero la hembra Cresyl no se comió a la humana. Logró que la muerte pareciera el ataque de una bestia, pero dudo de que el hechizo de tu amo lograra que ella hiciera eso. Matar a la mujer de esa forma fue inteligente. Tuvo que ser idea del Cresyl, ¿verdad?

—No. Fue idea de mi amo.

Eso era lo que ella necesitaba. Si le decía eso a ella, Sen debería ser capaz de extraerle la misma confesión. Además, el Birrn había dicho que estaba allí en busca del mutante, lo cual confirmaba que alguien la tenía como blanco. Definitivamente no estaba paranoica.

—¿Cómo conseguiste atrapar a los dos brujos para hacerme venir hasta aquí?

El demonio abrió la boca, y luego negó con la cabeza.

—Nada de hablar más.

—Pero nos estamos conociendo. ¿Quién es tu jefe? —Se echó hacia atrás sobre los talones como un corredor ante la línea de salida. Excepto que ella se estaba preparando para ir directa a sus ojos y no para echar a correr, así que esperaba no haber subestimado el poder de su enemigo ni haber sobreestimado el suyo propio.

Él inclinó la cabeza hacia atrás y vociferó con un aullido sobrenatural que golpeó de una pared a la otra, haciendo eco a través del edificio. A los demonios Birrn también les gustaban las poses. Cuando la miró de nuevo de frente, le brillaban los ojos, brasas rojas con centros amarillos. Levantó las manos y murmuró palabras que ella apenas podía oír.

Había llegado la hora. Esperaba que lo que había leído acerca de cegar a Birrn fuera algo más que una leyenda urbana. Dio tres pasos y saltó en el aire.

Algo invisible agarró su cuerpo en lo alto y la sostuvo a varios metros del suelo.

Nadie le había dicho que un Birrn pudiera hacer eso.

Sería mejor que no descubriera que Tzader y Quinn lo sabían.

Ser atrapada bajo el poder de un demonio no era una situación ideal, pero no creía que fuese a comérsela si se suponía que tenía que entregársela con vida a alguien. Si eso ocurría, conocería a su amo… ¿quién quería un mutante y para qué?

El demonio la agitaba de atrás adelante como si sacudiera un juguete. Luego su cuerpo comenzó a flotar hacia él.

«Oh, vamos...»

Trató de usar su poder telekinésico para hacer caer un pedazo de techo sobre su cabeza.

Pero esta vez no ocurrió nada.

Llamó a Tzader telepáticamente.

No hubo respuesta.

Él había bloqueado sus poderes... eso era malo. Muy malo. El olor a goma quemada le llenó los orificios nasales. ¿Acaso no había ni un solo demonio que no apestara?

El poder del demonio llenaba el almacén, dejándola encerrada dentro.

«Las cosas no pintan bien para el equipo que juega en casa.»

Su única esperanza estaba en distraerlo.

—Oh, ya veo. No sabes quién es tu amo. No te lo dirá, ¿verdad? Lástima por ti. Y espero que cumplas con tu cometido de encontrar a un mutante. Porque yo no lo soy.

El cuerpo de ella dejó de flotar hacia el de él.

—Sí lo eres.

—Para nada. Has dado con la persona equivocada. Yo solo soy una bruja. ¿Qué es lo que va a decir tu amo cuando te presentes con una bruja en lugar de con un mutante?

Lo había provocado hasta el punto de dejarlo mudo. Volvería al importante detalle de quién pretendía darle caza.

—Nadie importante está buscando a un mutante o se sabría en toda la ciudad. —Intentó encogerse de hombros, pero no podía moverlos—. Eres bueno en lo que haces. Deberías buscarte el amo que te mereces, uno en un rango más alto de la cadena alimenticia.

El demonio tenía una expresión de perplejidad, como si tratara de decidir si decirle la verdad a ella le haría ganar el juego.

—Él es poderoso.

—Eso dices tú. Pero yo apuesto a que es tan insignificante que ni siquiera he oído hablar nunca de él.

Puede que lo hubiera empujado demasiado lejos con eso. La presión en torno a su pecho aumentó hasta que apenas podía respirar. Aunque no quisiera comérsela podía machacarla.

El Birrn se relamía las comisuras de la boca y en sus ojos había un sólido resplandor rojo.

—Mi amo es poderoso —dijo en voz tan grave que ella casi no podía oírlo—. Se llama…

Una luz brillante hizo erupción detrás del demonio con una grave explosión.

Un rayo de poder lo alcanzó y le hizo un agujero en su centro, dándole casi a Evalle en los pies. El lazo invisible que mantenía su cuerpo cautivo disminuyó y ella pudo sentir que el poder del demonio se retiraba.

Evalle golpeó contra el suelo y cayó hacia atrás, pero logró ponerse en pie. El demonio permaneció erguido durante los diez segundos que le llevó a su cuerpo sorberse a sí mismo y desintegrarse en una pila de astillas negras cociéndose a fuego lento que le recordaron a estiércol… sobre todo por la pestilencia.

Maldijo el momento. Había estado a una fracción de segundo de descubrir quién dirigía al demonio, y ahora no tenía nada que darle a VIPER.

Toda su prueba había desaparecido en un montón de lodo humeante.

Y quería sangre por eso.

Mientras el humo se disipaba, Evalle alzó la mirada para descubrir a una bestia de hombre de pie donde antes estaba la puerta por la que ella había entrado. Sostenía un arma negra y plateada que parecía un revólver de seis tiros extragrande con un cilindro del tamaño suficiente para albergar seis granadas.

Comenzó a caminar hacia ella con determinación, apuntando el arma directamente hacia su pecho.

Mierda. Era el doctor Doom, y ella no estaba de humor para tener paciencia.

Tres

—¿Quién eres tú? —Evalle afianzó su postura, preparada para luchar y golpearle la cabeza, ya que él había destruido a su Birrn y estropeado la oportunidad de una coartada fácil.

Pero las dos cuestiones más importantes que burbujeaban a través de sus preocupaciones eran: ¿cuál era el arma que había usado para derribar al demonio? ¿Y estaría dispuesto a usarla también contra ella?

No tenía tiempo para más compañía. La luz del día llegaría en menos de una hora, y aunque tenía un traje en la moto que la protegería en caso de emergencia, no era cómodo ir enteramente cubierta de negro de la cabeza a los pies durante los perros días de verano de Georgia, cuando la temperatura se acercaba a los cuarenta grados desde las 8 de la mañana.

El hombre avanzó con paso arrogante. A medida que se aproximaba, mejor podía ver ella su inmenso cuerpo ancho y grueso bajo un traje negro que se parecía a los de UCA, Uniforme de Combate de la Armada, con placas de tejido Kevlar. Llevaba las mangas subidas sobre sus abultados bíceps. Obviamente no tenía ningún miedo a un escupitajo de ácido demoníaco.

Llevaba un monocular de visión nocturna, que le permitía verla con tanta facilidad como lo veía ella en aquel cavernoso edificio sin luz. En términos generales, era un hombre atractivo con una exagerada y lunática manera de jugar a una combinación de *La llamada del deber* y *Resident Evil*.

—¿Estás bien? —Sus labios se movieron apenas, y luego volvieron a convertirse en una línea tensa. Su cabello negro corto combinaba con su personalidad abrupta.

No sonaba a amenaza, pero definitivamente sí lo parecía.

Y no había bajado el arma.

—Bien. ¿Y tú quién eres?

—Isak. —Hizo un gesto con la punta del arma señalando las gafas de sol—. ¿Eres ciega?

Oía eso a menudo por su tendencia a llevarlas incluso de noche. Sus gafas de sol habían sido fabricadas a medida por un amigo de Tzader que empleaba unas lentes que permitían que sus ojos se vieran con poca luz pero ocultaban su extraño color. Bravo por esa variedad especial de lentes teñidas... ojalá lograra conseguir algo parecido para su piel, con un factor de protección solar de 5.000.

—No. Veo bien con poca luz, hasta la hebilla de tu cinturón de Batman.

Las cejas de él se alzaron ligeramente ante el comentario, como si se preguntara hasta qué punto podían ser sensibles los ojos de alguien en aquel almacén que era tan solo un agujero negro. Pero evidentemente ella había visto lo suficiente como para comprobar su extraño gusto con los cinturones.

—¿Qué estás haciendo aquí? —preguntó.

Como si ella fuera a decírselo.

—¿Qué estás haciendo aquí tú?

—Cazando demonios.

Vaya, eso había sido brutalmente honesto. La mayoría de la gente que cazaba demonios no lo dejaba escapar delante de extraños por miedo a que concertaran una visita con todos los gastos pagados en el pabellón psiquiátrico.

¿Sería aquel tipo un agente de VIPER desconocido? A ella no le molestaban los agentes, a menos que se interpusieran en su camino.

O mataran a un Birrn que ella necesitara capturar.

Pero si era un agente, ella no sentía ningún poder que emanara de él.

No. Definitivamente era humano.

Raro y espléndido, pero humano.

—¿Para quién trabajas? —preguntó ella.

—Para mí mismo.

Se le retorció el estómago. Podía ser un mercenario, podía ser cualquiera... y además llevaba ese superexplosivo. Justo lo que ella necesitaba en una maldita noche como esa.

Isak continuó registrando visualmente la zona a su alrededor, luego se detuvo para volver a mirarla. Finalmente movió el arma para sujetarla contra su pecho.

—¿Qué quería de ti ese demonio?

Sí, esa era una conversación extraña para sostener con un civil desconocido.

—Ir a cenar y ver una peli. ¿Cómo sabías tú que estaba aquí?

—Olía a un kilómetro de distancia.

Una lástima que los gemelos no lo notaran.

Ella buscó de nuevo sus poderes, pero seguía sin notar nada inusual en el campo de energía de ese tipo. Nada que lo marcara como otra cosa más que como un humano con una fijación por los demonios.

¿Y de dónde había sacado esa endiablada arma?

Ella miró por encima de la pila de apestoso estiércol de demonio. No podía usar sus poderes para limpiar aquello con Isak allí presente. Ni podía llamar a VIPER para que lo limpiara con un equipo hasta que tuviera un plan que mantuviera a salvo su cabeza.

Y no estaba dispuesta de ninguna manera a tocar *eso* con sus manos. Había conseguido alejarse del Cresyl prácticamente limpia, pero sacarse de la piel esa fetidez sería más difícil. No es que tuviera ningún interés en retozar con un hombre, pero apestar de esa manera le aseguraría la soledad durante unos cuantos meses.

Y aún más importante... VIPER olería en ella al demonio Birrn.

—¿Tenías que matarlo? —le preguntó ella.

Él arqueó una ceja con actitud suspicaz.

—¿Qué pasa? ¿Erais amigos o algo así?

Evalle volvió a mirarlo a la cara, y vio unos ojos tan inmunes a la emoción que un escalofrío de peligro le recorrió la columna. Isak no pareció sorprenderse de que ella supiera sobre demonios.

¿Cuál sería su historia?

¿Y qué le habrían hecho los demonios? Los humanos corrientes no perseguían ni mataban demonios.

¿Cómo podía saber que no acabaría por matarla o por denunciarla ante VIPER... que querrían también su muerte? Aquel hombre caminaba, hablaba y disparaba como un vigilante. Ella conocía a ese tipo de hombres. Si no eras capaz de sostener su odio, te tocaba morir a ti también.

Ella le dedicó una sonrisa falsa.

—Tenía la esperanza de poder hacerle algunas preguntas. Gracias por exterminar esa posibilidad. Literalmente. —«Idiota entrometido.»

—¿A un demonio? —El único ojo que no llevaba cubierto se agrandó, luego se entrecerró sugiriendo un sentido del humor que no encajaba con su cara de soldado americano—. ¿Querías interrogar a alguien que tiene el coeficiente intelectual de una lechuga y que ve a los seres humanos como la mayor fuente de alimento? Buena jugada. ¿Estás bebida o estás loca? ¿O eres uno de esos bichos raros que piensan que los seres no humanos solo necesitan amor y comprensión mientras disfrutan masticando nuestros sesos?

Sus alarmas de defensa internas se dispararon al oír eso de seres no humanos. Como si la simple palabra fuera repulsiva. ¿Qué haría Isak si supiera que ella no era exactamente una ciudadana común?

—Entonces, ¿tú matas arbitrariamente cualquier ser no humano aunque no esté haciendo daño a nadie?

Él apretó los labios.

—Mejor matarlos a todos y que sus diversos dioses hagan lo que tengan que hacer con ellos. Por si no lo hubieras notado, cariño, estamos en temporada de caza. O tú matas al demonio o el demonio te devora a ti. Tal como yo lo veo, deberías estarme agradecida. Te he salvado de ser engullida.

Ella soltó un breve suspiro de exasperación.

—Puedo cuidar de mí misma, Terminator, y en cuanto a darte las gracias... Sí, acabas de joderme la oportunidad de obtener una información que necesitaba encontrar. Así que muchas gracias.

La actitud divertida de él se desvaneció.

—Ah, Dios. No me digas que estás con ese grupo de ecologistas abraza-árboles que tratan de convencer a todo el mundo de que los espíritus y demonios malvados son solamente amigos incomprendidos que necesitan abrazos.

Ella desde luego no era de ese tipo de gente. Pero él no necesitaba conocer su postura respecto al asesinato de demonios. Su organización no tenía nada que ver con los asuntos de aquel Rambo.

—¿Quieres decirme con qué grupo estás?

Él negó lentamente con la cabeza de un lado a otro.

—Entonces yo diría que por mi parte hemos terminado. He perdido suficiente olfato por una noche. —Se debatía entre llamar o no a Tzader, que todavía debía de estar en su reunión, pues de otra manera ya la habría llamado. Tenía que conseguir limpiar aquel desastre.

Cuando hizo un movimiento para pasar junto a Isak, él la agarró del brazo.

Ella se quedó helada de rabia cuando la tocó y miró con odio su mano enorme mientras emergían viejos recuerdos. Evalle ya no era una adolescente indefensa y aterrorizada, y no toleraría que ningún hombre le pusiera las manos encima de nuevo sin una invitación explícita.

—Tienes tres segundos para quitarme la mano de encima o tu nuevo nombre pasará a ser *El Zurdo*.

Él levantó la mano en señal de retirada.

—¿Tienes transporte cerca?

—Sí.

—Te seguiré y…

—No. Ya he tenido suficientes favores por una noche, y ahora tengo que limpiar toda esta porquería antes de que alguien la encuentre.

—Mi gente se encargará de eso.

—¿En serio? —Ella merecía un descanso esa noche. Pero honestamente… ¿conocería él a un grupo dispuesto a acudir allí, limpiar aquellos restos de demonio maloliente y marcharse sin hacer un informe sobre ella o arrestarla?—. ¿Trabajas con las fuerzas del orden? —Trabajando para la morgue había conocido a muchos de los agentes de la ley locales, oficiales de las fuerzas del orden, pero nunca a ese Rambo. Él tenía tendencia a destacar.

Isak sonrió con aire de superioridad.

—Ni por asomo.

Aunque costara creerlo, en el mundo de ella eso eran buenas noticias. VIPER empleaba a una larga lista de personas que incluía un buen número de veladores, muchos de los cuales trabajaban con la policía local, el FBI y otras agencias. Pero si la gente de él no trabajaba con la gente de ella…

Puede que al fin y al cabo tuviera una oportunidad.

A pesar de no tener ni idea de quién era ese tipo, apostaba a que Tzader podría saberlo o averiguarlo.

Continuó avanzando hacia el agujero en llamas que el Birrn había dejado en el almacén, y llegó al muelle de carga, donde el aire era húmedo pero fresco. Saltó hasta la zona de aparcamiento y caminó por allí.

Los pasos de unas pesadas botas la siguieron, justo a su derecha.

—Mira, no creo que te des cuenta de contra qué te estás enfrentando. Atlanta está ardiendo esta noche porque alguien ha desatado una ola de energía en la ciudad. Y no han venido para jugar con nosotros, pequeña. Están aquí para darse un festín con nuestras vísceras.

¿Pequeña? Ese señor Macho no tenía ni idea de con quién estaba tratando, y ahora mismo tenía suerte de no estar cojo.

—Ya me las arreglaré.

—¿Cómo te llamas?

—Definitivamente no me llamo pequeña. Ni cariño. Ni bebé. Así que ahora lárgate, pequeño. Las chicas necesitamos estar solas. —Porque no podía ponerse a limpiar la porquería del demonio con él allí de pie mirándola.

A menos que usara las manos.

«No. Preferiría que VIPER me calcine antes que eso. Porque esto es un auténtico asco.»

Evalle apenas había llegado al centro de la zona de aparcamiento cuando se oyeron unas sirenas, cada vez más cerca.

Ah, mierda… la policía estaba en camino y probablemente entraría allí, igual que había hecho ella.

Por favor, que no haya aquí ningún pirado con un teléfono móvil. Eso era lo último que le faltaba aquella noche. Su cara en las noticias locales, luchando con un demonio. Con la suerte que tenía, la foto sería recogida por la agencia de noticias de Estados Unidos, la colgarían en YouTube y en veinticuatro horas sería más famosa que Paris Hilton de borrachera.

«Míralo por el lado bueno.»

Eso enfurecería tanto a Sen que le daría un ataque al corazón y moriría antes de poder encarcelarla.

«Vamos, Evalle, piensa, Evalle, piensa.»

Necesitaba cada minuto de los que le quedaban antes de que llegase la luz del día para descubrir quién había enviado al Birrn. ¿Por qué tenía marcas celtas y qué quería de un mutante el amo del demonio?

Qué quería de ella…

Oh, y también necesitaba una explicación sobre el cuerpo lacerado en la morgue que no la involucrara a ella y permitiera que no fuera acusada de haberse comido el corazón de la mujer.

Había noches en que no valía la pena salir de casa…

Con las luces azules especiales parpadeando junto a la puerta, su problema más inmediato era la falta de tiempo para encargarse de la hoguera de restos de demonio que había sobre el suelo. ¿Podría vender a los policías la idea de que era una empleada contrariada tratando de plantar pasteles de campo en el escritorio de su viejo jefe?

No con la suerte que tenía esta noche.

¿Podía confiar en que la gente de Isak limpiara aquel desastre?

Se dio la vuelta al mismo tiempo que Isak saltaba hacia el muelle de carga y se apresuró en su dirección. Ella hizo un gesto señalando a los policías.

—Bonito regalo. Te agradezco mucho el informe de arresto, señor Mato De Un Disparo. Lo valoro. ¿Conoces alguna buena compañía de fianzas?

Teniendo en cuenta su tendencia a saltar a la mínima, debería poder conseguir un buen descuento de alguien.

Él se detuvo frente a ella, con el arma colgada en bandolera.

—No necesito una apestosa compañía de fianzas. Tengo algo mejor.

Ella no esperaba oír eso.

—¿Un lanzador de cohetes y un tanque?

—No. Una salida estratégica. ¿Te vienes?

Ni pensarlo.

—Gracias, pero encontraré mi propia forma de salir.

—En este momento los policías están trepando por el edificio como hormigas en una tarta y tú estás a punto de convertirte en el helado de cereza.

Él tenía razón y ella lo odiaba por eso.

—De acuerdo, Purasangre. Guíame hacia la libertad.

El jaleo de los policías se oía cerca de la puerta principal.

Isak se detuvo ante una de las paredes laterales del edificio, donde Evalle ahora pudo ver el delgado cable ascendiendo en vertical hasta el techo. Pequeño mocoso furtivo... qué inteligente. Una hebilla metálica con una pesada anilla en forma de letra D colgaba a la altura del hombro. Del interior de su camisa, sacó un grueso cable de cuero que probablemente se engancharía a un arnés y sujetó el mosquetón al extremo de la hebilla.

Pero si la idea era trepar por esa pared, estaba loco.

Tres o cuatro metros del suelo... sin problema.

Pero más alto...

Era un problema grande.

A Evalle no le gustaban las alturas. Nunca le habían gustado.

El sonido de la enorme verja eléctrica que se abría en la calle fue seguido del ruido de los policías acercándose. Los rayos de las linternas danzaban por delante de ellos.

El sigilo no era el punto fuerte de los más buenos de Atlanta. Una suerte para ella.

Miró a su alrededor, valorando rápidamente una ruta alternativa.

—Te diré una cosa, Isak. Yo no...

Un brazo la agarró de la cintura y la levantó colocando su espalda contra aquel cuerpo tan duro que era como estar acostada sobre una superficie de ladrillos. El pánico de ser tocada desapareció ante el terror mayor cuando sus pies se despegaron del suelo y ambos subieron por el cable a una velocidad que la puso enferma.

«¡No, no, no!»

Soltó el aire con indignación.

—¡Déjame en el suelo!

—Cariño, a esta altura, definitivamente no querrías que hiciera eso.

Fue tan estúpida que miró hacia abajo antes de poder rectificar. El mundo de ahí abajo se iba encogiendo a increíble velocidad. Su estómago la amenazó con mostrarle una repetición del perrito caliente con ensalada de col que había comido para cenar. Cerró con fuerza los ojos, apretó los dientes y luchó contra el pánico.

Él no la dejaría caer. No lo haría.

Sin embargo, el miedo estaba allí, y era debilitante esa sensación de que el pasado la golpeaba con una realidad que ella despreciaba. Le temblaban los hombros. Obligó a sus músculos a permanecer en tensión.

Nunca, jamás debe mostrarse la debilidad. A nadie más.

Demasiado tarde para eso.

Apretó los dientes al oír en su cabeza esa voz conflictiva que tanto odiaba.

«Cálmate, Evalle, puedes hacerlo. Has sobrevivido a situaciones mucho peores que esta.»

«¿Por qué... por qué no vuelo con uno de mis poderes?»

Pero a medida que llegaban arriba del todo, se dio cuenta de que no iba a caerse... y de que Isak no estaba tratando de meterle mano.

No la estaba atacando. Aquel no era su pasado y ella no sería nunca más una niña indefensa.

Él la apretaba con ambos brazos contra su pecho. Y era un acto de protección, no una violación.

Ella olía su aroma humano, cálido y con un poco de transpiración por el esfuerzo. Un crudo y natural olor masculino. La apretó más fuerte contra él, como si quisiera mantenerla a salvo de todo.

Nadie la había abrazado nunca de esa forma.

Como si ella fuera algo muy preciado.

No importaba. Al final del día Evalle no podría mantener la sensación de unas manos confinándola. O de alguien apretándola contra su cuerpo.

«Suéltame, suéltame, suéltame....»

Él le susurró al oído, tratando de calmarla.

—Casi hemos llegado. Te soltaré en un segundo.

«No eres una adolescente indefensa. Y él no es aquel bastardo.»

¿Por qué no podía desterrar aquellos recuerdos? ¿Por qué la herían sobre todo cuando menos podía permitírselo?

«Arruinaste mi pasado, perro despreciable. No destruirás también mi futuro...»

Se mordió los labios para evitar gritar y revelar su localización a la policía.

El movimiento vertical se ralentizó.

Ella estaba temblando, no podía abrir los ojos y mirar. «Cobarde.»

¿Qué tipo de asesina de demonios se asustaba de las alturas y del contacto humano? Era capaz de enfrentarse a Satán en el infierno, pero si un chico raro ponía una mano distraídamente sobre su hombro se quedaba petrificada.

Piensa en los policías, en Sen... en cualquier cosa.

Abajo se oían gritos de excitación, allí donde los policías debían de haber encontrado los regalitos del demonio. Negó con la cabeza con frustración por haberlos dejado atrás.

Tal vez descartarían esos restos de polvo y goma quemada y los ignorarían. Que Dios la ayudara si hacían un examen más de cerca y descubrían que las astillas eran en realidad escamas.

Tal vez declararían aquello como una visita de Puff el Dragón Mágico...

Lamentablemente, ella no tendría esa suerte. Y se estremeció ante la idea de lo que haría Sen una vez descubriera aquello y el cuerpo de la morgue.

Tal vez podría unirse a la Legión Extranjera Francesa...

¿Tenían alguna? Valdría la pena investigarlo.

«Concéntrate, Evalle.»

Porque ella no tenía la intención de que Sen ni ningún otro aparte de Tzader se enterara de aquello.

—No te asustes —dijo Isak suavemente mientras dejaban de subir—. Voy a darte la vuelta para que puedas entrar por una ventana. —¿Qué tenía ese tono tan suave como para que pudiera hacerle olvidar que él estaba como una cabra?

Cuando sintió que su cuerpo giraba, abrió los ojos para encontrarse ante una ventana de guillotina pasada de moda, con la parte de abajo lo bastante abierta como para poder colarse en su interior.

«No mires abajo a la zona de aparcamiento. Simplemente entra en la habitación.»

Isak deslizó un brazo por debajo de sus piernas y la levantó para que pudiera meter los pies a través de la ventana abierta y deslizarse en su interior para quedar a salvo. En cuanto sus pies tocaron el suelo, salió disparada hacia delante.

Él entró justo detrás de ella, desenganchó el cordaje y miró por la ventana antes de volverse de nuevo hacia ella.

—Típico. No han visto nada. Es una buena cosa de los policías y de los demonios... ni unos ni otros miran hacia arriba.

Ella asintió, era lo mejor que podía hacer antes de recobrar el aliento y dejar de temblar tan espantosamente.

Curiosamente, su enorme arma ya no le importaba. Su tamaño y sus manos sobre su cuerpo, sí.

Pero Isak no había hecho ningún tipo de movimiento amenazador. Únicamente había sido amable y respetuoso con ella... al menos mientras escapaban.

De hecho, le debía haber podido escapar, incluso si él había sido parte del problema. Para demostrarle y demostrarse a sí misma que podía tocar a un ser humano sin sentirse aterrorizada, le ofreció la mano.

—Gracias.

Envolvió sus dedos entre los suyos con un apretón suave y amistoso. Ella tenía las manos grandes para ser una mujer, pero las de él las engulleron. En aquel momento Evalle lo veía más como a un oso protector que como a un tanque asesino de demonios.

Isak dio un paso hacia delante.

Ella mantuvo su posición, negándose a que un hombre la hiciera sentirse intimidada. Especialmente tratándose de un simple humano. Otro hombre ya lo había conseguido en el pasado, pero pagaría por ello.

«No tengo dieciséis años ni estoy encerrada en un sótano. Tengo poderes. Ningún ser humano puede volver a hacerme daño.»

No sin resultar seriamente mutilado.

Cuando alzó la vista —tuvo que hacerlo porque Isak era bastante más alto que ella— se dio cuenta de que ya no llevaba su monóculo. No podía decir cuál era el color de sus ojos, pero basándose en el tono de la luz, apostaría a que eran azules. Un color muy suave para un hombre tan duro.

—¿Las gracias y un apretón de manos es todo lo que consigo por arriesgar la vida, los miembros y la posibilidad de ir a prisión? —Su mirada ardiente estaba fija en sus ojos, invitándola a responder a su desafío. Le frotó el dorso de la mano con un dedo.

Ella negó con la cabeza. Había estado succionando demasiados gases malignos si creía que ella iba a ser así de fácil.

—Lo siento, embaucador. No soy ese tipo de chica. Exijo al menos un par de cenas bonitas y algunas flores primero.

Isak sonrió.

—Te estás yendo bastante lejos con la imaginación. No es que no pudiera irme feliz allí contigo, pero lo único que quiero es tu nombre.

«¡Oh, qué idiota!» La verdad es que siempre había sido socialmente torpe con la gente, especialmente con los hombres... era aquello de su infancia a solas en un sótano lo que solía fastidiar sus habilidades con la gente. Preferiría siempre luchar contra un demonio antes que flirtear con un hombre. Y mejor no hablar sobre sus intentos de tratar con mujeres maliciosas.

—Me llamo Evalle.

Los ojos de él centellearon en la penumbra, provocándole de una manera que solo Quinn había intentado y no con ese efecto sobre su estómago. De hecho lo hizo aletear por un segundo... ¿o era el reflejo de las náuseas que todavía persistían después del susto en las alturas?

—¿El mal? Un nombre interesante. Suenas a mi tipo de mujer.

Ella puso los ojos en blanco.

—*E... val.* No el mal... a menos que la situación lo requiera.

Él dejó escapar una risa cálida y apetitosa que resonó desde las profundidades de su cuerpo.

—Encantado de conocerte, *E... val.* —Su tono se hizo más profundo, como si saboreara la cadencia de su nombre en la lengua—. Supongo que puedes cuidar de ti misma. —Le levantó los dedos antes de que ella pudiera detenerlo y le besó los nudillos magullados—. Siempre he dicho que la belleza es mejor cuando viene mezclada con el peligro.

Esta vez no hubo la menor confusión en la atracción que sintió por él.

«Oh, sí, definitivamente he absorbido demasiados gases malignos.» Apartó la mano.

—Oh, llegados a este punto, general Bison, realmente debo irme antes de transformarme en una calabaza.

Él inclinó su cabeza hacia ella.

—Adelante. Iré justo detrás de ti.

Ella deseaba desesperadamente discutir con él sobre eso de acompañarla a través del edificio. Él contaba con un equipo allí fuera, y por lo que ella sabía, puede que alguno de sus miembros le siguiera el rastro. Y no podía permitirlo. Necesitaba encontrar a Tzader o a Grady antes de que llegara la luz del día. Encontrar a alguien que pudiera ayudarla a averiguar lo que estaba pasando.

Miró por encima del hombro y descubrió que Isak se había colocado otra vez el monóculo. No tendría problemas para seguirla a través de aquel agujero negro.

En la planta baja, Evalle se detuvo ante la puerta y la abrió con cuidado para asegurarse de que no hubiera nadie fuera. La zona de recepción estaba a su derecha, a dos zancadas de distancia. Se veían luces azules brillantes a través de las ventanas que daban a la calle, y ella supo que habían acudido más policías.

¿Qué estaría pasando? ¿Habrían encontrado drogas en el edificio? Sin duda el pequeño montón de restos del demonio no había provocado eso.

Evalle se volvió hacia Isak, que se tocaba el oído, donde había un cable conectado a un auricular y que bajaba por la parte de atrás de su camisa.

Levantó la mano y apretó el pequeño micrófono que tenía a la altura del cuello.

—¿Todo despejado?

Así que no había sido una broma cuando hablaba de su equipo. ¿Dónde se habría metido? ¿Y qué parte de su interacción con Isak no sería privada?

No le gustaba que la espiaran.

Isak levantó un dedo, pidiéndole en silencio que se quedara quieta mientras él informaba de su localización a quien fuera que hubiera al otro lado de la línea.

—Informe de todos los perímetros. —Hizo de nuevo una pausa, asintiendo—. Afirmativo. Necesito distracción en el lado oeste. Blanco localizado y neutralizado, pero no importa. Conocemos la fuente. DHQ localización. Misión cumplida.

Evalle frunció el ceño. ¿DHQ? ¿Qué demonios era eso? ¿Los cuarteles del diablo?

¿Era posible que Isak en realidad supiera de dónde había venido el Birrn y qué estaba haciendo en Atlanta?

Y más aún, ¿sabía algo acerca de los mutantes y de por qué aquel Birrn la estaba buscando?

Isak se volvió hacia ella.

—¿Estás lista?

Ella señaló el micrófono.

—¿Pueden oírnos?

—No. El sensor del micrófono solo registra la vibración de mis cuerdas vocales. —Una lenta sonrisa asomó a sus labios—. ¿Qué tenías en mente?

Ella no confiaba en él ni tan solo un poco, pero era lo más cercano a una pista que le quedaba desde que había convertido al demonio en un animal aplastado.

—¿Tienes una tarjeta o un número?

La mirada de él brilló con interés.

—Nada que pueda compartir, cariño. ¿Tú tienes un número de teléfono?

Sí, bueno…

—Normalmente no doy mi número a extraños que aplastan demonios y me llaman *cariño*.

Él se rio.

—Te diré una cosa. Tengo que recoger algo, y luego tendré un rato libre. ¿Quieres que nos encontremos en algún sitio dentro de media hora?

Ella tenía quizás una hora antes de que amaneciera, y luego su actividad quedaría severamente limitada. Podía moverse a la luz del día, pero tenía que ser muy deprisa y totalmente cubierta con un equipo que la haría freírse con aquel calor. Eso significaba que el encuentro debería ser cerca de su casa.

—¿Conoces bien el centro?

Él le dirigió una mirada divertida.

—No, los demonios solo cazan en los suburbios.

Ella ignoró su sarcasmo.

—Nos encontraremos en el Varsity. Llegaré en moto. —Sí, se acercaría el amanecer, pero ella no planeaba quedarse tanto rato como para que la sorprendiera. El Varsity estaba a dos minutos de su apartamento, y tendría su moto. Y era un lugar público.

Si él intentaba algo, ella podría estar fuera de allí en un instante.

—Te veré allí... —Le dedicó una sonrisa maliciosa—. Cariño.

Evalle lo dejó pasar mientras se preparaba para marchar.

Estaba segura de que causaría aflicción a Tzader por no avisarle del encuentro con aquel chico, pero no sabía cómo reaccionaría Isak ante alguien que se presentara sin ser anunciado. Y de ninguna manera se perdería aquella oportunidad. Además, no había oído ni una palabra de Tzader. Lo cual probablemente significaba que tenía problemas con su informante, y molestarlo en medio de una situación así no era lo más inteligente que pudiera hacer.

Aunque él la amaba como a una hermana, ella no quería poner a prueba los límites de su adoración haciendo que la estrangulara.

Por no mencionar que no le importaba ver a Isak otra vez. Era, después de todo, simplemente natural que tuviera curiosidad por un nuevo jugador en la ciudad. Como agente de VIPER tenía el deber de averiguar quiénes eran Isak y su gente.

Nada más.

Dirigió la vista atrás para lanzar una mirada a la masiva forma que llenaba aquel atuendo negro tan estupendamente. Aún mejor que estupendamente. Se le aceleró el corazón.

El hecho de verlo de nuevo solo tenía relación con el trabajo...

Evalle soltó un largo y relajado suspiro y se esforzó por aceptar aquello junto con lo inevitable. Isak consideraba a los seres no humanos como enemigos, y ella no alentaba la atención masculina.

Nunca.

No iba a empezar a hacerlo ahora.

Fiel a su ADN de macho alfa, Isak se hizo cargo de la situación.

—Este es el plan. En sesenta segundos mi gente captará la atención de la policía. Me despido de ti con la mano, tú te vas a hacia la derecha. Y una vez hayas desaparecido, voy yo.

Ella normalmente se rebelaba ante cualquier forma de autoridad, pero dejó que él lo hiciera a su manera para aprovechar al máximo cada minuto desde entonces hasta que llegara la luz del día.

—Para mí funciona.

Él comenzó a pasar a su lado, luego se detuvo y se dio media vuelta. Sus dedos envolvieron la parte superior de su brazo de una manera firme pero no amenazante. Los músculos de ella se tensaron ante la necesidad de soltarse, pero golpear a alguien que estaba tratando de ayudarla no era una respuesta normal. Hasta podría llegar a hacerle daño si no mantenía su poder bajo control.

Los dedos de él se deslizaron de su brazo, eliminando su irracional sensación de amenaza.

—En treinta minutos. En el Varsity... o si no...

«¿O si no qué?»

Tendría que habérselo preguntado, pero el tiempo se esfumaba y necesitaba salir de allí.

Él se dio la vuelta, fue hasta la puerta y levantó un aparato electrónico hacia el panel de seguridad. Esperó a que las luces se apagaran antes de abrir la puerta un centímetro para escudriñar afuera.

Evalle contempló su espalda, como si se le hubiera quedado pegada la vista. Todavía sentía como un relieve en la piel allí donde la había tocado. Ningún hombre la había dejado antes sin aliento. Ni siquiera los guerreros de rompe y rasga que había en VIPER, tan intimidantes como tanques completamente cargados...

Y eso que Isak era tan solo un ser humano.

Y, sin embargo, recorrió de nuevo su espalda con la mirada.

La mayoría de las mujeres lo llamarían un dios.

Y con toda honestidad, él la hacía desear reparar las cicatrices de su pasado y sentirse normal... como cualquier otra mujer al lado de un hombre atractivo.

Pero esa posibilidad le había sido cruelmente arrebatada, y no sabía si alguna vez sería capaz de superarlo.

«A veces lo muerto no estaba del todo muerto...»

Isak le hizo la señal. Era el momento. Respiró profundamente y avanzó.

Pasó corriendo junto a él y lanzó una mirada rápida a los policías reunidos a su izquierda en torno a la puerta eléctrica, de espaldas a ella. Se marchó rápidamente en la dirección opuesta.

No se detuvo hasta estar fuera de su vista. Se metió por un hueco oscuro y miró por encima del hombro a tiempo de ver cómo Isak caminaba cruzando la calle con paso aparentemente despreocupado y se disolvía entre las sombras como si a ellas perteneciera.

¿Quién era aquel tipo?

Sacudió la cabeza. Ahora no era el momento de contemplarlo a él con su atractivo y su extraña singularidad.

Hizo un trayecto retorcido para llegar hasta su moto porque lo más exquisito de Atlanta se interponía entre ella y la ruta más directa. El rodeo le costó diez de los treinta minutos.

Pero todo iba bien.

El Varsity estaba a once minutos en moto. Puede que llegara en unos ocho, siempre y cuando no hubiera policía del estado con radar.

¿Pero por qué arriesgarse por solo tres minutos?

En cuanto acababa de coger el casco, su teléfono móvil vibró anunciando un mensaje de texto. Sacó el aparato del bolsillo de la chaqueta y leyó el mensaje:

Red-V-2.

Ese era el código para «que tu culo esté en los cuarteles de VIPER dentro de dos horas, ni un minuto más tarde».

La única excusa que Sen aceptaría para que llegara tarde sería la muerte. Y aun en ese caso querría ver la sangre.

Probablemente también la expedientaría por eso. Después de todo, la muerte no era una excusa para evitar el ejercicio del deber.

Pero había un ligero problema con esa orden. Los cuarteles de VIPER estaban a dos horas al norte de Atlanta. Si salía de inmediato a duras penas llegaría a tiempo.

Por supuesto… además tendría que conducir a la luz del día.

Isak estaría en el Varsity para hablar de su caza del Birrn, y no le parecía que fuera el tipo de chico que maneja bien que lo dejen plantado.

Así que solo quedaba una cuestión. ¿A cuál de los dos era peor fastidiar profundamente?

Cuatro

—¿Dónde está la mutante?

A Tzader no le importaba que Sen siempre se refiriera a Evalle como «la mutante», como si fuera un grano en el culo y no uno de sus más valiosos recursos. Le dedicó su mejor mirada de «más vale que comas mierda y te mueras».

Eso no desconcertó al tocapelotas del jefe de VIPER ni tan siquiera un poco.

Así que Tzader intentó emplear un poco más de tacto para suavizar el trauma de Sen.

—Vendrá.

—¿A las tantas? Los otros ya están en la sala de operaciones. No tenemos tiempo para esperar a un chucho.

Tzader tuvo que morderse la lengua, porque realmente quería poner a Sen en su lugar. A Tzader no le gustaba ni en sus mejores días.

Y aquel definitivamente no era de los mejores.

Le molestaba seriamente que Sen no pudiera tratar a Evalle como se merecía. Era mejor agente que la mayoría de ellos, y, sin embargo, Sen continuaba picándola como a una principiante inepta que acabara de llegar.

Pero dar un puñetazo en la cara a ese capullo arrogante no serviría de mucho, así que Tzader trató de desviar su atención sobre Evalle.

—Entonces, ¿por qué estamos aquí? —Si VIPER estuviera al tanto del ataque del Cresyl, Tzader estaba seguro de que habría contactado con la propia Brina. Y Sen habría teletransportado a Evalle hasta allí inmediatamente. Entre otras razones porque Sen sabía que ella odiaba ser teletransportada.

Cerdo miserable.

Sen le lanzó una mirada maliciosa.

—Si quieres enterarte de la misión de esta mañana, quédate. De otro modo, Trey os la resumirá a ti y a Quinn más tarde. Yo me niego a gastar saliva repitiendo los detalles dos veces. —Comprobó su reloj—. La mutante tiene dieciséis minutos para llegar.

—¿Estás seguro de que no llevas el reloj adelantado?—Tzader no tenía ni que haberse molestado. El sarcasmo normalmente era un derroche con los imbéciles.

Con una última mueca de despedida, Sen se marchó a la sala de operaciones, dejando a Tzader solo en el aséptico vestíbulo. Suspirando, contempló el inocuo corredor de piedra que parecía extenderse de forma interminable. Corredores como aquel antes habían formado una intrincada red a través de refugios aislados asentados bajo las montañas del norte de Georgia. Esa era una zona segura para los seres sobrenaturales, dado que casi nadie podía usar magia o poderes allí.

Nadie excepto Sen, quien como norma era tan malhumorado como un resacoso ángel del infierno desnudo en el desierto. Sen no ocultaba el hecho de que consideraba su posición con VIPER como si se tratase de limpiar pocilgas. Cosa que hacía preguntarse a Tzader por qué el primer Tribunal había escogido a Sen como mediador entre ellos y los agentes de VIPER.

O mejor aún, ¿a quién había jodido Sen tanto para que le asignaran este asunto? Fuera quien fuese, tenía que ser extremadamente poderoso para haber dejado a Sen con ese entuerto contra su voluntad.

Y no había mucho de mediación si estaba Sen involucrado; más bien fuerza inflexible.

Gobernaba VIPER de acuerdo con un solo conjunto de reglas.

Las suyas.

De entre todos los hechiceros, brujas, centauros y larga lista de otros seres que hacían de VIPER una coalición internacional, solo los dioses y diosas sabían dónde estaba o de dónde venía Sen.

Tzader juraría que provenía de las mismas entrañas del

infierno, pero esa no era más que su opinión particular.

Esa falta de conocimiento mantenía a los agentes en ascuas alrededor de Sen. Ni siquiera podías mirarlo y saber sus orígenes genéticos. Era como una amalgama de todas las razas. Ojos azules con forma almendrada, cabello castaño caoba y posiblemente una estructura ósea nórdica.

Como el velador maestro, Tzader dirigía la organización de América del Norte, respondiendo solo ante Brina y Macha. Consideraba a Sen, como mucho, un igual, a pesar de la posición que este ocupaba en VIPER. No le importaba por qué Sen estaba metido en aquel rol o cuánto lo odiara mientras no amenazara a ningún velador injustamente, incluyendo a Evalle.

Lo cual significaba que Tzader tenía un gran desafío ante él la mayor parte de los días.

Recorriendo su camino a través de los túneles, Tzader llegó al puesto de control de la entrada a la cueva donde Jake, el trol residente, montaba guardia. Con un metro de altura, puede que el repulsivo trol no impresionara, pero era una bestia peligrosa. Una barba andrajosa y enredada le cubría por entero la parte inferior de la cara.

Tzader se detuvo a una distancia prudencial de él… algo que cualquiera con cerebro haría.

—¿Alguien ha llamado pidiendo permiso últimamente?

Jake sostuvo uno de sus auriculares pegados a la oreja mientras negaba con su cabeza cuadrada, sacudiendo el desgreñado cabello castaño y gris que tenía un corte en forma de taza muy poco favorecedor.

—Hubo una llamada hace un minuto, pero no funcionó… se cortó.

Una mala sensación recorrió a Tzader. El trol estaba siempre fastidiando a Evalle. Jake usaba una fachada de incompetencia para cubrir un carácter malicioso. Pero Tzader no se dejaba engañar.

Jake tenía tantas ganas como Sen de pescar a Evalle.

—Creía que habías reparado la unidad de comunicación.

Jake se limpió la nariz.

—Lo hice, o eso creía. Quiero decir que funcionaba bien en todas las llamadas de esta mañana, pero ahora hay algo que no está sincronizado. La nueva puerta hidráulica se quedó atascada hace unos minutos, así que la cerré. No puedo hacer nada para reparar el audio hasta que la puerta funcione bien. De hecho, es una pena —Jake llevó hasta sus labios una delgada grabadora de voz y entonó un par de notas, luego toqueteó los ajustes digitales y el teclado del estuche electrónico negro que sostenía apoyado contra su enorme barriga—. No habría tenido este problema si Sen confiara en mí para dejarme usar mis poderes. ¿De qué tiene miedo? ¿De que me tire un pedo y haga explotar su oficina?

Uy, sí, esa era la preocupación.

—¿No usaste una vez tus poderes para hacer aparecer un bolígrafo y en lugar de eso trajiste el pasillo del nordeste entero?

Jake mostró los dientes, con más pinta de cerdo peludo posando para un retrato de familia que de un trol peligroso de su nativa Jotunheim.

—Puedo controlarlos, yo... —Hizo una breve pausa e inclinó la cabeza para escuchar, luego frunció el ceño.

Si estaba tratando de fastidiar a Evalle otra vez, Tzader comería huevos de trol para desayunar.

—Pon el altavoz.

—Tranquilo. —Jake apretó un botón de su pequeño aparato.

Una voz femenina se oyó de manera intermitente con interferencias.

—VIPER 66... —La siguiente parte se saltó, y luego Tzader volvió a oír apenas la mitad de otra palabra.

—La señal de llamada no es clara —respondió Jake con una voz bañada de desinterés—. Repita...

No hubo duda de quién era cuando Evalle gritó rabiosa: «¡Abre la puerta... ahora!»

Tzader se enfureció.

—Corta esa mierda, Jake. Es Evalle y lo sabes. —Y estaba en peligro mortal. Cuanto más tiempo pasara allí fuera, expuesta al sol, más cerca estaría de la muerte—. Abre la puerta, Jake.

Los ojos de Jake se volvieron completamente negros.

—Está atascada otra vez. No puedo.

Tzader sintió sus cuchillos agitándose contra sus muslos mientras su furia crecía. Ese bastardo habría podido mantener la puerta abierta el tiempo suficiente para que Evalle entrara a protegerse del sol.

—¡Abre la maldita puerta!

—¡No puedo! —rugió Jake—. ¿Por qué no usas tus poderes y la abres tú?

Por la misma razón que no podía usarlos Jake.

A nadie le estaba permitido usar sus poderes allí... con excepción de Sen.

«¡Baja ahora mismo aquí, Sen!—gritó Tzader, enviando su voz directamente a la cabeza del bastardo—. Kincaid está llegando a toda leche y la puerta está atascada. Si no logramos abrirla vamos a tener que sacarla de tu puerta nueva raspando con una espátula» —O peor aún, limpiar su liquidillo hirviente de la acera.

Sen apareció al lado de Tzader, levantó la mano y flexionó los dedos hasta la entrada que quedaba a varios metros.

La roca se desintegró.

Se oyó el gemido de un potente motor cuando la moto avanzó perforando la densa niebla que quedó suspendida en el aire allí donde antes estaban las rocas.

Evalle entró como Ghost Rider en pos de un demonio deshonesto. El neumático delantero rechinó cuando ella apretó los frenos, dejando una franja de goma sobre el duro suelo de piedra. El neumático trasero se levantó del suelo, hasta alcanzar el nivel de su pecho, mientras la moto derrapaba los últimos metros, luego se detuvo a pocos pasos de Tzader. Giró en redondo y en un final apoteósico aterrizó de golpe sobre el neumático trasero y giró ciento ochenta grados al estilo enduro, con el soporte lateral completamente desplegado.

Evalle se quitó el casco que le cubría toda la cara y se lo lanzó a Tzader con un paso de costado. Él lo atrapó sin vacilar. Ella se puso las gafas de sol que ocultaban sus escalofriantes ojos verdes luminiscentes. Pero las gafas no lograron tapar su furia, que latía a través de la habitación con ondas de sonido.

Ella gruñó en la dirección de Jake y Sen.

—¿Quién de los dos es el bastardo que intentaba matarme?

Jake se puso rígido.

—No vamos a entrar a cuestionar nuestros linajes. Después de todo, tú eres la única de estirpe defectuosa.

Tzader se encogió ante lo que podía ser el más descarado acto suicida que hubiera visto en mucho tiempo. Incluso un trol debería saber los límites de su estupidez.

Pero era obvio que Jake había suspendido el examen Supervivencia 101.

Mechones de cabello negro húmedos se le pegaban a Evalle en el cuello y en la cara allí donde el calor de Georgia la había hecho hervir en el interior de ese traje negro aislante que estaba obligada a llevar para evitar que el sol le quemara la piel.

—Mutante —le advirtió suavemente Sen cuando ella aporreó una bota contra el suelo y bajó de la moto.

Evalle le clavó una mordaz mirada de rabia y curvó los labios.

—No me llames así. —Tzader estaba seguro de oír en ese tono una advertencia tipo «no seas capullo»—. ¿Por qué ha costado tanto tiempo abrir la pared? —Avanzó enfurecida los pocos metros que la separaban de Sen.

—Mutante —le advirtió de nuevo este.

Jake tragó saliva.

—Estamos evaluando un nuevo sistema de puertas y tiene un defecto... o dos.

—Desde luego que lo tiene. Un fallo convenientemente programado para aparecer únicamente cuando yo vengo a plena luz del día. —Evalle se detuvo a pocos centímetros de Jake. Al menos medio metro más alta que él con sus botas de montar, miró fijamente al guardia, cuya actitud amenazadora se desvaneció.

Jake se encogió bajo aquella mirada abrasadora y se acobardó al verle levantar la mano.

Lo señaló con su dedo índice.

—No volverás a vacilar a la hora de abrirme la puerta cuando ande bajo la luz del día o te arrancaré las pelotas y las usaré como pendientes. —Se dio la vuelta, y se alejó a grandes pasos de sus piernas atléticas.

Tzader tuvo que esforzarse para no sonreír. Pero no podía culparla de su ira. Habían estado a punto de matarla, y si había alguien que no se merecía que la cabrearan era precisamente ella.

—Como si hubiese sido idea mía —murmuró Jake.

Ella caminó hasta la moto.

—¿Quién es el imbécil perezoso que pensó que las puertas hidráulicas eran una buena idea cuando hay suficiente energía psíquica aquí como para mover una montaña entera?

Sen se aclaró la garganta y afiló la mirada con una expresión letal.

—Yo sería el imbécil si viniera con esa idea, ya que soy yo el único que las abre la mayoría de las veces. Como si no tuviera mejores cosas que hacer que jugar de mayordomo con VIPER. —Los orificios de su nariz resplandecían—. Ha sido un buen gesto para ti que haya acudido tan pronto, pero no corras a darme las gracias.

Ella levantó un hombro con indiferencia.

—¿No eres la misma persona a la que debo agradecer que haya arrastrado mi culo hasta aquí a plena luz del día?

La mirada que él le dirigió lo decía todo: «No voy a responderte y más vale que te acuerdes de esto…, perra».

—A la sala de operaciones. —Dicho esto, Sen se esfumó.

Evalle torció los labios ante su marcha, luego suavizó su expresión al mirar a Tzader.

—Gracias por conseguir que abrieran la puerta, Z.

Él inclinó la cabeza hacia ella.

—No hace falta que corras para darme las gracias. Simplemente no he tenido tiempo para perderlo escogiendo un ataúd hoy. Y hablando de tu descarado deseo de muerte… ¿podrías dejar de llevarle la contraria a Sen?

—¿Por qué habría de hacer eso? Llevo dos días sin dormir y me llama en alerta roja, sabiendo que me coceré de camino hasta aquí. —Mientras, Evalle guardaba el traje protector en la moto, que era negro para ayudarla a confundirse con la noche, que solía ser cuando estaba fuera. No era el color más apropiado para llevar a pleno sol. Y no podía desabrocharlo, porque el más pequeño rayo de sol en la piel la quemaría.

Bajó la cremallera de la chaqueta negra y se quitó la sofocante capa exterior, quedándose con la camisa y los tejanos empapados.

—¿Qué le ha pasado a Sen que no da señales?

—No lo sé. He visto que estaban aquí Trey y Lucien, pero aún no he ido a la sala de operaciones.

Ella sacó una toalla del maletero pensando cuánto le gustaría poder confiar en Tzader en aquel lugar —aunque fuera telepáticamente— pero no quería arriesgarse a que Sen oyera nada de lo que hablaran.

Le susurró muy bajo:

—Tenemos que hablar...

—¿Has encontrado algo? —Tzader acentuó intencionadamente la última palabra. Se refería al segundo Cresyl que ella había estado buscando.

—Más o menos. —Alzó la vista hacia Jake, que actuaba como si no se estuviera enterando de nada, pero ella lo conocía bien. Sabía que una de sus tareas era la de espiar para Sen—. Aquí no.

Tzader asintió.

—Pasaré por tu casa esta noche, pero ahora tengo que salir.

Evalle frunció el ceño al oírle. La última cosa que quería era estar metida en una reunión sin él.

—¿Y qué pasa con la gran reunión de Sen?

—Ya le he dicho que estoy siguiendo una pista de Noirre. Podría quedarme, pero tengo apenas tiempo para encontrar a alguien. —Puso el énfasis en «alguien» dejándole caer la insinuación de que se refería a su informante.

Ah, tenía sentido.

Mucho más letal que un mago negro, el mago Noirre era el más anciano de todos y solo practicaba en algunos aquelarres. El Medb era uno de ellos.

Ella dejó la toalla.

—Ya te pillo. ¿Quinn está al tanto de esta misión de hoy?

Tzader se acercó unos pasos y bajó la voz.

—Sí, lo que me recuerda algo. Mete la cabeza en esta reunión. Y será mejor que vayas ya. Estás a punto de llegar tarde.

—No te preocupes. Odiaría provocarle un infarto a Sen. Aunque bien pensado... —Evalle arrugó la nariz y cogió una botella de agua del bolso de nailon sujeto con una correa a la parte posterior del asiento—. Entonces, ¿por qué debería mantener mi cabeza metida en esto? ¿Qué es lo que te preocupa?

—Tú. Sen dijo que Trey me informaría más tarde, como si creyera que no iba a oír nada de ti. Eso me puso nervioso.

Sí, a ella también. No le gustaba nada cómo sonaba aquello, pero lo dejó estar.

—Estoy segura de que Sen solo estaba señalando que Trey está disponible a cualquier hora del día, y no solo de noche. Como a todo el mundo, yo le parezco insuficiente. Cree que solo soy buena para conseguir información y hacer trabajo de machaca, nada más.

—No todo el mundo piensa eso de ti.

—Ya sé que tú y Quinn no. Pero el resto de ellos...

Algunos la llamaban con nombre de perro.

—Brina te considera un miembro muy valioso de nuestra tribu.

Sí, ya... Evalle gruñó en silencio. Responder a eso honestamente abriría un debate que ninguno de los dos podría ganar. Contar con el respeto de Tzader y de Quinn le importaba mucho más que el hecho de que Brina la rehuyera. Evalle echó los hombros atrás y trató de sonar relajada ante la partida de Tzader, por más que no pudiera calmar del todo la preocupación de él.

Era intuitivo en relación a los demás.

—No te preocupes, Z, estaré bien.

—Y si no, haz que Trey venga a decírmelo.

Evalle odiaba eso, pero no sería capaz de comunicarse con Tzader por sí misma una vez que él saliera. Nadie podía atravesar esa fortaleza telepáticamente. Eso siempre la dejaba con una sensación de intranquilidad cuando tenía que quedarse allí.

Desde el exterior de las montañas nadie podía oír tu grito...

«Suena al fondo una musiquilla siniestra...»

—Tienes que estar abajo en dos minutos. No llegues

tarde. —Tzader se alejó de ella y alzó la voz—. Estoy listo para salir, Sen. No olvides mi furgoneta.

Cuando Evalle hubo bebido el último trago de agua, Tzader ya había desaparecido. La única cosa peor que conducir a pleno sol con traje de combate era ser teletransportada. Sen se lo había hecho una vez y ella se había arrojado sobre él a su llegada.

Puede que esa fuera la razón de que no le gustase a Sen. Pero aquel era un gran día en ese sentido. No siempre conseguía tener la última palabra en relación a Sen.

Se quitó las botas y se puso un par de sandalias antes de dirigirse a la sala de operaciones. La temperatura en el interior de la montaña era incluso más fría que junto a la entrada. La ventaja de llevar ropa húmeda era que el frío se deslizaba rápidamente sobre su piel.

Llegó a la sala de operaciones cuando aún faltaba un minuto para comenzar la reunión y observó al equipo que llevaba un rato reunido. Tres hombres esperaban apoltronados en la habitación, todos mirando hacia la puerta y apoyados contra la pared. El único velador presente era Trey McCree. Estaba estirado sobre un sofá de cuero color arena. Como vivía en la zona de Atlanta igual que ella, estaría tan poco contento como ella de haber tenido que hacer todo el camino hasta allí.

Al otro lado de la habitación, en una silla antigravitatoria de madera y cuero negro, había un *cowboy* recostado con una actitud desafiante que Evalle estaba segura de que no sentía. Casper Jordan. Llevaba con VIPER más de seis años y era natural de Texas… de ahí el sombrero vaquero color hueso que le cubría la cara y las botas de piel de serpiente que siempre llevaba. Su desgracia personal era compartir su cuerpo con un fantasma del siglo XIII.

Poco se sabía acerca del tercer chico de la habitación, un oscuro castellano que tenía un hombro apoyado contra la pared de piedra. Lucien Solis. Puede que su nombre sugiriera el significado de luminoso, pero era oscuro como un pecado. No importaba dónde estuviera, estudiaba a todo el mundo como si fueran los especímenes de un test que quisiera clavar sobre un tablero y diseccionar.

—Una mañana soleada. —Casper le sonrió, y se quitó el sombrero mientras ponía la silla en posición vertical—. ¿Cómo puedes ver con esas cosas puestas? —Señalaba las gafas de sol prácticamente opacas que Evalle llevaba siempre—. Demonios, yo camino todo el tiempo entre objetos y no veo nada.

—¿Soleada? —Evalle sonrió ante la pulla que Casper le hacía por su vida nocturna—. Tengo entendido que el pronóstico anuncia tormentas eléctricas para hoy.

Casper hizo una mueca.

—No es divertido. —Tras haber sido alcanzado por un rayo durante una visita a Escocia diez años antes, Casper a veces mutaba en reencarnación de un guerrero de las Tierras Altas que había vivido en 1260.

Odiaba las tormentas desde entonces.

Pero honestamente, ella le tenía bastante simpatía. A diferencia de la mayoría de los operativos, Casper no profesaba ninguna lealtad a ninguna deidad o clan… sino solo a VIPER.

Después de acabarse la primera botella de agua, Evalle sacó una nueva de la cuba de aluminio situada contra la pared, que estaba siempre llena de agua embotellada, té helado y bebidas frías.

Se acomodó en un segundo sofá de cuero cerca de la entrada.

—¿Alguien sabe de qué va esto? —Trey se rascó la cabeza, despeinando su cabello marrón claro, permanentemente desgreñado. Se sentó erguido, puso los pies sobre el suelo de piedra y llevó los hombros hasta las rodillas, sujetándose la cabeza con las manos. La camiseta color brezo desteñido y los tejanos cubrían un cuerpo que haría que la mayoría de los seguratas de los clubes nocturnos se lo pensaran dos veces antes de encararse con él.

—No tengo ni idea. —Evalle dejó el agua y vigiló la entrada.

Trey bostezó, con los ojos enrojecidos por la falta de sueño.

—Lo haré con más prudencia la próxima vez.

La vida de casado lo debía de mantener despierto hasta tarde. Tenía esposa desde hacía dos años. Primer amor. Una bonita joven que, junto con su hermana, sostenían las leyes de su aquelarre y practicaban una vida espiritual bajo la brillante luz de la paz y la compasión. A los veladores raramente se les permitía emparejarse dentro de su tribu, pero Brina había aprobado ese matrimonio. Tzader le había contado que su unión le había quitado el vacío interior a Trey, y tenía razón.

Trey parecía más feliz aquellos días, y en paz.

Bastardo con suerte.

Evalle sintió una punzada de algo similar a la envidia, una emoción estúpida que ella empujó al fondo de su mente. No quería lo que él tenía, no si eso significaba asumir el riesgo de volver a ser vulnerable.

Nunca.

Envidiaba la paz que él sentía, eso era todo.

Además, ella no podía involucrarse con nadie. No antes de descubrir de dónde venían los mutantes y comprender cuál era su lugar en el mundo. Algo que constituía su prioridad número uno por las noches cuando tenía alguna oportunidad de tomarse un respiro.

Por supuesto, eso venía después de las obligaciones contraídas con VIPER. Luego estaba su trabajo en la morgue y las clases universitarias *online*.

Sí, realmente no tenía vida.

Pero aquel no era ni el momento ni el lugar para ponerse a pensar en eso. Ahora mismo, tenían una reunión en la que tomar parte.

Reprimió un bostezo.

—Será mejor que se trate de algo importante.

—¿Sen ha interrumpido tus bellos sueños, preciosa? —Casper le guiñó un ojo.

—Nunca me ha parecido que le importe un carajo despertarnos cuando alguno de nosotros duerme. —Probablemente debería levantarse y caminar para evitar cabecear en aquel aire frío.

Se oyó aproximarse el ruido de pisadas de unas fuertes botas, golpeando contra el suelo de losas del largo pasillo. Todas las puertas VIPER tenían más de dos metros de alto y uno de anchura para que la mayoría de las formas de los cuerpos pudieran pasar.

—Esperamos a dos más —dijo Sen al entrar. Nada de saludos. ¿A qué agente le permitiría llegar tarde? Eso no sonaba propio del implacable Sen.

Y si Lucien era un misterio, Sen era un secreto oscuro. Las especulaciones acerca de la identidad de Sen variaban de dios a semidiós y hasta el mismísimo demonio.

Ella había hecho la sugerencia de que era Lucifer.

Aproximándose a los dos metros de altura, estaba allí de pie con los brazos cruzados sobre el pecho. Sus tejanos negros se ceñían a sus caderas. Ella lo había visto aún más alto y más grueso. El cuerpo de Sen parecía ser de un material fluido, y nunca permanecía en el mismo estado mucho tiempo.

Ya no llevaba la coleta de pelo castaño oscuro de la última reunión de VIPER, sino el cabello corto y grueso.

Trey dejó escapar un sonido de irritación.

—¿De qué va el asunto?

—Hay un problema serio al sudeste. —Sen no dio más explicaciones.

Evalle resopló.

—Tenemos problemas en todas partes... —Como nadie más hablaba, ella continuó—. ¿Cómo es de grande el problema del que estamos hablando y en qué consiste exactamente?

Un desprecio absoluto irradiaba de la mirada de Sen.

La advertencia de Tzader se le pasó por la cabeza, recordándole que no ganaría nada con presionar a Sen.

Nada más que sufrir una tortura.

Sin embargo...

¿A quién o a qué estaba esperando?

Sen no permitía a nadie llegar tarde a sus reuniones. Había algo muy extraño en todo aquello.

Ella captó la aproximación de alguien de naturaleza diferente. Una energía y un remolino de ansiedad entraron como una ráfaga en la habitación y le rasguñaron los brazos. Desde hacía un par de años sus sentidos insinuaban que poseía un cierto don de empatía, pero aquel era el asalto más fuerte que había tenido hasta la fecha.

En el mismo instante los otros tres agentes se pusieron en alerta.

Todos los ojos se dirigieron al umbral de la puerta por donde entraba una mujer.

Una melena rubia que le llegaba a la altura de la barbilla enmarcaba su rostro perfecto. Los fascinantes ojos color avellana y la suave piel inmaculada habrían sido suficientes para odiarla, pero eso se completaba con una buena altura y una figura que las modelos se torturarían para mantener.

Entonces sonrió.

En ese instante, el sentido empático de Evalle se puso salvaje. Tal como esperaba, sintió la lujuria que provenía de los hombres...

Pero lo que la sorprendió fue el latigazo de odio de uno de esos hombres, tan intenso que cuando atravesó la habitación sintió la quemazón en su propia piel.

¿Qué demonios era eso? ¿Y de quién había salido?

Cinco

—Esta es Adrianna Lafontaine —dijo Sen mientras la mujer rubia daba varios pasos hacia el interior de la sala de operaciones y se detenía como para permitir que todo el mundo disfrutara de su belleza. Su chaqueta rojo fuego y una falda corta ordenaba a todos los ojos empezar por la cumbre y continuar hasta los brillantes zapatos rojos.

Evalle hubiera deseado poder comunicarse con Tzader en ese mismo instante para averiguar si él sabía algo acerca de Adrianna. Todo en esa mujer despertaba las alarmas de Evalle.

—Y este es Storm. —La segunda presentación de Sen lanzó la mirada de Evalle hacia el hombre que entró caminando detrás de Adrianna.

Su presencia hablaba en voz más alta que cualquier presentación. El cabello negro le caía por los hombros… de un color obsidiana que hacía juego con sus ojos oscuros. Tenía la piel bronceada por el sol y sus mejillas altas y orgullosas hablaban de ancestros que vivieran en América del Norte mucho antes de ser invadida. Alrededor del cuello llevaba una cuerda de cuero sin curtir en la que iban ensartadas piedras del tamaño de guijarros, intercaladas con garras de animal de varios centímetros de largo. Llevaba una chaqueta de cuero sobre una camiseta blanca metida por dentro de unos tejanos desgastados… tejanos que llenaba maravillosamente.

Su presencia de macho alfa extinguió la oleada de lujuria masculina que había circulado por la habitación en el momento de la entrada de Adrianna.

—Tomad asiento —indicó Sen a los nuevos miembros.

Adrianna escogió un lugar en el sofá cerca de Trey, usando el movimiento para exhibir la forma de sus piernas.

Puede que Macha bendijera a Trey por ignorar a Adrianna. Aquel era un hombre felizmente casado.

Evalle esperaba que Storm se quedara de pie solo porque su misteriosa presencia le recordaba a Lucien, que raramente se sentaba, pero Storm paseó tranquilamente a través de la habitación y se sentó cerca de ella, estirando sus largas piernas. No creía que alcanzara los dos metros, pero había mucho hombre comprimido en ese cuerpo.

¿Y por qué estaba notando eso en él si se trataba de un nuevo agente?

«Creo que el sol me ha quemado el cerebro.»

Dirigiendo su atención hacia Sen, Evalle comenzó a reclinarse en el sofá cuando sintió que el relleno de cuero detrás de su cabeza se movía porque Storm deslizaba por allí su brazo. Se sentó erguida y se detuvo antes de reaccionar. Nada menos inteligente que mostrar cualquier reacción que pudiera confundirse con aprensión hacia otro ser de naturaleza no humana. «No dejes que nadie vea tu debilidad...», ese era un código que nunca rompía. Storm no la tocó, pero esa presencia que sintió cuando él caminaba hacia ella irrumpió dentro de su espacio.

¿Qué tipo de ser era exactamente?

¿Y cuáles eran sus poderes?

Sen se aclaró la garganta.

—Ahora que todo el mundo está presente, prestad atención para que no tenga que repetirme. Tenemos un problema aquí en Georgia.

—¿Otra vez? ¿No pueden los demonios encontrar un nuevo lugar para jugar? He oído que Nueva Orleans se muere por un poco de acción. Y Nueva York es muy agradable en esta época del año —murmuró Trey.

Por alguna razón, Evalle no pudo resistir la tentación de burlarse.

—¿Qué es lo que ocurre? ¿La vida de casado te pone blando?

Trey le lanzó una mirada irritada, y luego ladeó la cabeza con una sonrisa cínica.

—Si ese fuera el caso, todos estaríamos buscando a alguien que se casara contigo.

—Basta. —La mirada de «nada de tonterías» de Sen golpeó a Trey y luego se dirigió a ella.

Una risa profunda y corta retumbó donde estaba Storm.

Los ojos de Evalle se abrieron con sorpresa ante su audacia. Alguien debería darle la charla sobre «Las 101 condiciones para sobrevivir a Sen».

—La piedra Ngak…

—¿Ngak como *knick-knack*? —lo interrumpió Casper.

Sen le lanzó una mirada despiadada.

—La piedra Nah-yak —enunció Sen lentamente, antes de deletrear la palabra para que todos entendieran el término— se perdió en Atlanta durante una batalla no autorizada hace dos años. —Sen hizo una pausa, con su mirada de condena ahora firmemente fija en Trey, que suspiró y se tapó los ojos con la mano, como si supiera lo que seguiría después—. La piedra pronto escogerá un nuevo amo. Tiene poderes ilimitados y se mueve a través de la historia con cierta autonomía. Se cree que la lápida provocó que el río Amarillo se desbordara en China hace cuatrocientos años cuando un consejero de alto nivel de la dinastía Yao robó la piedra a una mujer tibetana con intenciones de usarla para multiplicar sus cosechas y construir un imperio que no pudiera ser derrotado. El río Amarillo se desbordó al día siguiente, matando al ladrón y arrastrando consigo la piedra. Pero la piedra debía de estar extremadamente enfadada con el robo porque el río Amarillo sigue desbordándose hasta el día de hoy. Y no me hagáis empezar con lo que le hizo al Vesubio. Ese es el tipo de poder del que estamos hablando.

Sen se detuvo mientras un murmullo sombrío zumbaba a través de la habitación.

«¿Así que por eso estamos aquí?» Evalle se esforzó para mostrar preocupación en su rostro, y no el alivio que había sentido tras la explicación. Gracias a los dioses, Sen no había descubierto lo de los demonios ni su búsqueda de un mutante…

Todavía.

Pero ese alivio era solo menor teniendo en cuenta la gravedad de lo que estaba pasando. La piedra Ngak mostraba de nuevo que podía crear todo tipo de posibilidades letales, especialmente para los veladores, dado que la última persona que la había tenido había sido un guerrero kujoo.

«Creo que me está viniendo una migraña.»

Porque lo último que necesitaba ver metido en esa mezcla era un montón de kujoos furiosos corriendo por la ciudad con un arma todopoderosa, tratando de cobrarse una antigua deuda con los veladores.

Pero al menos eso significaba un enemigo común que por una vez no era ella.

Sen recorrió la habitación con una mirada de odio.

—El dios hindú Shiva contactó con nuestro Tribunal hace unas horas para hacernos saber que la piedra Ngak pronto se revelará en la misma zona donde se perdió. No tenía ni idea de cuándo o de dónde exactamente. Pero el tiempo se acerca, y una vez la piedra esté lista para ser localizada, llamará a un nuevo amo.

Trey soltó un sonido de exasperación.

—¿Shiva no dijo si esa elección de un nuevo amo involucraba a un kujoo?

—No, pero no dijo que no pudiera ser así.

Casper miró de soslayo a Trey.

—¿Quieres apostar conmigo? Porque mi suerte y mi dinero dicen que si no es un kujoo el que la encuentre, entonces mi canción favorita no es *I Love My Truck* de Glen Campbell.

Trey negó con la cabeza.

Ignorándolos, Storm frunció el ceño mirando a Sen.

—No conozco a los kujoo. Pero si Shiva está involucrado, ¿supongo que son naturales de la India?

Sen inclinó la cabeza hacia él.

—Los kujoo fueron una raza de humanos hindúes hasta hace ochocientos años, cuando una banda de veladores corruptos, borrachos de sed de sangre, saquearon su pueblo y mataron a sus familias. Antes de que Macha pudiera castigarlos por eso, Shiva respondió a la llamada de venganza de los kujoo y les proporcionó poderes sobrenaturales para que pudieran luchar como respuesta.

Adrianna lo miró frunciendo el ceño.

—¿Por qué los veladores continúan siendo enemigos después de todo este tiempo?

Sen suspiró.

—Los kujoo no se conformaron con matar al puñado que los maltrató. Declararon la guerra abierta a todos los veladores. Fue una guerra sangrienta y brutal. Y los kujoo rápidamente perdieron de vista el propósito original de su lucha. La cuestión se desbordó y decidieron matar a todo el que tuviera un rastro de sangre de velador.

Cuando dijo «un rastro de sangre de velador», Sen dirigió una mirada despectiva a Evalle antes de continuar.

—Finalmente, cuando tan solo quedaban unos pocos de cada bando, Macha y Shiva llegaron a un acuerdo. Ella reuniría y sancionaría a los veladores que quedasen, y Shiva encerraría a sus kujoo ahora dementes bajo la montaña Meru, donde continúan viviendo, entrenándose y tramando la muerte de la comunidad de veladores. Hace dos años, uno de sus planes tuvo como resultado la fuga de un guerrero kujoo del monte Meru con la piedra Ngak. Durante la consiguiente lucha contra algunos de nuestros operativos, perdió la piedra en Piedmont Park.

Casper se adelantó en su asiento.

—Espera... ¿estás diciendo que hemos sabido durante todo el tiempo dónde estaba ese potencial talón de Aquiles de los veladores pero no enviamos un equipo de rescate para encontrarla y guardarla en nuestra cripta?

Sen lo miró como si fuese estúpido.

—Sí, Casper. Resolvimos dejarla allí. Era un lugar de descanso tan estupendo para las palomas y los turistas que no podíamos ir allí y quitarla.

Trey alzó la voz.

—Es solo del tamaño de un huevo de ganso, no se trata de una maldita roca. Esa batalla nos trajo una cosa buena. Macha reparó nuestros ojos. Nuestros poderes ya no van unidos a nuestra visión.

—Habla por ti —murmuró Evalle. Muchos de los veladores, como Trey, estaban sometidos al debilitamiento de sus poderes si sus ojos estaban comprometidos. Después de la batalla con los kujoo dos años atrás, Brina había presionado a Macha para que reparara eso, y la diosa lo había hecho. Hubiera estado bien que Brina presionase también a Macha en beneficio de

Evalle para que le fuera permitido caminar bajo el sol—. Yo todavía tengo los ojos sensibles.

—Pero eso no afecta a tus poderes como afectaba antes a los nuestros —señaló Trey.

Sen los interrumpió.

—¿Podríais dejar estas chorradas para vuestro tiempo libre? —Se dirigió a toda la habitación—. La piedra se vuelve invisible hasta que desea ser encontrada, a veces durante siglos. Podríamos excavar el parque entero y nunca encontraríamos esa roca. Ella escoge cuándo y dónde ser encontrada.

Trey dejó escapar una prolongada exhalación.

—Supongo que es mucho pedir que tengamos alguna idea de a quién o a qué ha escogido la piedra como nuevo amo.

—En el pasado, siempre escogía a alguien con poderes significativos. Alguien con una historia desconocida. La única pista que Shiva ha podido darnos es que él cree que esta vez ha sido escogida una mujer.

—Bueno, se va a echar a perder el vecindario. —Casper guiñó un ojo a Evalle.

Evalle puso los ojos en blanco. Ese *cowboy* se estaba buscando problemas y alguna mujer consentiría un día, pero no iba a ser ella. Él no le interesaba en absoluto, no era como Isak, que al tocarla...

«No, no vayas por ahí.»

Porque Evalle no tenía interés en tener una relación con nadie más que con Hägen-Dazs. Y especialmente no con un hombre cuya actividad extracurricular favorita era cazar seres no humanos.

No había modo de saber lo que le haría si algún día descubría quién y qué era ella realmente.

Sen cruzó los brazos sobre el pecho antes de continuar. La acción logró que ella se concentrara de nuevo en el asunto.

—Shiva ha aceptado poner la piedra Ngak en nuestra cripta si la piedra le permite a su dueño entregárnosla voluntariamente. Shiva ha advertido que él no interferirá en el destino de la piedra. No puede hacerlo. Así que debemos encontrar a esa mujer y conseguir esa piedra.

—¿Y qué ocurrirá si la piedra está destinada a permanecer con la mujer que escoja? —La voz de Adrianna era vaporosa como el humo, suave y teñida de intenciones ocultas—. ¿Por qué estamos asumiendo que esa mujer no debería hacer uso de su poder?

Si no fuera porque intuía un motivo ulterior en las palabras de Adrianna, Evalle hubiera estado de acuerdo con su observación.

Sorprendentemente, Sen no mostró ningún signo de sentirse molesto al ser cuestionado por la rubia.

—Shiva tuvo una visión. Vio dos caminos para la piedra una vez pasara a manos de la mujer. El primero mostraba a la piedra descansando en un espacio custodiado..., la posibilidad que preferimos. El otro camino acababa con la piedra siendo usada para un cataclismo destructivo. Si la piedra llega a manos equivocadas, cambiará el paisaje del mundo tal como lo conocemos. Cada vez que aparece cambia el curso de la historia de la humanidad, y nunca para mejor.

—¿Dónde está Indiana Jones cuando lo necesitamos? —se preguntó Casper en voz alta.

La mandíbula de Sen se tensó, pero continuó con el resumen.

—En el pasado nuestra gente fue afortunada y logró prevenir la destrucción total de nuestro planeta. ¿Esta vez? Depende de nosotros. Las cosas van a ponerse muy feas si no logramos poner la piedra Ngak en nuestras manos.

—¿Cómo planeas quitar la piedra a su nueva dueña si la encontramos? —La pregunta de Lucien sorprendió a la habitación.

Evalle imaginó que esa voz profunda y melódica con acento latino quedaba bien en las mujeres. Los efluvios de testosterona y el aspecto de sexo con patas debían de aumentar el efecto.

Sen suspiró.

—No podemos quitarle la piedra Ngak. Tiene que dárnosla de manera voluntaria.

—Eso no es del todo cierto. —Lucien hizo una pausa, y su voz se suavizó adquiriendo un matiz letal cuando continuó—. Hay otra manera de tomar posesión.

Evalle dirigió una mirada inquisidora al castellano, captando lo que insinuaba. El nuevo dueño podía morir.

«Más vale que recuerde estar de su lado.»

Sen lo miró con odio.

—No la matarás para quitarle esa piedra.

Lucien sonrió, con una expresión que su insensible rostro no podía acompañar.

—No lo pretendo. Sin embargo, los accidentes pasan y otras criaturas además de nosotros son víctimas de ellos. ¿Quién sabe? Ella podría fácilmente resbalar y caer sobre el cuchillo de alguien. En unas pocas docenas de ocasiones.

Sen suspiró.

—Como tú has dicho, no podemos impedir eso, pero cualquiera que tratara de arrebatar la piedra a la fuerza tendría que estar mal de la cabeza. La piedra podría aceptar un nuevo amo, o bien podría volverse en contra de la persona que atacara al amo escogido. Que los dioses le ayuden en ese caso, porque no sería agradable.

Casper hizo un gesto señalando a los agentes de la habitación.

—¿Somos solo nosotros? Por favor, dime que dada la naturaleza de la bestia vamos a tener más refuerzos para buscarla.

Sen vaciló antes de hablar.

—Es una situación altamente delicada. Cuanta menos gente sepa que la piedra está a punto para ser recogida tanto mejor. Así que no compartáis información fuera de este equipo, ni siquiera con otros miembros de VIPER, y especialmente no digáis que estamos buscando la piedra Ngak. No puedo enviar un gran contingente que alertaría a nuestros enemigos. Si sale una palabra a la superficie sobre la reaparición de la piedra, todas y cada una de las criaturas con poderes sobrenaturales querrán ponerle la mano encima.

Lucien se burló.

—Saldrá a la superficie.

«¿De qué va ese tipo… acaso se cree el señor Alentador?» Evalle no creía que Lucien sobreviviera mucho tiempo cerca de Sen si pensaba continuar así, pero daba la bienvenida a cualquiera que distrajera la atención de Sen de ella.

—Entonces tenemos que encontrar esa piedra y a la mujer rápidamente. —Las palabras tensas dirigidas a Lucien dejaban claro que Sen no estaba para actitudes negativas ni para holgazanes.

Trey sacudió la cabeza.

—Atlanta es demasiado extensa. ¿Sabemos dónde buscar a esa mujer?

—No, pero sabemos dónde debería reaparecer la piedra, ya que no puede moverse físicamente. La piedra puede provocar cambios medioambientales que la hagan moverse, pero tiene que seguir esperando a ser recogida.

Trey dejó escapar un sonido de frustración.

—Maldita sea, esto jode. —Miró fijamente a Sen con seriedad—. Te das cuenta de que tengo que escoger entre el fin del mundo tal como lo conocemos y mis pelotas, ¿verdad?

Los ojos de Sen se abrieron con sorpresa.

—¿Perdón?

—Mi mujer está en sus últimas semanas de embarazo, y si no estoy allí cuando se ponga de parto me va a aplastar las pelotas. Las dos. Sin anestesia. Preferiría el fin de la tierra en una bola de fuego que perder a mis pequeñas. Creo que cualquier hombre en esta habitación estaría de acuerdo... —Alzó la vista hacia Lucien, que se apoyaba contra la pared—. Bueno, tal vez Lucien no. No quiero juzgar sus preferencias sexuales, pero yo no quisiera convertirme en soprano.

Los ojos de Lucien expresaban una amenaza malévola al sonreír.

—Continúa así, cabrón, y no tendrás que esperar a que tu mujer te los quite. Te lo aseguro, eso se puede arreglar aquí mismo y ahora.

El tic de la mandíbula de Sen comenzó otra vez.

—Marchaos a vuestros respectivos rincones. —Miró a Trey—. En cuanto a tu cuestión personal, te sugiero que localices la piedra rápidamente mientras tus joyitas te pertenezcan. Y créeme, cuando llegue el momento del parto, incluso si estás allí, serás afortunado si continúas con ellas intactas.

Sen dirigió su atención a los demás.

—Ahora, si podemos concentrarnos en otra cosa aparte de los testículos de Trey, todavía tenemos que tratar con Armageddonn. Tzader encabeza esa misión, y Trey manejará las comunicaciones con los cuarteles. Quinn trabajará con Casper.

Storm formará parte del equipo del sudeste. Evalle le mostrará los alrededores.

Evalle se tensó. ¿Desde cuándo se había convertido en guía turística? Estuvo a punto de quejarse de que no podían encasquetarle a un tipo nuevo si tenía que estar resguardada durante las horas de luz, pero nada le gustaría más a Sen que el hecho de que ella reconociera sus carencias.

De nuevo.

Pero le sobrevino una sensación de espanto. Lo último que quería era tratar con Storm esa noche. No es que a primera vista no le hubiera parecido un tipo decente. Sin embargo, no quería estar a solas con él por varias razones.

Una de ellas era que no confiaba en ningún hombre estando a solas.

La segunda, que no sabía qué tipo de poderes tenía Storm o cómo se sentía teniendo que estar pegado a una mujer. Y luego estaba el pequeño detalle de ser una mutante. Su experiencia con los veladores era que tendían a asustarse cuando descubrían su linaje. Él la colocaría en el escalafón más bajo de la cadena alimenticia, justo debajo de los demonios Birrn y la escoria de los estanques.

Con algo de suerte, Tzader se encargaría de apartar de ella a Storm para entrenar.

Lucien levantó la barbilla hacia Adrianna.

—¿Y qué pasa con ella?

Sen miró a Adrianna, y luego dirigió la vista a Lucien antes de responder.

—Trabajará por su cuenta, pero tú la ayudarás.

Los ojos de Lucien se oscurecieron con una emoción que en opinión de Evalle no encajaba para nada con su tono.

—Te daría las gracias, pero eso sonaría como si me estuvieras haciendo un favor. Tal vez ahora podrías molestarte en decirnos a todos qué clase de criatura es.

Evalle acababa de descubrir la fuente de odio que había advertido cuando Adrianna entró en la habitación.

Y Adrianna no parecía más contenta con Lucien que él con ella.

Cuando todos los ojos se concentraron en Sen, él explicó:

—Es una bruja de nivel superior, que trabajará con nosotros en esta única misión. Necesitábamos una especialista que hubiera estado allí la última vez que una bruja abrió el portal para los kujoo.

Evalle sacudió la cabeza.

—¿Has perdido completamente el juicio? ¿Quieres que confiemos en una bruja de la familia superior? ¿De la dinastía de magos practicantes de magia negra?

Los ojos de Sen se afilaron hasta quedar prácticamente entrecerrados.

—Un Tribunal le ha dado el visto bueno. Esto no es decisión tuya.

Evalle tuvo que esforzarse para no discutir su argumento. Los Tribunales no eran infalibles de ninguna manera. Pero Sen no estaría dispuesto a escucharla, aunque todos supieran que era mejor no confiar en una superior.

¿En qué estaría pensando el Tribunal?

La mirada amenazadora de Sen se dirigió hacia Lucien, cuya única reacción había sido un tirón muscular en la mandíbula.

—Otra cosa. Tengo un informe sobre un demonio Birrn que ha sido ejecutado en un almacén de la autovía metropolitana de Atlanta esta mañana. Quiero saber quién o qué lo aniquiló y qué estaba haciendo allí el demonio. Sé que no pudo haber sido ninguno de nuestros agentes, ya que nadie llamó para una limpieza. —Su rostro se tensó—. Al menos será mejor que no haya sido uno de los nuestros. Que los dioses lo asistan si lo ha sido y espero respuestas antes de que anochezca, o no será bueno para ninguno de vosotros.

Sen chasqueó con los dedos y una mesa de madera baja apareció en medio de la habitación, junto con una pila de carpetas.

—Esto es lo que tenemos sobre el asesinato por parte de las fuerzas de la ley del municipio de Fulton.

Conteniendo la respiración por el miedo, Evalle cogió una carpeta y trató de aparentar normalidad. Fue directamente a las fotografías del crimen, esperando que no hubiera nada en la investigación del condado que pudiera traicionarla.

Loada sea Macha, nada en esas páginas parecía condenarla. Por el momento, estaba a salvo.

Pero la cuestión era… ¿tendría Sen un perro rastreador en esa región que pudiera usar las astillas para encontrar un rastro y seguirlo del mismo modo que un sabueso rastrearía un aroma? Ese era uno de los pocos poderes que envidiaba.

Y ya que estaba en eso, necesitaba localizar a los gemelos y decirles que no mencionaran el incidente con el Birrn a nadie, especialmente a ningún acosador nocturno.

Sus pensamientos se volvieron hacia Isak, y el estómago se le encogió. ¿Cómo iba a encontrar a un hombre que sin duda sería inencontrable y convencerlo de que no le contara a nadie que la había visto con el demonio?

«Debería haber llegado tarde a esta reunión.»

Al parecer también había suspendido el test básico de supervivencia.

Sen no necesitaría ninguna ayuda para deshacerse de ella si continuaba poniendo la cabeza directamente en el lazo de la horca. El corazón empezó a latirle a toda velocidad.

El tiempo para localizar al amo del Birrn se le estaba acabando. Sen la suspendería, le quitaría todos sus poderes y luego la encerraría en el infierno.

Se volvería completamente loca si eso ocurría. No había manera de que pudiera volver a pasar por eso de nuevo. Por no mencionar la pequeña cuestión de que ella era su blanco. Sin sus poderes no habría modo de saber lo que el amo de ese demonio podría hacerle.

Pero no podía hacer nada sin arriesgar su vida hasta que anocheciera. Su respiración se volvía cada vez más y más corta mientras luchaba contra el pánico apretando los dientes.

Agentes entrenados registrarían la escena del crimen del Birrn.

«Tengo tanto miedo. Tengo tanto miedo. Tengo tanto miedo»

No podía respirar ni concentrarse. El pánico continuaba aumentando. Tenía que mantenerlo oculto al resto de los agentes.

«¡Tranquilízate!»

De pronto, una oleada de suave energía flotó sobre ella, calmando su angustia y envolviéndola en una capa de consuelo. Su respiración se normalizó.

Alguien en aquella habitación había hecho eso.

Evalle miró lentamente a su alrededor, pero nadie parecía prestarle atención. ¿Quién había llegado hasta ella?

¿Quién sabía que estaba cerca de un ataque de pánico?

¿Habría sido Lucien o Casper? No creía que Trey tuviera ese tipo de poder, y Sen definitivamente no habría hecho nada por ayudarla.

Storm.

El aliento se le enredó en la garganta.

La expresión de él carecía de emoción cuando había entrado en la habitación, pero un interés ardía en su mirada ahora. Un brillo totalmente masculino. Enderezó la espalda, pareciendo todavía más relajado y completamente confiado en una habitación llena de machos alfa.

Una confianza así resultaba increíblemente excitante.

Y él lo sabía. La comisura de sus labios se alzó apenas un poco, dejándole saber que había percibido su reacción completamente femenina.

El pulso de ella se aceleró salvajemente como respuesta. La habitación estaba caliente y de repente demasiado llena. Evalle quería que saliera todo el mundo.

Tal vez Storm no.

La sonrisa que asomó a los ojos de él aumentó el calor.

Mierda, ¿qué le estaba ocurriendo? ¿Se le habían disparado las hormonas?

¿O Storm estaría empleando su magia para aumentar la atracción?

Evalle necesitó hacer uso de toda su capacidad de control para apartarse de esa mirada penetrante y dirigir su atención con calma hacia Sen, cuyo informe se estaba perdiendo.

—... la piedra Ngak escogerá a su dueña en las próximas veinticuatro o cuarenta y ocho horas. Usará sus poderes para llamarla y seducirla para que acepte su destino mientras ella porte la roca. La mañana siguiente a la luna llena, cuando el sol toque el lugar donde ella encontró la roca, la piedra permanecerá eternamente unida a ella. A partir de ese momento esa mujer se volverá muy poderosa. Tenemos que separarla de la piedra sin matarla antes de que eso ocurra. Una vez se produzca el vínculo, la mujer podrá ajercer un uso total del poder de la piedra, pero la piedra también tendrá control sobre ella.

Casper se adelantó en su silla.

—La próxima luna llena es el martes por la noche. Así que nos estás diciendo que tenemos tres días para encontrar la piedra y a la mujer. ¿Tres días para salvar el mundo?

Se oyó un suspiro en la habitación.

Sen asintió.

—Hay que moverse, gente. En manos de un depredador sobrenatural, esa piedra sería invencible.

—Acabaremos todos cenando en el infierno —dijo Trey por lo bajo.

Casper dirigió a Evalle una mirada significativa.

—¿Creéis que la piedra estará buscando a Evalle? Tiene poder y una historia desconocida. A mí me parece que encaja.

Cada par de ojos se posó en ella.

«Gracias, cowboy. Lanza mi pellejo para que me lo arranquen a tiras.»

Sen curvó los labios con expresión burlona.

—Dudo seriamente que escogiera a un mutante cuando tiene para escoger el universo entero.

Evalle pasó de estar aterrorizada a sentirse humillada con una sola frase. La rabia le abrasaba el fondo de la garganta, pero sabía que era mejor no mostrarlo. ¿Qué más daba que él pensara eso? A ella tampoco le importaba un comino él.

Sin embargo, dolía, y ese hecho la hacía enfadarse consigo misma por darle a Sen ese tipo de poder sobre sus emociones.

Cuando se puso en pie, todo el mundo había abandonado la habitación salvo Storm y Sen.

El sol estaría ahora en lo alto con toda su gloria, y ella tendría que hacer el camino de vuelta a casa con más de cuarenta grados. Qué agradable cocerse en el verano de Georgia.

Evalle había podido ocultar la irritación que bullía en su interior solo hasta el momento.

—¿Teníamos que hacer todo el camino hasta aquí para oír esto? ¿Trey no podía habernos hecho llegar el informe a casa?

El placer que vio arder en la mirada de Sen le cortó la respiración, y no en el buen sentido.

—Trey podía haber informado a los demás, pero te quería a

ti aquí por otra razón. El todoterreno de Storm ha sido recubierto con un escudo que protege su interior del sol. Y hay un remolque de motos enganchado para cargar en él la tuya. Él te llevará de vuelta a casa para que no sufras ningún daño. —¿Podía haber alguien más sarcástico?

Tzader habría estado orgulloso de que ella no dijera ni una palabra. Pero con toda honestidad, se había quedado en blanco. Viajar dos horas con un hombre que tenía…

¿Qué era lo que Storm le había hecho? Ella todavía no sabía qué tipo de poderes poseía.

—Estoy ansioso de tener compañía durante el viaje. —El tono de Storm era profesional, sin embargo, su mirada era cualquier cosa menos eso.

Ella sería la última en admitir que lo encontraba atractivo… si lo admirabas desde cierta distancia. Sin embargo, lo último que querría sería verse atrapada en el interior de un vehículo con un hombre desconocido durante dos horas.

Especialmente uno cuyos sentidos le advertían a gritos que evitase.

La expresión placentera de Sen era espeluznante, como la de un león relamiéndose cuando divisa a su presa.

—Quiero que revises el asesinato del Birrn con Storm. Cuéntale todo lo que sepas acerca de la actividad paranormal en la ciudad y la reciente proliferación de visitas de demonios.

—De acuerdo.

La mirada de Sen se afiló, como si acabara de acorralarla.

—Por cierto, no te he dicho por qué he metido a Storm en esto.

—¿Sabe algo acerca de los Birrns?

Sen negó con la cabeza.

—Es un chamán navajo que puede seguir el rastro de seres sobrenaturales. Pero tiene un talento especial que creo que encontrarás fascinante. Uno que resultará de gran beneficio para VIPER. Storm tiene la habilidad de saber si alguien está mintiendo o no. —Una sonrisa malévola y engreída asomó a sus labios—. Y él va a ser tu nuevo compañero, lo que debería acelerar tus esfuerzos para descubrir por qué están aquí los demonios, además de para asegurarse de que la piedra Ngak no acabe en tus manos.

Ella sintió que la bilis le subía por la garganta.

—A pesar de que has dicho que la piedra nunca escogería a un mutante.

—Los dioses en ocasiones tienen un enfermizo sentido del humor. Y no puedo correr el riesgo de que eso te seduzca.

«Oh, cuánto me gustaría que la piedra me escogiera. Porque tú serías el primero de quien me encargaría, bastardo arrogante.»

Solo por eso valdría la pena vender su alma.

Y ahora entendía qué era lo que había hecho feliz a Sen.

Él la quería fuera de VIPER, ya que no le gustaban las anomalías en su equipo. El pequeño cerdo pensaba que Storm la sorprendería en una mentira que le costaría la suspensión… o una audiencia ante el Tribunal.

Sen estaba equivocado.

Storm podría sorprenderla en una cadena entera de mentiras y ninguna de ellas podría condenarla.

Seis

—Mi señor, mi señor —llamó Ekkbar—. Tengo noticias.

Batuk agitó la mano, lanzando un arco de poder ante el mago para prevenir que se precipitara hacia delante.

Las delgadas piernas de Ekkbar continuaron corriendo allí donde estaban, pero sin permitirle avanzar.

Batuk gruñó a ese memo a quien había advertido que no mostrara su cara en el gran vestíbulo. Al menos no en el plazo de mil años, si es que quería seguir respirando. Después de todo, había sido culpa de Ekkbar que su gente kujoo sufriera la maldición de tener que vivir bajo la montaña Meru durante los últimos ochocientos años.

Las serpientes talladas como brazos en su trono comenzaron a ondular bajo los tensos músculos de Batuk.

La voz aguda de Ekkbar suplicó:

—Por favor, mi señor, debes escucharme. He encontrado un nuevo portal, lo tengo.

—¡Mentiras! —rugió Batuk. Todos habían estado buscando un nuevo portal. Era inconcebible que aquel pedazo de escoria fuera capaz de tener éxito allí donde todos habían fracasado.

Las paredes de roca brillaron, moviéndose como si fueran de lava derretida. De entre los huecos de las piedras, las llamas salían escupidas.

Por todos los dioses, mataría a aquella escoria si no fuera por un ineludible problema.

Todos los miembros de su tribu kujoo eran inmortales.

«Porque los dioses nos odian. Sería preferible que hubiéramos muerto asesinados en la batalla antes que estar sujetos a este horror eternamente, a este infierno que nunca cede.»

Batuk curvó los dedos, con los músculos tensos por la necesidad de matar a Ekkbar.

Sus uñas se afilaron convirtiéndose en garras de metal.

El guardián de élite desenvainó sus espadas y avanzó. Sus hombres no podían matar a Ekkbar, pero si los animaba un poco lograrían que el mago gritara suplicando piedad, lo cual aliviaría su aburrimiento unos pocos minutos.

La furia de Batuk avivó la temperatura hasta que la niebla que se hinchaba como una nube alrededor del trono pasó a convertirse en vapor.

Ekkbar inclinó la cabeza en una reverencia... un acto mentiroso, como todas sus acciones.

—Pero mi señor, os traigo buenas noticias. Dijisteis que no regresara a menos que pudiera liberaros de este lugar. Yo nunca os desafiaría, mi señor. Nunca os desafiaría.

Batuk levantó la mano para detener a su guardia. ¿Y si aquel patético gusano hubiera encontrado efectivamente una manera para que más de uno de ellos lograran escapar?

¿Podría su ejército volver a ser libre alguna vez? La pregunta silenciosa de Batuk le fue devuelta desde los ojos agotados de sus hombres.

Miró con odio al mago.

—Por mi tribu, te escucharé. Pero hazme caso cuando te advierto que tengas cuidado. Si te sirves de mentiras para sembrar falsas esperanzas, haré que te arranquen la piel a tiras todos los días.

Ekkbar tragó saliva con dificultad, luego movió la cabeza arriba y abajo.

—Sí, sí. Libera mis piernas, señor, y te diré verdades estupendas.

Gruñendo con incredulidad, Batuk levantó la barbilla en dirección al mago para liberar sus piernas.

El mago corrió hacia delante hasta quedar de pie frente al trono. Sus pantalones de seda plateados crujieron contra sus piernas enclenques. Con el cuerpo marchito por la madurez, Ekkbar se conformaría con una sola de las piernas de Batuk.

—Habla rápido o pondré a la guardia contra ti.

Ekkbar tragó saliva.

—He hablado con una bruja en mis sueños...

Batuk interrumpió sus palabras con un silbido despiadado.

—Otra bruja no. Mi hartazgo de ellas valdría para mil vidas.

Por el momento las estaba viviendo allí hasta cumplirlas.

Ekkbar abrió sus brazos en un gesto que cuestionaba por qué su amo carecía del simple conocimiento sobre cómo funcionaba la magia.

—Yo sé que nadie salvo una bruja puede abrir un camino para nosotros, mi señor. Y esta es diferente, mucho más poderosa que la última.

—La última bruja se alió con los veladores y nos traicionó. ¿Por qué confiar en que esta no hará lo mismo?

—Cuando oigáis todo lo que tengo que compartir, vos mismo sabréis la respuesta a esa pregunta, oh, venerada alteza. —Ekkbar se movía de un pie al otro, con una danza impaciente que ejecutaba siempre que estaba nervioso.

Batuk no se dejaba comprar tan fácilmente.

—Estás pisando un terreno peligroso, gusano.

La danza fue interrumpida inmediatamente. Ekkbar cayó de rodillas, agitando la niebla que humeaba alrededor de su pecho.

—Jamás, mi señor.

—¿Qué es lo que esta bruja asegura que puede hacer?

—Liberaros a vos y a ocho guerreros más de nuestro reino...

—¿Nueve? ¿Solo a nueve de nosotros? ¡Quiero a todos mis hombres libres!

Ekkbar movió la cabeza de arriba abajo de nuevo.

—Lo entiendo, mi señor, lo entiendo. Pero ella dice que una vez que paséis el portal seréis capaz de liberar a todos aquellos que os son leales. Dice que diez hombres serán suficientes para...

—¿Diez?

—Vyan sigue vivo desde que escapó. He hablado con él también a través de sus sueños. Está cansado de esperar y preparado para liberar a su señor de la guerra.

Batuk gruñó, complacido por la lealtad inquebrantable de su primero al mando, que había logrado cruzar un portal dos años atrás. Vyan había tratado de capturar a la bruja que había abierto ese primer camino para obligarla a ayudar a su gente. Había luchado contra su amante veladora y había perdido únicamente porque más guerreros veladores se habían metido en la batalla, superándolo en número.

—¿Vyan conoce a esta nueva bruja?

—No, mi señor. No compartiría estas noticias con nadie antes de hablar con vos. —La curva de los hombros de Ekkbar se veía poco decidida en un hombre que solo hacía reverencias cuando estaba forzado a hacerlas.

—¿Cómo liberaré a los demás cuando hayamos salido de aquí?

—La bruja dice que todo lo que tenéis que lograr es haceros con el control de la piedra Ngak...

—Ha desaparecido. Para siempre.

—No, no, mi señor. La piedra se esconde hasta que escoge ser encontrada. Yo ni siquiera sabía que la piedra Ngak había vivido conmigo bajo la montaña Meru todos estos años hasta que la piedra se reveló a sí misma en mi pecho hace dos años. No lo supe hasta que Vyan robó mi tesoro —acusó, murmurando para sí mismo.

—¿Tu tesoro?

Los ojos amarillos de Ekkbar se volvieron casi blancos de miedo ante su desliz. Batuk sabía sin lugar a dudas que Vyan había tomado la piedra para encontrar una manera de salvar a su tribu, mientras que Ekkbar solo se hubiera salvado a sí mismo.

Los hombros del mago temblaron. Contrajo sus manos juntas, retorciéndolas como una vieja suplicando piedad.

—Solo quería decir que yo cuidaba la piedra como un tesoro, sí, solo eso. Todos los tesoros os pertenecen, mi señor. Todos os pertenecen. —Inclinó de nuevo la cabeza.

Batuk tuvo que luchar contra la urgencia de patearlo. Pero no quería mancharse los pies.

—Para empezar, nunca me contaste cómo la piedra Ngak llegó a tus manos, Ekkbar, ¿verdad que no?

Una sombra atravesó el rostro de Ekkbar, la culpa que asomaba aunque él quisiera despejarla.

—Vos no lo preguntasteis, y yo no podía decirlo mientras estaba apartado de vuestra vista. Encontré la piedra brillando en un arroyo cerca del lugar donde luchasteis contra los veladores paganos antes de que sufriéramos nuestra maldición. Paganos malvados. Acababa de colocar la piedra en mi pecho tras regresar al campamento, pero solo para mantenerla a salvo para vos, mi señor, cuando Shiva nos envió a vivir aquí. Muy desagradable por parte de nuestro dios. Muy desagradable.

No me lo recuerdes.

—¿Dónde está la piedra ahora?

—No estoy seguro...

Batuk golpeó con los puños los brazos de su silla. Las serpientes talladas cobraron vida, sorprendiendo a Ekkbar, que cayó de rodillas hacia atrás como si volara sobre una alfombra mágica.

—Te advertí de que no sembraras falsas esperanzas.

El sonido metálico del acero resonó a través del imponente vestíbulo cuando los guerreros golpearon sus espadas contra las paredes llenos de ira, ansiosos de que Batuk lanzara a Ekkbar contra ellos. Ekkbar permaneció de rodillas, con los hombros ahora temblando de miedo.

—Mi señor, por favor. Sois un guerrero honorable. Escuchadme antes de decidir si os he engañado.

Tras levantar la mano para silenciar el ruido, Batuk soltó un suspiro que salió desde lo más profundo de su vientre.

—Habla.

Ekkbar flotó hacia delante de nuevo, con las piernas dobladas una palma por encima del suelo cuando se detuvo justo fuera del alcance de cualquier ataque. Miró con cautela las serpientes, que habían vuelto a ser solo serpientes talladas, y continuó:

—Lo que quería decir es que no conozco la localización exacta, pero he tenido una visión de la piedra Ngak. Todavía reside en el arroyo donde se perdió durante la batalla que Vyan mantuvo con los veladores. La piedra Ngak producirá una pala gigante para cavar en ese arroyo y traerá la piedra a descansar sobre la orilla. La piedra se revelará a sí misma ante un nuevo amo antes de la luna llena que habrá dentro de tres noches.

—¿La piedra Ngak escogerá de nuevo a Vyan? El ruido que escapó de los labios de Ekkbar expresaba su disgusto hacia

Vyan, sin duda porque el guerrero había sido más listo que el mago la última vez que el portal se había abierto.

—Creo que la piedra escogió a Vyan solo para que sus dos manos la sacaran fuera de aquí, no para ser su dueño, o en ese caso la piedra habría permanecido con él. La piedra siempre ha escogido seres poderosos, pero esta vez se espera que la elegida sea una mujer.

—¿La bruja? —Batuk golpeó los puños contra los brazos de la silla. Los ojos de las serpientes brillaron con vida de nuevo.

—No, no, mi señor. La bruja no quiere tocar la piedra. Dice que es portadora de una magia que la dañaría. Y advierte que si vos o alguno de vuestros hombres tocáis la piedra cuando lleguéis a Atlanta, los veladores sabrán que estáis en su mundo antes de que tengáis la oportunidad de usar la roca. Me ha dicho que lo ha visto en una bola de cristal.

—Si ni yo ni mis hombres podemos tocar la piedra, ¿de qué me servirá estar a merced de los veladores, que nos superarán en número, ya que solo seremos diez?

—La bruja tiene un plan, sí, ella tiene un plan. —El cuerpo arrodillado de Ekkbar flotó hacia arriba por la excitación—. Una vez os lleve a vos y a vuestros hombres fuera, os dirá cómo encontrar a una criatura que pueda conseguir la piedra Ngak para vosotros.

—¿Qué tipo de criatura es la que va a ayudarnos?

—Un mutante.

Batuk frunció el ceño ante un término que no le resultaba familiar.

—¿Un qué?

—Alguien que nació con una parte de velador… —Ekkbar levantó las palmas hacia arriba como si esperara que el gruñido de Batuk lo hiciera callar— … y con otra parte de un ser desconocido. Sí, este ser tiene la sangre de nuestros enemigos, pero los veladores lo rehúyen.

—¡No confío en los veladores!

—No se trata de un verdadero velador, sino de un tipo que es considerado un cruce de muy baja posición, un desecho a quien su tribu tiene muy poco respeto. Los mutantes se transforman en bestias peligrosas y han matado veladores.

Batuk se echó hacia atrás en el trono, rascándose la barba.

—¿Una bestia veladora que mata a su propia tribu? No había oído hablar de eso.

Si un macho ajado y reseco pudiera pavonearse, aquel estúpido mago lo haría.

—Me complace traeros buenas noticias. Me complace mucho.

—¿Qué es lo que quiere esa bruja a cambio? —Batuk comenzaba a creer que esa desgracia sin pelo que tenía delante podía realmente haber encontrado una manera de escapar de la maldición de Shiva.

—Después de haber conseguido lo que más deseáis, la bruja dice que podréis llevaros la piedra Ngak y hacer lo que os plazca si le entregáis a la criatura mutante para hacer lo que a ella le plazca.

¿Qué significaba eso? ¿Él podía hacerse con la piedra más poderosa de la creación y todo lo que quería la bruja a cambio era a ese mutante?

Batuk vaciló. «Cuando algo parece demasiado fácil esconde una trampa.» Nadie renunciaría a esa piedra por algo tan insignificante. No sin una buena razón.

Pero bien mirado, podrían ocuparse de la bruja y del mutante una vez hubieran escapado y tuvieran la piedra en su poder. Entonces el mundo se inclinaría y temblaría ante ellos. Su ira sería legendaria.

—Dile a la bruja que podemos llegar a un acuerdo.

Siete

Storm redujo la marcha de su Land Cruiser 1979 FJ-40 a un ritmo de tortuga. No había otra elección. Dudaba que pudiera hacerse otra cosa en medio del retorcido tráfico de esa carretera.

Al menos tenía un dulce paisaje en el interior del coche.

Dirigió la vista hacia el lado donde estaba Evalle Kincaid, con la cabeza y el hombro apoyados sobre la puerta del asiento del copiloto.

Tan pronto como abandonaron la sala de operaciones, ella le había dicho lo cansada que estaba. Storm no dudaba de su agotamiento... tenía bolsas debajo de los ojos que lo atestiguaban. Por eso le permitió que se la jugara después de ejecutar un exagerado bostezo de camino a la furgoneta y preguntarle si no le importaba que se echara una pequeña siesta.

La evasión no funcionaría por mucho tiempo, pero él aceptó.

Evalle había apretado su cuerpo tanto como pudo contra la puerta del copiloto, actuando como si descansara. Pero los músculos de sus brazos doblados estaban tensos y sus hombros curvados hacia dentro con actitud defensiva.

Nadie tan tenso sería capaz de dormir por muy exhausto que estuviera.

Sortm era un cazador, un hombre paciente que podía esperar a su asustadiza presa, así que murmuró unas pocas palabras pidiendo a los espíritus que aliviaran su alma y le permitieran descansar.

Al cabo de unos minutos de su partida de los cuarteles de VIPER, Evalle se había relajado quedando como un saco sin huesos. Él le había quitado las gafas de sol, ya que el interior era tan oscuro con la coraza protectora de Sen que el tablero estaba encendido a pesar de la luz de la media tarde. Sen no había protegido la furgoneta del sol ni había enganchado el remolque de la moto detrás para hacerle un favor a Evalle. Quería obligarla a estar en una situación incómoda durante dos horas.

Sen no había dicho que se la tuviera jurada a Evalle, pero incluso un ciego podría ver que tenía intenciones ocultas en relación a ella.

Storm comprendía las intenciones ocultas. Él también las tenía y cumpliría su trato con Sen, pero en sus propios términos.

Era por eso que había ayudado a Evalle a dormir casi el trayecto entero. Ella se movió, y su ropa de motera de Gore-Tex hizo un ruido como de siseo contra el asiento de vinilo. El movimiento propagó su aroma por el coche. Tenía un olor terrenal, un olor que captaba su interés mucho más que el de Adrianna-el-juguete-sexual. Con toda esa guarnición de encaje en el exterior, Adrianna era fría como el invierno del Ártico.

Hacía falta más que un escaparate para que una mujer fuera deseable.

A él le gustaban las mujeres con fuego bajo la superficie. Puede que Evalle proyectara una fachada helada, pero tenía un centro caliente que ardería como el fuego del infierno con tan solo un poco de aliento.

Pero él no podía permitirse esa distracción ahora ni debía acercarse a alguien que en realidad tenía la tarea de vigilar.

No pasaría por ese apuro.

La chaqueta de ella, con la cremallera baja, se le había caído mientras dormía.

Llevaba debajo una camiseta suelta, pero por la forma en que se había desplomado, la camiseta había quedado apretada contra su estómago duro, mostrando su cuerpo a la perfección. Unas espesas pestañas ocultaban la bonita forma de sus ojos por encima de sus suaves mejillas. Él había visto la forma de sus ojos a través de las gafas de sol, pero no el color.

No importaba. Podían ser púrpura o de un naranja fuego y seguiría siendo hermosa. El cabello se le había secado durante el viaje, cayendo suelto sobre los hombros. Un largo mechón se resaltaba inmóvil sobre su cuello.

Solo su voluntad de acero le impidió acercarse para acariciar con los dedos ese cabello afelpado, negro como un pensamiento pecaminoso.

No había disfrutado de una mujer desde...

Desde que había perdido su alma.

Otra razón para no tocarla.

El tráfico comenzó a moverse otra vez, advirtió con su visión periférica, obligándolo a regresar a la tarea de llegar al centro de la ciudad a las tres. Quería tener tiempo para husmear en los alrededores después de dejar a Evalle en casa.

Captó un ligero movimiento en el interior del coche. Un humano sin poderes de percepción extraordinarios no lo habría notado, pero él sí y eso le hizo dirigir su atención a Evalle.

Ella lo estudiaba secretamente a través de las pestañas que se cernían sobre sus mejillas rosadas.

Podía dejarla dormir, pero quería su compañía.

—¿Te sientes mejor?

Ella vaciló durante un segundo, pero le honraba que hubiera abierto los ojos —unos exóticos ojos verdes del color de un bebé de salamandra— y se sentara erguida, estirándose.

—Mucho mejor. ¿Dónde estamos?

—En el interior del perímetro.

Ella dejó de moverse y se dio cuenta de que sus ojos estaban al descubierto.

—¿Dónde están mis gafas de sol?

—Encima del visor que está sobre tu cabeza.

En cuanto las tuvo puestas se echó hacia atrás en el asiento y apoyó el brazo en el borde de la ventana, dando golpecitos con los dedos.

—¿El tráfico se queda atascado en plena tarde? Es un fastidio, incluso estando en Atlanta.

—Se estropeó hace más de tres kilómetros, pero se despejará pronto.

Los ojos de ella se fijaron en la radio que no había sido encendida desde que salieron de VIPER.

—¿Y cómo sabes eso?

Él se rio ante el evidente salto que ella estaba haciendo.

—¿Crees que tengo poderes psíquicos?

—En nuestro tipo de trabajo no me sorprendería. No sé lo que pueden hacer los chamanes.

Storm contuvo una risita irónica que se agitó en su pecho. Sen lo había llamado chamán navajo porque creía lo que le había dicho un agente de la división nordeste donde Storm había pasado los últimos ocho meses. Era una suposición razonable, basada en lo que Storm había dejado creer a todos allí. Descubrir los antecedentes de alguien en el mundo de los humanos era mucho más fácil que determinar los orígenes de aquellos seres con poderes sobrenaturales.

No era del todo un navajo ni era exactamente un chamán.

Storm le sonrió.

—¿Crees que los chamanes no pueden leer los mensajes electrónicos de las pantallas en las señales de tráfico... como la que había tres kilómetros atrás?

—Oh, mierda. Olvídalo. —Ella sonrió para sí, incapaz de evitar ruborizarse por la vergüenza.

Ver su rostro iluminado por una felicidad repentina despertó en él una sensación de calidez que no había experimentado en mucho tiempo. Una sensación humana. Consideró la posibilidad de contarle la verdad... que había visto la colisión de tráfico en su mente de antemano. En otro tiempo habría podido compartir algo tan simple.

Eso había sido antes de que una mujer que le importaba hubiera usado las cosas que él le explicó, detalles simples, para robar primero su alma y luego la de su padre.

Justo antes de que ella misma asesinara a su padre.

Esa cabrona había enviado el espíritu de su padre a vagar por toda la eternidad, y luego convirtió a Storm en su arma personal.

Después de lo que le pareció una eternidad en el infierno, por fin había descubierto la manera de liberarse de ella.

Aquella mujer había desaparecido, pero él la acabaría encontrando. No importaba cómo... aunque tuviera que perseguirla a través de múltiples dimensiones. Y cuando la encontrase, primero liberaría a su padre y luego recuperaría su propia alma.

—¿Entonces tienes o no tienes poderes psíquicos? —Evalle miraba a cualquier parte menos a él.

—A veces. —Eso es todo lo que ella consiguió sonsacarle. Había nacido con unos pocos dones —gracias a su abuelo Asaninka de Sudamérica— como la habilidad de percibir las respuestas emocionales a su alrededor y la de extraer la verdad de un mentiroso.

—Hmm. —Si se acercaba un poco más a la puerta del coche se fundiría con ella.

Él abrió sus sentidos a las emociones de Evalle. Estaba tan calmada como un cielo de verano cuando se avecinaba una tormenta, a la espera de que él se lanzara sobre ella. Más le valía llegar al fondo de lo que la agitaba.

—Háblame de los mutantes.

—¿Como si Sen no te hubiera puesto al corriente?

Storm ignoró el remolino de rabia que Evalle generó y volvió a insistir.

—¿Es cierto que esa cosa asesinó a nueve veladores antes de ser destruida?

Su ira se agitó dentro de ella mientras se ponía tensa.

—Él. Era él.

Esa ira lo confundió.

—¿Cómo que él?

—Le has llamado cosa. No somos cosas. Somos personas, igual que tú o cualquier otro nacido de padres humanos. Sí, él mutó y asesinó a veladores.

Durante el tiempo que Storm había pasado en VIPER, se había dicho poca cosa acerca de los mutantes después de aquel incidente. VIPER tenía una política de no tolerancia cuando se trataba de hablar de asuntos de la agencia.

Silenciaban a aquellos que hablaban con demasiada libertad. De manera permanente.

Pero las palabras viajaban deprisa cuando una bestia mataba a nueve seres poderosos. Eso era impresionante para cualquier criatura. Él dudaba de que mencionarlo alentara al diálogo llegados a aquel punto.

—¿Qué más puedes contarme acerca de los mutantes?

—¿Como si yo supiera algo? —se burló Evalle suavemente—. Hasta donde sé soy el único mutante que camina libremente. No he conocido a ninguno de los que han atrapado. —La ira ardió por debajo de un ataque de aprensión que le sobrevino—. ¿Quieres acabar con la cacería? Aunque pudiera contarte algo acerca de los mutantes no te importaría realmente si viven o mueren, ¿verdad? Especialmente teniendo en cuenta que la única razón por la que estás aquí es para informar a Sen de cualquier cosa que diga.

—Si eso es lo que quieres creer…

—Eso es lo que sé. Pero estaré dispuesta a considerar un testimonio que afirme lo contrario si puedes convencerme.

Storm cambió de carril.

—Por lo que estoy oyendo solo sería una pérdida de tiempo. —Tenía una oportunidad durante los quince minutos que le quedaban en la furgoneta. Podía tratar de hacer que se sintiera cómoda dejándola que hablara acerca de la ciudad y de cómo operaba su división de VIPER, o podía presionarla un poco.

Él nunca había sido de los que toman el camino fácil, y sabía qué botón tocar para provocarla.

—Si no quieres hablar sobre mutantes, entonces háblame de vuestros problemas locales con los demonios. Contando el Birrn asesinado esta mañana ya suman dos, ¿verdad?

Hizo una pausa para que ella respondiera. Ni una palabra.

—Será difícil trabajar juntos si no compartimos información.

—¿Qué es lo que quieres saber?

Era la hora de descubrir si ella mentía tanto como Sen indicaba o si Sen realmente la estaba señalando injustamente, como ella creía.

—¿Qué es lo que sabes acerca del demonio asesinado en Atlanta esta mañana?

El silencio era habitualmente el primer indicio de una mentira, y sus labios estaban apretados con fuerza.

Ocho

Evalle se maldijo a sí misma por dejar que su boca la condujera de una conversación irritante a otra peligrosa.

No debería haber cedido a su cólera cuando Storm le preguntó sobre los mutantes y dirigió la conversación durante un rato. Ahora tenía que hablar sobre demonios, un tema sobre el que no sería capaz de responder a todas las preguntas diciendo la verdad. Con la habilidad que él tenía para distinguir la verdad de la mentira, una carrera a ciegas a través de la autopista interestatal de Atlanta en hora punta sería más segura que cualquier conversación con él.

—¿El problema con el demonio? —la presionó Storm.

¿Como si hubiera uno solo?

El maldito reloj y el tráfico conspiraban contra ella. Necesitaba una distracción.

—¿Hay agua aquí?

Storm no respondió ni se dio por enterado de su comentario.

Al menos no verbalmente.

Conducía el Land Cruiser color verde oliva —no uno de los nuevos modelos de moda sino uno clásico de los setenta— con una mano sobre el volante, los ojos fijos en ninguna parte y, sin embargo, al tanto de todo. Incluyéndola a ella; pero el único cambio en su rostro que indicaba que había oído su pregunta fue la dudosa inclinación de su boca. Ella no la llamaría del todo una sonrisa, sino el indicio justo para hacerle saber que solo le permitiría evadirse durante un tiempo.

—Hay agua detrás de tu asiento. Dame una botellita a mí también.

Ella se giró, levantó la tapa de una vieja nevera y sacó dos botellitas de plástico de entre el hielo. Después de darle una a él, se desplomó en su asiento, deseando poder usar sus poderes para sacar los coches del camino.

Le llevaría tal vez otros quince minutos poder salir de allí. Sen nunca le había tenido mucho aprecio, pero el hecho de que trajera a Storm para exponerla la había sorprendido incluso a ella.

Que se hubiera quedado dormida delante de él la había sorprendido incluso más.

Storm se aclaró la garganta. Eso debía de ser la advertencia número dos de que no estaba dispuesto a esperar mucho más.

Ella se subió la cremallera de la chaqueta, apreciando el aire frío que circulaba a través de la furgoneta, a pesar de que esta situación intensificara el atractivo aroma de él más allá del nivel que las defensas de ella podían controlar.

—¿Qué es lo que quieres saber sobre nuestros demonios?

—Lo que más me interesa es el Birrn.

Por supuesto que sí, ya que ella tenía tanta suerte.

—¿Qué pasa con él?

—¿Lo mataste tú?

Eso era lo más directo posible, pero ella podía dar una respuesta honesta.

—No.

—¿Tienes alguna idea de quién lo mató?

«Piensa, Evalle...» Si delataba a Isak, eso la implicaría a ella de la peor de las maneras. Así que estableció otra verdad que pudiera mantener a raya el polígrafo detector de mentiras.

—Sí, pero no estoy preparada para decirlo hasta que no tenga una evidencia sólida. Son las reglas de VIPER —añadió, recordando que los agentes no pueden hacer acusaciones sobre ningún delito sin tener pruebas. Isak no había matado al demonio.

Era su maldito e imponente revólver quien lo había hecho.

Para ser más exactos, era el amo del Birrn quien lo había matado al enviarlo a la línea de fuego.

Storm activó la señal intermitente para girar y se deslizó por un espacio que se abrió mágicamente en medio del embotellamiento. Ella lo miró atentamente, tratando de discernir si había usado algún poder para hacer eso. Conducía con elegante fluidez, con confianza en cada movimiento.

Aquel tipo probablemente podía hacer diez cosas a la vez, así que ¿por qué detendría su bombardeo de preguntas?

Normalmente ella habría dado la bienvenida a ese silencio, pero se sentía como si estuviera esperando a que el verdugo construyera su horca.

—¿Sen ha dicho que teníais otros problemas con los demonios? —le preguntó eso con una voz suave y cautivadora, pero Evalle estaba acostumbrada a vivir a diario vigilando por encima de su hombro atenta a alguna amenaza, con Sen y los Tribunales llevando la delantera.

Nada que Storm dijera en ese tono podría desarmarla.

—Hasta donde yo sé no tenemos actualmente problemas con los demonios, especialmente desde que el Birrn ha sido asesinado. —Era técnicamente cierto. Los demonios Cresyl estaban muertos también, así que no había problemas con los demonios en aquel preciso minuto.

Sin embargo…, ¿el cuerpo mutilado en la morgue?

Seguía siendo un problema.

Pero ella estaba encontrando la manera de maniobrar en torno a sus preguntas. Permitió que sus hombros se relajaran.

—¿Hay algún otro problema relacionado con la muerte del demonio que yo debiera saber?

—No. —Eso era absolutamente cierto. Cuanto menos supiera precisamente él, mejor para ella. Celebró en silencio que Storm girara por Centennial Boulevard. En unos minutos estaría fuera de esa furgoneta—. Coge la siguiente a la izquierda, luego cruza la calle Peachtree. Te mostraré dónde aparcar.

Él asintió en silencio.

Algo le advertía de que el silencio no era necesariamente un signo alentador por su parte. No podía haberse quedado sin preguntas, y ella se había manejado maravillosamente bien hasta ahora, o así lo creía.

Que sucediese lo que tuviera que suceder.

Cuando llegó a una zona de aparcamiento en la parte trasera de un restaurante cerrado de Peachtree, cerca de la avenida Norte, ella le indicó que entrara allí para aparcar. Él debería apreciar que la zona de estacionamiento estaba vacía, lo que le procuraba suficiente espacio abierto para maniobrar con el remolque de la moto.

Mientras aparcaba la furgoneta, en sus labios apareció de nuevo ese amago de sonrisa, esa que no contenía nada de humor.

—¿Quieres que me crea que vives en este restaurante abandonado?

—No, no vivo aquí. —Evalle se subió los últimos centímetros de la cremallera hasta la barbilla y se puso los guantes. Se estiró para coger el casco del asiento de atrás. Cada milímetro de su piel debía estar cubierto antes de salir al exterior—. Gracias por traerme.

—Da las gracias a Sen. Él es quien recubrió la furgoneta para que la luz del sol no te afectara.

Sí, de ese modo el bastardo podría espiarla. Colocó el casco sobre sus muslos.

—Seguro que lo haré. —Dejó que la bandera de su sarcasmo volara alta.

Aparte de levantar una ceja, Storm no preguntó por qué ella y Sen eran como una cobra y una mangosta acosándose el uno al otro.

—El primer equipo de vigilancia está registrando Piedmont en busca de alguna señal de la piedra Ngak o cualquier cosa fuera de lo normal durante las horas del día. Tú y yo reemplazaremos a ese equipo al anochecer. Dame tu dirección y te recogeré a las ocho.

¿De verdad creía que eso iba a funcionar? ¿Que ella le diría su dirección cuando no había dejado que la acompañara hasta casa? Antes tenía que encontrar a Isak, ocuparse de un cuerpo maltratado en la morgue, encontrar a los gemelos y hablar con Grady.

—Tengo unas cuantas cosas que hacer antes de bajar a jugar al parque. Mejor te encontraré en la entrada de Piedmont Road a medianoche.

No hubo sonrisa esta vez. Storm no se tomó bien el desaire.

—Sen espera que trabajes conmigo.

—Sen no me tiene como propiedad, y VIPER ni me alimenta ni paga mis facturas. —Ella habló con suavidad, pero a él no le debió pasar inadvertido el tono de advertencia en sus palabras.

—Él es tu superior.

—Solo en su mente. Respondo ante él porque como velador asignado a VIPER, tengo una obligación para con mi equipo y siempre cumplo con mis compromisos. —Ella debería acceder a acompañarlo, pero había aprendido algunas cosas después de trabajar alrededor de tantos machos alfa. El peor error que podía cometer era permitir que alguno pensara que le daba órdenes. Storm no era superior a ella en rango, a pesar de que Sen tratara a cualquiera, incluso a una bruja superior en quien nadie en su sano juicio confiaría, con más respeto del que concedía a Evalle.

«Por mí, Sen trajo un suero de la verdad con piernas capaz de seguir el rastro de sobrenaturales.»

Pero la maldita bruja tenía carta blanca.

Sí, Sen era un idiota que permitía que el odio lo cegara y tomaba decisiones que un día lamentaría.

Sus pensamientos regresaron a Storm y a lo que había hecho para controlar su ataque de pánico durante la reunión. ¿Le habría dado simplemente una muestra de sus poderes, demostrándole que podía influir en ella a su voluntad? Odiaba estar a merced de nadie y no toleraría que él usara sus poderes o su magia de esa forma.

Nadie la controlaba. Nunca. Ella era libre y pretendía seguir siéndolo. No importaba a quién o qué tuviera que sacrificar.

Storm se volvió hacia ella, la viva imagen de la calma si no advertías la ira encendiéndose en sus ojos marrones.

—Tienes un deber hacia VIPER, lo cual te obliga a seguir las órdenes aunque Sen no te guste. No quieres responder peguntas. No quieres encontrarte conmigo a una hora razonable para estar preparada. No quieres que trabajemos juntos, provisionalmente. Sen ha dicho que nadie trabajaría contigo a excepción de tus compañeros Tzader y Quinn. Empiezo a entender por qué.

Oh, eso la hizo encenderse. Los demás no trabajaban con ella por causa de un defecto genético que no podía evitar, y todos se afanaban en restregárselo por la nariz. En cuanto a Sen...

—Vamos a dejar algo claro, Storm. Mi deber requiere que siga las normas de la agencia, como cualquier otro agente, pero nadie me dicta qué información personal debo compartir, como dónde vivo o a qué horas trabajo. —Porque si supieran esas cosas podrían ir tras ella, espiarla o aún peor, encontrar pruebas que sirvieran para encerrarla por toda la eternidad—. No a menos que Sen quiera establecer como nueva norma para todos los agentes que declaren su dirección en una base de datos comunitaria.

—Mira, yo no me refería…

Ella ni respiró.

—Además tengo un trabajo en la morgue de la ciudad, una posición que me permite acceder a información vital que necesitamos, especialmente para la protección de los ciudadanos. Si no me presento ante mi supervisor esta noche, perderé mi trabajo, y no querrás saber lo difícil que es encontrar un trabajo nocturno con horario flexible por encima del salario mínimo. Y por si hubieras nacido en el sol y no lo habías notado, es verano y las horas nocturnas son escasas.

—Lo entiendo…

—No, no lo entiendes. —Él tenía la alternativa de vivir una vida normal en un mundo normal. La gente no lo juzgaba en base a una genética que no podía evitar, y nadie lo había encerrado nunca como a un animal por esa causa.

Ella apretó los dedos contra el casco para no arrojarlo por el aire debido a la frustración mientras sus emociones crecían. Estaba tan cansada de toda esa mierda. Tan cansada de tener que estar siempre a la defensiva. De tener que medir y sopesar cada palabra diez veces para evitar condenarse por un simple desliz.

—Mi particular día empieza con la puesta de sol y termina con la luz de la mañana, lo cual me deja un tiempo extremadamente limitado para poder cumplir con todo en verano, así que no puedo permitirme malgastar ni un solo nanosegundo. Todo el mundo sabe que soy nocturna, especialmente Sen.

—¿Adónde quieres llegar?

—Se puso las botas hoy conmigo obligándome a conducir dos horas bajo el sol con todo el equipo mientras me freía. Así que me la suda lo que ahora quiera. Haré mi trabajo. Siempre lo hago, porque no soy el animal que ese hijo de puta cree que soy. —Levantó el casco hasta la mitad y lanzó a Storm una mirada cargada de amenaza—. Y una cosa más. ¿A qué vino esa pequeña exhibición de poder en el cuartel esta mañana? No vuelvas a extorsionar mis emociones o haré que lo lamentes.

Se colocó bien el casco y salió de la furgoneta antes de que él pudiera responder. La puerta del conductor dio un portazo al mismo tiempo que ella cerraba la suya. Cuando llegó al remolque, Storm ya estaba allí. Le hubiera ordenado que sacara las manos de su moto si no fuera por su casco, que enmudecía sus palabras.

Él accionó el freno que impedía que el neumático se moviera y luego apoyó la moto contra su cadera. Alguien que pasara caminando por la calle no habría notado la increíble flexibilidad de sus hombros al moverse.

Ella había tocado una fibra sensible, pero retractarse de lo dicho o intentar limar las cosas corrompería cualquier terreno que acabara de ganar con él.

Cuando Storm tuvo la rueda libre para mover la moto, accionó con el pie el cambio de marcha para ponerlo en punto muerto, luego sacó la moto del remolque con la misma elegancia con que parecía hacerlo todo. La moto rodaría junto a él siempre y cuando no intentara montarla y esta no detectara que la energía no era la de Evalle. En el momento en que él la dejó y se retiró, ella colocó una pierna sobre el asiento.

Storm se detuvo frente a ella ante el neumático delantero, esperando.

Ignorarlo no serviría para alterar el ángulo resuelto de su barbilla. Ella no alzó la vista, y estaba encantada de que el escudo negro de su casco le evitara encontrarse con sus ojos.

O eso es lo que pensaba.

Storm colocó una mano en el manillar y se inclinó hacia delante, con los ojos fijos como si pudiera ver a través del espejo que le servía a ella de escudo.

—¿Has acabado de emitir órdenes?

Las tranquilas palabras habrían sonado casi como una suave caricia si no fuera por la vibración grave de ira que se percibía a través de su voz. Ella no dijo una palabra, solo hizo un ligero movimiento con la cabeza como para indicar que lo estaba escuchando.

—Bien. Yo también tengo un trabajo que hacer, y no todo tiene que ver contigo. Tiene que ver con salvar el mundo y a todos esos seres humanos que no tienen ni idea de lo que puede avecinarse en tres días. Estaré en el parque Piedmont a medianoche. Ven preparada para que trabajemos juntos, lo que significa responder preguntas. Sinceramente. No jugando al juego de las palabras. Y en cuanto al hechizo que usé para calmarte en el cuartel, no lo hice para extorsionar tus emociones o exhibir ante ti mis poderes. Lo hice porque no me gustaba verte amenazada y me imaginaba que no querrías darle a Sen el placer de saber que te había puesto nerviosa.

Su corazón produjo un latido extra. ¿Storm había pretendido hacer algo agradable por ella al usar su poder para calmarla? Eso la dejó anonadada. La amabilidad de los extraños no era algo a lo que estuviera acostumbrada, y lamentaba haberlo juzgado mal.

Si antes le había parecido atractivo, esto le hizo sumar algunos puntos.

Storm apretó los dientes antes de volver a hablar.

—Me dirigiré a donde fue asesinado el Birrn para encontrar un rastro. Esta noche debería saber algo nuevo.

No, no, no. Tenía que aplacar su pánico antes de que él lo advirtiera.

El hecho de que Storm fuera al lugar del crimen ya habría sido suficiente para aumentar su presión sanguínea, pero la manera en que la recorrió con la mirada descongeló el escudo glacial que usaba para mantener a los hombres a raya. Su mirada la quemaba.

—No te gusta que use mis poderes sobre ti... está bien. En cualquier caso soy mucho mejor empleando mis manos.

Nueve

El crujiente aroma del césped recién cortado recordó a Laurette Barret su vida cuando era niña durante aquel tiempo más esperanzador en que los errores no habían traído sus consecuencias siniestras. Mucho antes de convertirse en una mujer de veinticuatro años que vivía en la encrucijada de la adversidad y del miedo.

Su abuelo sacudiría la cabeza y le diría:

—Sobrevivirás a esto, pequeña Laurie.

Si él siguiera aún vivo puede que eso fuera cierto. Pero había muerto, y su vida estaba arruinada.

En cuestión de minutos, la luz del día la abandonaría, lo cual haría que caminar por el parque resultara mucho más difícil, pero tenía a *Brutus* a su lado. Mientras que Laurette había estado buscando un perro pequeño y vivaz, una agradable dama de la sociedad humanitaria había bromeado con ella diciéndole que tenía para ella un perro mestizo de nueve kilos, mezcla de terrier.

Laurette se había enamorado a primera vista del chucho mestizo y lo había llamado *Brutus* para aumentarle la autoestima.

¿Cómo se ocuparía de él si las cosas empeoraban?

¿Cómo iba a pagar cualquier factura si no podía hacer nada para ganarse la vida? Pensar en negativo nunca había resuelto un problema... eso lo sabía. Había sobrevivido por su cuenta durante siete años sin permitir que nada la derrotase.

Sin duda podría salir de aquel desastre una vez más. Pero estaba cansada de adquirir tanta práctica en eso.

Ser timada por un estafador era algo que podía pasarle a todo el mundo, incluso a las mujeres brillantes. No era una estúpida, simplemente estaba dispuesta a creer en lo mejor de las personas.

«¿Acaso no lo viste venir?»

Se rio ante aquella pregunta que parecía una broma no intencionada sobre el fallo de su vista para evitar abandonarse al pánico que se aferraba a las paredes de su pecho. Poder ver alguna cosa se estaba haciendo más difícil cada día. Lo único que había sido capaz de ver en el espejo esa mañana había sido su cabello de un rojo fuego, heredado de su abuelo, y unos vagos puntos azules allí donde se suponía que estaban los ojos. Ponerse maquillaje se había vuelto una tarea imposible.

Pero no podía culpar a su falta de visión de haber permitido que Chuck la defraudara. Ese hombre tenía la habilidad de vender polos helados de kétchup a mujeres de guantes blancos.

Especialmente porque eran mujeres.

Si aprovecharse de ella no había sido lo bastante humillante, Chuck había accedido a sus escasos ahorros bancarios y había agotado hasta la última moneda que tenía.

Cuando se conocieron, ella pensó que Chuck sería el perfecto vendedor para sus grandes jarrones de cerámica. Su abuelo le había dicho que mientras fabricara las piezas de cerámica con su propio diseño firmado, estaría segura en este mundo. También había dicho que conocería a un hombre en quien podría confiar, un extraño que mostraría hacia ella una inesperada bondad en la hora más oscura.

Había sido una estupidez por su parte creer tan solo por un minuto que ese hombre sería Chuck. Pero parecía ajustarse perfectamente a la profecía de su abuelo. Un hombre como Chuck justo en el momento en que empezaba a fallarle la vista.

«Ojalá estuvieras aquí, abuelito.»

Mientras estaba vivo, su abuelo nunca permitía que se equivocara, pero ahora ya no estaba y ella tenía que aprender a arreglárselas por su cuenta. Y sin necesitar a otro hombre. Lo único que esa situación le había enseñado era que no había nadie en quien poder confiar.

Estaba sola en el mundo y no le importaba a nadie.

Si al menos pudiera salvar la vista, podría continuar vendiendo su artesanía. Todavía podía dar forma con sus manos a esos grandes jarrones, pero pintar los sofisticados diseños y las caprichosas letras en cada uno de ellos, los caracteres de su firma, sería imposible. Y si pudiera descubrir cómo sortear ese obstáculo, todavía necesitaría encontrar clientes y hacer entrega de los encargos. No tenía a nadie que la ayudase.

Había tratado de entrenarse esos últimos meses pintando los diseños con los ojos vendados. Dudaba de que alguien en busca de arte abstracto gastara ni tan siquiera el dinero de su almuerzo para comprar el último de sus desastres. Sin vista, su carrera sería la primera de las pérdidas y su independencia, la segunda. No sabía hacer nada más.

Enfermedad de Best. Ese era el nombre del ladrón que le había provocado la ceguera. Ella ni siquiera lo había oído antes de saber el diagnóstico. Ahora lo sabía todo acerca de esa degeneración macular que no tenía cura.

En el último par de meses, había pasado de ver lo bastante bien como para conducir con gafas de cristal grueso a habitar en un mundo borroso que ninguna lente podía enfocar.

Al ritmo que cambiaban las cosas, en apenas unas pocas semanas estaría completamente ciega.

Sin ahorros y sin posibilidad de continuar trabajando acabaría en las calles, donde estaría a merced de hombres que harían que Chuck pareciera un auténtico Lancelot.

Su corazón se aceleró, latiendo cada vez más y más fuerte en sus oídos. Se sentía aturdida y mareada.

Un gemido insistente interrumpió su ataque de pánico. *Brutus* tironeaba de la correa, empujándola hacia delante y fuera de su espiral de bajada.

Laurette pestañeó para despejar su mente y deseó poder aclarar su vista con la misma facilidad. A causa de las sombras brumosas, le llevó unos minutos darse cuenta de que se hallaba de pie en el sendero de hacer *footing*, en medio de la hierba. *Brutus* saltaba contra sus piernas, y todo su cuerpo se movía al agitar su cola corta y gruesa.

Ella respiró para calmar sus nervios y se dejó caer al suelo para abrazarlo.

—Tienes razón. Dije que íbamos a dar un paseo y que no le daría vueltas a la cabeza durante un rato.

Él debió de interpretar eso como una señal para arrastrarla hacia la pasarela, al extremo sur del parque. Ella entrecerró los ojos detrás de los cristales para ver, pero lo único que pudo distinguir fue el arroyo que corría bajo el puente. Vio gotitas onduladas que probablemente eran montones de plantas y barro.

Brutus la empujó al pie del puente y a través de la hierba, donde se puso a olisquear grupos de rocas y barro a lo largo de la orilla. Prácticamente fue directo a un punto donde puso la cabeza en el suelo.

—No, *Brutus*. No podemos llevarnos nada del parque a nuestro jardín. —Era lo último que necesitaba en este momento... un informe de arresto y una multa que no podría pagar.

Como él se negaba a marchar, ella se arrodilló cerca para ver si podía distinguir lo que había atraído su atención.

Una piedra parecía brillar como si captara el último rayo de luz antes de la puesta de sol. «Espera un momento...» Ella contempló fijamente la piedra con forma de huevo de ganso durante un tiempo largo, fascinada hasta que *Brutus* ladró... o hizo más que ladrar... para llamar su atención.

Laurette podía realmente ver esa roca.

Con toda claridad.

No, no podía ser que viera una piedra cuando todo lo demás era una ráfaga de colores y formas. Se estaba imaginando cosas.

—Bueno. Es la hora de irnos. —Antes de que tuviera más alucinaciones que la hicieran terminar con una camisa de fuerza.

Laurette se puso en pie y se dio la vuelta. Pero no podía marcharse. Sintió la fuerte urgencia de girarse para mirar de nuevo la roca.

Ahora veía la piedra con mucha claridad. Y con una especie de apariencia brillante.

Laurette se frotó los ojos con el dorso de la mano. ¿Estaba perdiendo la vista y también la cabeza?

La piedra no había brillado.

«¿Realmente he visto o no he visto eso?»

Miró fijamente de nuevo la roca; se parecía a las formaciones de lava, de un color rojo anaranjado, con franjas púrpuras y amarillas. Todos los colores se movieron, como si se estuvieran derritiendo.

Brutus se dejó caer frente a la piedra con las patas estiradas hacia ella como si hubiera recibido una orden.

Sí, ya... Como si eso hubiera pasado alguna vez en su vida.

«Coge la piedra y demuéstrate a ti misma que no se está derritiendo y que no has perdido el juicio.»

Aunque no pudiera llevársela a casa, no había ninguna ley que impidiera levantar una piedra unos segundos para convencerse a sí misma de que no estaba majara.

Se puso en cuclillas y tocó la piedra con un dedo, rápidamente, por si estuviera caliente. No notó quemazón, sino una calidez agradable. Eso no tenía sentido. Cerró los ojos y dejó que los dedos se deslizaran alrededor de la suave forma, levantándola en la palma de la mano para reconocer la piedra con el tacto de un escultor.

Podía jurar que la piedra se movía como si fuese un ser vivo.

Cuando abrió los ojos, los colores en su mano brillaron.

Miró en torno al parque, pero no percibió nada raro, y todo lo veía tan borroso como antes a través de sus gafas. Usó la mano libre para quitárselas, y se quedó sin respiración ante lo que pudo ver.

Todo.

Un joven lanzaba un disco volador a su perro a través del campo. El collie dio un gran salto para atrapar el juguete en el aire. Una pareja joven que estaba sentada sobre una manta a unos cien metros jugaba con su bebé, que tenía un diente nuevo.

Aquello no podía estar pasando.

Laurette dirigió la mirada a la calle Décima, que separaba el parque de la zona residencial. Normalmente habría sido incapaz de ver esa calle desde allí. Las luces de los coches brillaban nítidamente a la luz del crepúsculo.

Jamás había tenido tan buena visión, ni siquiera con gafas. Ni siquiera antes del diagnóstico.

La piedra descansaba en su mano, latiendo con vibrante energía.

Su cabeza quería discutir que aquello no podía estar pasando, que esa piedra no podía haberle hecho recuperar la vista, pero a su corazón no le importaba.

Era capaz de ver.

Para poner a prueba la teoría, abrió los dedos separándolos de la piedra y luego escudriñó de nuevo las actividades del parque. No podía ver con tanta claridad como antes pero todavía veía mejor que con las mejores gafas que hubiera llevado.

—¿Qué voy a hacer, *Brutus*?

Él ladró y bailó alrededor de ella, feliz.

Laurette cerró una vez más los dedos en torno a la piedra y el mundo volvió a quedar completamente enfocado. Colocó las gafas en el escote de su camiseta sin mangas.

¿Aquello estaba ocurriendo realmente? ¿O había perdido la cabeza?

Si aquello era obra de la locura, usaría eso como excusa para defenderse si era arrestada por llevarse algo que era propiedad de la ciudad, porque estaba sosteniendo un milagro.

Y no pensaba hablarle a nadie acerca de esa roca. Ni pensaba devolverla.

Diez

—Tienes un minuto, luego me voy. Con tu sorpresa. —Evalle murmuró aquella advertencia en su segunda caminata por la parte trasera del hospital Grady en el centro de Atlanta, donde el calor se acercaba a los cuarenta grados casi a las nueve de la noche. Lo que daría por usar su poder y levantar una brisa de aire, algo que alejara el hedor a orina que flotaba en el aire húmedo de aquel lugar.

¿Dónde estaba aquel malhechor malhumorado?

La temperatura bajó de repente diez grados y le hizo sentir un frescor agradable.

—¿Qué va a pasar dentro de un minuto, Evalle? No te irás antes de que hablemos… —La voz de Grady, con un profundo acento sureño, le rozó el oído como una madera carbonizada al rozar contra el áspero cemento.

Evalle se detuvo en la acera de la calle Pratt. No se dio la vuelta. Sería una pérdida de tiempo, ya que no había nadie tras ella.

—Tengo prisa, Grady.

La silueta translúcida de un hombre delgado cobró forma, temblorosa frente a ella. La piel color café de su mandíbula estaba cubierta por unos bigotes grises que se detenían justo debajo de un corte en el pómulo. Su nariz arrugada había fallado en el momento de esquivar uno o dos puñetazos que le habían dejado marcas en el rostro. Los codos huesudos interrumpían los largos brazos al sobresalir de su camisa de manga corta de cuadros escoceses rojos y negros.

El aire continuaba enfriándose, un cambio que era bienvenido.

Por lo que Grady le había dicho, tenía la misma pinta que el día en que había muerto sin casa, en las calles, a los sesenta y ocho años, una década y media atrás.

Cuando su cabeza quedó enfocada, unos ojos afilados con dos esquirlas de carbón como pupilas la miraron ardientes concentrándose en el bolso de tela tejana que colgaba sobre su cadera.

—¿Qué sorpresa?

—No hasta que lleguemos a un trato y un apretón de manos. —Negociar con Grady era como tratar con Caronte en la laguna Estigia. A menos que acordases el precio antes de subir a la barca y te negaras a pagar hasta que te dejara sano y salvo al otro lado de la orilla, te arrojaría al río y dejaría que te ahogaras.

Grady levantó la barbilla con un gesto testarudo. Era un astuto y viejo bastardo que no entregaba nada gratis. Como todos los malhechores nocturnos, era un resto metafísico de esos menos afortunados que morían en las calles. Harían cualquier cosa por un antojo. Algunas veces se trataba de drogas o comida, pero normalmente era alcohol, y en el caso de Grady solo había una cosa que quisiera.

Vino Fortificado Mad Dog de 20 grados.

Todo lo que un malhechor necesitaba era un rápido apretón de manos con cualquier ser poderoso y así podría recuperar su forma humana durante diez minutos.

—¿Qué tenemos ahí? —Echó un vistazo al bolso.

—El reloj sigue sonando.

—Te escucho.

—Necesito información acerca de dos demonios Cresyls y uno Birrn que estuvieron circulando por la ciudad este fin de semana. ¿Sabes algo de ellos?

—Quizás.

—No puedo andar con jueguecitos ahora, Grady. Está en peligro mi culo.

—¿Por parte de quién?

—De todo el mundo, si no averiguo quién envió esos demonios.

—¿A quién has jodido esta vez?

—Yo no he hecho nada. —«Salvo haber nacido mutante»—. Pero un demonio ha mutilado a un ser humano. El cuerpo está en la morgue y lo ocurrido saldrá a la luz mañana por la mañana, si es que no se sabe antes. Si no llego con alguna prueba de que fue un demonio el que atacó a esa persona, automáticamente todo el mundo pensará que lo hizo un mutante. No es un buen asunto para mí. ¿Sabes algo sobre ese ataque o no?

—¿Por qué un Cresyl atacaría a un humano y no se comería su cuerpo?

Evalle quería asfixiarlo a él y a su juego de las veinte preguntas. Pero hasta entonces no había mencionado que fuera el Cresyl el que había matado a una persona. Grady definitivamente tenía información.

—Eso es lo que estoy tratando de averiguar. Está relacionado con el Birrn, creo.

—Eso no tiene sentido. —Las arrugas del rostro de Grady se juntaron todas en su ceño fruncido—. Los Cresyls pertenecen a una rama germánica de las artes de magia negra, y el Birrn en cambio a la magia negra nigeriana. ¿Qué te hace pensar que están relacionados?

Probablemente él sabía ese porqué y la estaba poniendo a prueba para ver cuánta información tenía.

—Compartiré lo que sé si tú lo haces. ¿Tienes información o no?

—Tal vez.

Podía llegar a ser el más obstinado de los espíritus malignos, pero era uno de sus mejores informantes sobrenaturales precisamente por esa irritante característica. Con el fin de provocarlo, se marcó un farol.

—Si no puedes ayudarme simplemente dilo.

—Yo no he dicho que no pueda, pero sigo sin ver por qué estás en un aprieto, a menos que te hayas ido de la lengua con alguien. Eso lo entendería.

«No picaré el anzuelo.»

Pero Grady tenía esa expresión, esa que indicaba que no cambiaría de postura hasta que sus preguntas fueran satisfechas.

—Las cosas se han vuelto para mí un poco más difíciles de lo normal desde hace ocho semanas, cuando esos nueve veladores fueron asesinados en Carolina del Norte.

—¿Por un mutante? —Grady flotaba por encima de la calzada.

—Sí, de nuevo volvemos aquí —siseó ella.

—Oh, no me daba cuenta de que estuviera divagando. —Su forma parpadeante se echó hacia atrás como si hubiera sido arrastrada suavemente, pero no había ninguna brisa. Sus ojos se achicaron sobre ella con preocupación—. No es justo que vayan detrás de ti cada vez que otro se convierte en una bestia.

—Es cierto, pero somos minoría quienes opinamos así. —¿Qué iba a hacer para poder avanzar con aquello?

—¿Qué es lo que sabes acerca del Birrn asesinado esta mañana? —preguntó él.

Ella flexionó los músculos de su mandíbula. Paciencia.

—Dame un respiro esta noche, Grady. Tengo mucho que hacer y no mucho tiempo.

—No estarías tan tensa si por las noches hicieras algo más aparte de trabajar. Tal vez encuentres un joven agradable que te…

—¡Grady!

—… que te dé por detrás. —Puso una expresión de fingida desesperación de la que cualquier madre católica se hubiese sentido orgullosa—. No hay muchas posibilidades de que eso pase cuando ni siquiera puedes conseguir una cita.

—No estoy tensa. —No todavía—. Y sí puedo conseguir una cita, vejestorio.

—Mejor ser un vejestorio que una vieja solterona. ¿Quién se citaría con una mujer que vive bajo tierra como un topo y tiene bichos raros por amigos? —Sus labios se estiraron con una sonrisa de perro feliz. No tenía urgencia en absoluto… un lujo que los que no estaban todavía completamente muertos, como Evalle, no podían permitirse.

—Tienes un sentido del humor retorcido, Grady, pero yo no te llamaría bicho raro.

—Estaba hablando de Tazer y Quill, esos dos matones de los que estás colgada.

—Es Tzader, como si empezara por Z, la T no se pronuncia, y es Quinn, no Quill. Y no son bichos raros ni matones. —Dio golpes con el pie—. ¿Podemos avanzar?

—Y esa cosa que llamas mascota…

—¡Grady! —Ya no se sentiría culpable por la sorpresa que le tenía preparada—. Volvamos a mi problema con los demonios. Por favor, por el amor de Macha.

—Todavía no has explicado el problema —intervino—. Me sorprende que esos dos matones no te estén ayudando. —El irritante canalla no se tomaba un respiro—. Pero no los necesitas a ellos ni a nadie. Si algo de rabo duro se dirige contra ti le darás una patada en el culo tan fuerte que lo hará volar hasta la próxima semana.

Ella estaba encantada de que una persona, aun a pesar de estar muerta, tuviera fe en su capacidad para defenderse a sí misma.

Grady se rascó la barba.

—Pero hay otra razón que no te permite conseguir una cita. Los hombres quieren una mujer dulce, y no una especie de amazona que les va a patear el culo.

¿Cómo era posible que siempre consiguiera desviar la atención del tema tan rápidamente?

—No estamos discutiendo mi vida amorosa...

—Eso sin duda. No hay nada que discutir. —Las pobladas cejas de Grady se alzaron con una expresión de suficiencia al asentir.

—Si no te concentras en el tema en cuestión, recurriré a otro. —Evalle se limpió una gota de sudor de la frente con el dorso de la mano, preparada para negociar—. No tengo apenas tiempo. ¿Estás listo para el trato?

—No a cambio de nada.

—Como si eso fuera distinto alguna vez... Este es mi trato. Nos daremos un apretón de manos si accedes a compartir todo lo que sepas acerca de los Cresyls y el Birrn que estuvieron aquí en la zona de Atlanta en las últimas cuarenta y ocho horas —dijo, pronunciando con mucha claridad los detalles.

Él fingió que se lo estaba pensando, pero ambos sabían que accedería.

—Trato hecho.

Ella sacó el dedo pulgar del bolsillo de sus tejanos y extendió la mano. Debido al temor de que compartir demasiado poder alterara el estado normal de un malhechor, las reglas de VIPER prohibían que un agente estrechara la mano más de diez segundos a menos que tuviera un permiso especial. Una rara excepción que ella había conseguido solo una vez cuando la seguridad nacional había estado en riesgo.

Pero con su nivel de poder, ella podía procurar su forma a un malhechor humano durante diez minutos con un apretón de manos de cinco segundos.

—¿Preparado? —peguntó, mirando alrededor para asegurarse de que todavía estaban a solas. La única criatura con vida cerca de aquel trecho oscuro era un pobre vagabundo al otro lado de la calle, cubierto de periódicos y dormido contra la pared trasera del hospital.

La mano de Grady tembló cuando comenzó a acercarse a la de ella. Se relamió los labios, con la expectación floreciente en su mirada caída hasta que hizo una pausa y se echó hacia atrás.

—¿Qué me has traído?

Ella negó con la cabeza, negándose a decirle lo que había en el bolso que llevaba al hombro.

—No hasta el apretón de manos.

—Debería haber sido parte del trato —se quejó él, al tiempo que estiraba aquellos ásperos dedos que habían luchado por sobrevivir—. Hazlo.

Cuando la mano de ella tocó la de él, el calor se expandió a través de su palma con una energía que emanaba de ella.

La exultación del rostro de él siempre le tocaba su fibra sensible. Recobraría la vida para visitar el mundo durante diez minutos. Podría ofrecerlo a otros malhechores que accederían a cualquier cosa que ella les pidiese, pero Grady era mucho más inteligente que el resto a la hora de recabar información, y el gruñón se comportaba como un abuelo que hubiera recibido una visita inesperada.

Esa era su fantasía de un abuelo, ya que nunca había conocido a ninguno.

En cuestión de segundos, el cuerpo de Grady se volvió completamente opaco, con su carne oscura colgando suelta por la edad, pero aun así ese cuerpo de vejestorio transmitía una gran fuerza.

Ella retiró la mano.

—Empieza a hablar.

—¿Cuál es mi sorpresa?

Evalle suspiró y rebuscó en el bolso que llevaba al hombro para sacar el paquete con una hamburguesa del MacDonald's, patatas fritas y una botella de agua.

—Estás de broma, ¿no? —La mirada que le dirigió cuestionaba su habilidad para caminar y mascar chicle al mismo tiempo.

Ella ignoró el silbido de irritación que se deslizó de sus labios y señaló:

—La última vez comentaste cuánto añorabas el sabor de las hamburguesas.

Él alzó los ojos al cielo como si alguien allí arriba pudiera hacérselo entender a esa mujer demente y se giró para dirigirse al otro lado de la silenciada calle. Grady pasó por encima del vagabundo dormido en la acera.

Evalle lo habría golpeado con una pizca de poder si no fuera por la aversión que tenía a herir a Grady de alguna manera. Especialmente durante los diez minutos de nirvana del malhechor.

—¿No olvidas que me debes información y que tengo un horario apretado?

Él extrajo la botella que estaba por la mitad de los dedos huesudos del vagabundo en estado comatoso y regresó.

—Acepté hablar después del apretón de manos, pero no dije cuánto después. —Dio un trago de vino y apartó la botella—. Lord Almighty, qué asco.

—¿Cómo? ¿El Mad Dog ha arruinado tu paladar? —Le quitó la botella—. Necesito respuestas.

Él suspiró mientras miraba anhelante la botella.

—Los Cresyls estaban atados por un hechizo. ¿Qué es lo que le hiciste al Birrn?

Estaba visto que Grady sabía lo de su lucha con el Birrn.

—¿Dónde has oído hablar de eso?

—Lo he oído de esos paganos del vertedero.

Ella se frotó la frente con la mano.

—Tengo que encontrar a esos gemelos y hacerlos callar.

—Seguro que acabarán con los intestinos desparramados si alguien los agarra y juega duro con ellos.

El cuerpo de Evalle no era de una naturaleza dura, pero si alguien hacía daño a esos adolescentes, haría que esa persona lo lamentara hasta la muerte.

Grady alcanzó el vino.

—¿Qué te ha dado con los demonios?

Ella le quitó la botella de nuevo.

—Uno de los Cresyls mató a una persona, luego el Birrn se comió al Cresyl. El Cresyl me tendió una trampa, pero no sé si iba dirigida a mí o a cualquier mutante que pasara por allí.

—Hasta donde yo sé, tú eres el único al que aún no han cogido.

Esa era la parte desafortunada. Pero ella esperaba que hubiese alguno más. Solo con que hubiera uno más se dudaría de que el crimen estuviera relacionado con sus poderes.

—Oh, y lo más chocante… el Birrn tenía marcas celtas.

Grady sacudió la cabeza.

—Eso no tiene sentido, puesto que los Birrn son nigerianos.

—Sí, lo sé. ¿Entonces de dónde viene esa conexión celta? Lo mire por donde lo mire, sigo con la sensación de que alguien quiere tenderme una trampa logrando que el humano agredido parezca haber sido atacado por un mutante.

—Ahí quería llegar. —Grady finalmente se puso serio—. Los Cresyls estaban bajo el efecto de un conjuro que los conectaba con el Birrn. Eso significa que el amo del Birrn controlaba a los tres demonios.

Ella le devolvió la botella.

—Nunca había oído nada como eso, pero podríamos llenar una biblioteca con todo lo que yo no sé acerca de los demonios. ¿Y qué me dices del vínculo celta?

Grady levantó la botella y bebió un largo trago.

—La magia que dominaba a los Cresyls era Noirre.

Eso le provocó a Evalle un escalofrío. La pista de Tzader acerca del velador traidor tenía algo que ver con la magia Noirre. Pero Tzader estaba demasiado involucrado en algo como para liberarse o de lo contrario le habría enviado algún mensaje telepático.

—¿Alguna idea de quién hizo el conjuro mágico?—Al notar que Grady no hablaba, Evalle alzó la mirada y lo pescó en actitud reflexiva. Oh, ella conocía esa expresión, e indicaba problemas—. Ni se te ocurra pensar que vamos a negociar un nuevo trato.

Él se cubrió el corazón con la botella que tenía en la mano.

—Me hiere que cuestiones mi integridad de esa manera.

Los malhechores no tienen la integridad ni la ley como norma, lo que quieren es vender la misma información una y otra vez para poder conseguir nuevos apretones de mano. Pero Grady había sido diferente, una excepción a la regla, y había protegido la información en el pasado.

Sin embargo, esa expresión de agravio en su rostro ahora mismo no era más que teatro.

Bebió otro trago y se secó la boca con la manga de su camisa de franela.

—Lo más probable es que una bruja esté conjurando la magia Noirre, pero eso no descarta que pueda ser otro, porque nos falta un «Quién es quién» en el directorio de expertos de magia negra en estos lares. No ha habido Noirre en el sur durante los quince años que ando suelto por aquí. Solo he oído de algunos que trabajaban a solas.

Evalle se rio al ver que describía sus años de merodeador como los de «andar suelto». Más de una vez se había preguntado si Grady era el decrépito vagabundo que parecía, con su hablar andrajoso o si tal vez su verdadera personalidad no sería la del hombre de educación refinada que asomaba a veces bajo aquella charada.

Pero eso ahora no era lo que importaba. Si él tenía razón acerca de una sola de las cosas que había dicho sobre la magia Noirre, ella solo podía llegar a una conclusión.

Adrianna.

La bruja que provenía de un largo linaje de brujas corruptas. Después de todo, la mayoría de las brujas eran buenas personas que no hacían daño a nadie. Ese era su código: no hacer daño. Cualquier cosa que envíes al universo te será devuelta por triplicado. Eso dejaba fuera de sospecha a casi todas las brujas. Sin embargo, existen aquellas que flirtean con la oscuridad, y Evalle tampoco podía descartar la posibilidad de que los Medb estuvieran allí.

Pero seguía sin poder quitarse a Adrianna de la cabeza.

Aquellos como Adrianna y su familia, que danzaban del lado oscuro, no se adherían a esas ingenuas reglas felices. Eran los más letales de todos porque no tenían conciencia, y lo único que les importaba era lo que ellos querían.

Si Adrianna realmente estaba allí para trabajar a favor de VIPER y no contra ellos, su primera prueba sería encontrar a la bruja que estaba detrás del Birrn.

¿Ayudaría o dificultaría la posición de Evalle el hecho de que Adrianna descubriera que el Birrn iba en busca de un mutante?

Bien pensado, era incapaz de imaginar a Adrianna haciendo algo que le procurara algún beneficio.

Los cielos se quejaron, amenazando con convertirlo todo en una sauna nocturna.

—Yo he hecho todo lo que puedo esta noche.

—¿Eso es todo lo que sabes de los demonios? —Evalle echó un vistazo rápido al reloj. Grady comenzaría a desvanecerse pronto, luego sería difícil de encontrar durante una o dos horas.

VIPER no querría que ella mencionara la piedra Ngak, a pesar de que Grady supiera que se había perdido en Atlanta hacía dos años. Pero podía ser que él tuviera algo nuevo que exponer si ella planteaba la pregunta de un modo creativo.

—¿O hay algo más? ¿Alguna energía inesperada flotando alrededor? ¿Tal vez una mujer con poderes extraordinarios que aparece por primera vez en escena?

Él dio otro trago.

—Eso no forma parte del trato original.

Le estaría merecido que ella le quitara la bolsa de patatas fritas, pero el quejido sería peor que el de un niño de cuatro años a quien alguien le quitara una bolsa de golosinas. Nada bonito para un espíritu de su edad. Ella intentó una tímida aproximación.

—Necesito ahora mismo información sobre algo fuera de lo corriente, y rápido. Algo para demostrar a VIPER que estoy en la pista.

Grady se encogió de hombros.

—Y yo estoy a punto de quedarme sin minutos. ¿Quieres estrecharme la mano otra vez?

—Sabes que no puedo hacerlo en el plazo de una hora.

—Entonces dame una hora de plenitud el miércoles por la noche.

Ella soltó un gruñido de desprecio ante esa petición tan ridícula. Incluso viniendo de Grady.

—Querrás el puente de Brooklyn también, ¿o qué?

Él gruñó y pisoteó a su alrededor, haciendo una exhibición para hacerle saber que ella lo había cabreado. Clavó los ojos en el cielo negro.

Evalle guardó silencio, pues así era como Grady se ponía cuando escuchaba a algún espíritu invisible.

Movió los labios sin decir ni una palabra, y luego se estremeció ante algo que oyó antes de dirigir la mirada hacia ella.

—Eso es todo lo que yo sé de los demonios, pero Kardos sabe más.

Ella frunció el ceño al oír eso.

—¿Qué es lo que sabe?

—No estoy seguro, pero he oído que él y su hermano estaban fuera del Iron Casket cuando el Birrn lo cogió.

—Daba por supuesto que Kardos era lo bastante estúpido como para pasar el rato en la zona de aparcamiento del club nocturno de Deek, pero no lo hubiera pensado de Kell. ¿Qué te hace pensar que Kardos sabe más?

—Que está en el Iron Casket justo ahora.

—¿Dentro?

—Eso.

A ella no le gustó la sospecha que despertó en su mente al oír eso. ¿Había cometido un error con Kardos y Kellman? ¿Le habían tendido una trampa con un demonio? No podía simplemente creer eso sin darle antes a Kardos la oportunidad para explicarse. Eso significaba que su siguiente parada era el Servicio de Inteligencia.

«Alguien va a por mí.»

Definitivamente no quería tratar con el dueño del club esa misma noche. Ni ninguna otra noche, en realidad.

—¿Podrá ese chico dejar de meterse en problemas durante cinco minutos?

—No parece interesarle la celebración de su próximo cumpleaños, eso desde luego.

Sí, y lo primero que Kardos tendría que explicar cuando ella lo encontrara sería cómo había logrado atravesar la rigurosa seguridad que no permitía a los adolescentes entrar en el club.

—De acuerdo, amigo. Volviendo a lo...

Grady comenzó a desvanecerse.

—Todavía no tengo nada seguro, pero hay una sinergia en movimiento a través de la ciudad. Puede que tenga nueva información más tarde si quieres intercambiarla por algo como... más tiempo.

Ella lo perdería durante un par de horas, porque a diferencia de otros merodeadores, que intentaban quedarse en un sitio para poder ser encontrados fácilmente, él tendía a reaparecer en cualquier parte en un área de diez manzanas.

—Estarás aquí cuando regrese para buscar información de esa sinergia.

Su forma parpadeó mientras tomaba un largo trago antes de responder.

—Ya sabes que no tengo control de adónde iré.

—Lo tendrías si simplemente te concentraras cuando comienzas a desvanecerte.

—Como si necesitara estresarme con algo llegados a este punto de mi vida. Estoy muerto, maldita sea.

—Sí, y si no me das la información que necesito, estarás incluso más muerto.

Él se rio.

—Como si pudieras hacerme eso. —Apuró el último trago antes de extinguirse y que la botella cayera al suelo.

Evalle sintió un cosquilleo bajando por la columna. Algo en el aire no estaba bien, pero no sabía qué era.

«La piedra ha sido encontrada.»

No tenía ni idea de a quién pertenecía la voz que había oído. Sin embargo, había sido cristalina. Sacudió la cabeza para despejarla. ¿Era aquel el mensaje de una bruja?

¿O una advertencia enviada por Grady?

No lo sabía, pero no importaba. Tenía que hacer lo que tenía que hacer. Giró en redondo y se dirigió a coger su moto para poder ir al último sitio donde querría ir.

Ojalá Macha se apiadara de ella, porque Deek no lo haría.

Once

Evalle condujo deprisa hasta el Iron Casket bajo un chaparrón repentino que redujo un par de grados la insoportable temperatura, pero no hizo nada para disminuir su preocupación por Kardos y el posible peligro en que podría estar metido.

Una y otra vez lo veía apaleado o algo peor si alguno de los empleados lo había descubierto en el club. Había tantas cosas espantosas que las criaturas antiguas podían hacer a un joven, especialmente a un brujo macho no entrenado.

Solo de pensarlo se le helaba la sangre en las venas.

Aparcó la moto en una zona de aparcamiento medio llena y apagó el motor. No podía creer que estuviera a punto de meterse en el territorio de Deek D'Alimonte ella sola. Deek, un centauro inmortal que podía metamorfosearse en humano, poseía el Iron Casket y era sin duda una de las criaturas más asquerosas que habían existido jamás. Nadie sabía por qué en realidad. Simplemente odiaba el universo entero.

«Viniendo aquí estoy llamando a la muerte.»

Había una relación seriamente mala entre los veladores y Deek. Él no tenía paciencia con ninguno de los de su raza, y si la descubría allí dentro habría una reyerta.

«Por favor que no me arresten.»

Y ella tenía que rescatar a aquel macho que era peor que un grano en el culo antes de que Deek la viera.

«Señora Fortuna, no salgas de vacaciones esta noche.»

Porque estaba a punto de necesitarla, y mucho.

Evalle escaneó el área rápidamente, en busca de amenazas. Fuera quien fuese quien la estaba buscando, probablemente tendría más demonios esperándola. Cada sombra podía ocultar un asesino o un demonio cuya única misión fuese la de encontrarla con la guardia baja.

Regla número uno: permanecer vigilante.

Se puso las gafas de sol y revisó el bolsillo trasero de sus tejanos en busca de dinero en efectivo.

Kardos tendría que devolverle el precio del cubierto. Pequeño niñato. Se dirigió hacia la entrada. La lluvia estaba cesando. Tenía algunas gotitas pegadas a su camisa *vintage*. No iba vestida con tanto estilo como la mayoría de la clientela de Deek. Pero eso estaba bien. No estaba allí con el mismo propósito que el resto de los clientes habituales, en busca de una víctima o de un polvo. Estaba allí para hacer entrar en razón a un idiota severamente intoxicado de testosterona.

El almacén de Deek estaba decorado con paneles inclinados en color negro y plata que cubrían por completo el exterior. Los paneles brillaban bajo la lluvia. A pleno sol, Evalle apostaba a que aquel sitio parecería un pulido diamante negro.

Deek había convertido la parte interior en un escaparate de mármol negro y purpurina con la intención de atraer a los seres del mundo feérico de modo que estos sirvieran de carne fresca en la guarida de un lobo. El eternamente malhumorado Deek había prohibido a todos esos seres que pusieran un pie allí dentro. Si alguno era lo bastante estúpido como para hacerlo recibiría una paliza mayúscula.

El próximo en su lista iba a ser un chico que aún no tenía ni la mayoría de edad.

La verdadera cuestión era… ¿cómo había logrado Kardos pasar la barrera de los dos seguratas que parecían gárgolas de pie ante la puerta? Ella esperaba que el adolescente no hubiera recurrido a la magia para conseguir el acceso, porque Deek mataría a cualquiera que empleara la magia en aquel lugar.

A cualquiera.

Lo más aterrador era que Evalle no podía concebir ninguna forma de que Kardos hubiera pasado ante aquellos guardianes sin usar la magia.

A medida que se acercaba a la puerta principal, el *staccato* sordo de la música atronadora vibraba a través de ella. Sonrió al primero de las dos montañas con retales negros cuando estuvo cerca.

—¿Hay alguna posibilidad de que pueda pasar sin pagar durante cinco minutos? Solo voy a buscar a alguien, luego saldré enseguida.

Él levantó una ceja divertido.

—¿Hay alguna posibilidad de que podamos pasar la noche en tu casa?

—Cuando el diablo se siente sobre un carámbano. —Le dio los diez dólares y permitió que él le estampara el sello en el interior de la muñeca.

Cuando abrió la puerta, la música golpeó su cuerpo y sus oídos. La sala no estaba abarrotada, pero había suficientes cuerpos dando vueltas y grupos moviéndose a través de los tres niveles como para que ella tuviera que abrirse paso a empujones para encontrar a su objetivo.

A menos que Kardos se hubiera marchado.

Apresurándose a través de la multitud, Evalle recorrió la planta baja en cuestión de minutos y estaba a punto de subir el primer escalón hacia el piso de arriba cuando terminó la música. Miró a través de la sala justo a tiempo para ver el destello de un cabello rubio familiar moviéndose a través de la habitación.

Kardos serpenteó fuera de la pista y se coló entre la multitud que lo engulló.

¿La habría visto y habría querido escapar de ella?

Giró en redondo y avanzó dificultosamente entre cuerpos calientes que olían a colonia y a sudor hasta llegar al otro extremo de la habitación justo cuando Kardos se deslizaba por la salida trasera. ¿Cómo se había escabullido del gorila de la parte trasera, que sostenía una conversación con su patrón?

Deek mataba a los seguratas que no estaban atentos. Mierda. Kardos definitivamente estaba empleando magia.

Maldito imbécil.

—¡Hey! —El segurata la detuvo precisamente a ella. ¿Ahora decidía estar alerta?—. Nadie sale por la puerta trasera y eso te incluye a ti, cariño. El lavabo está en el piso de arriba. La puerta principal está en el extremo opuesto.

Oh, qué rabia no poder tomarla con ese niñato arrogante hasta desangrarlo. Pero eso no dejaría ninguna duda a Deek de que había allí un velador.

Apretando los dientes con frustración, prácticamente dejó una estela de vapor a su paso al apresurarse a través del club, tratando de salir fuera para atrapar a Kardos.

Corrió hasta la moto y se puso el casco.

Cuando dio la vuelta a lo largo de la calle hasta llegar a la parte trasera del club, Kardos ya se había alejado un buen trecho, pero seguía a la vista.

Eso era la buena noticia.

La mala noticia era que iba acompañado de una mujer joven.

¿Y la noticia realmente mala del todo?

Que esa chica era Bettina D'Alimonte, la hermana de diecinueve años de Deek que él trataba como a una diosa.

Como a una diosa virginal e intocable. Y Deek exigía que cualquier hombre que se acercara a dos kilómetros de ella sacrificara su pene o su vida.

Maldita sea, ese chico se estaba esforzando realmente mucho para morir joven.

A Deek le tendría sin cuidado que Kardos fuera un año más joven que Bettina, solo le importaría el hecho de que fuera un macho con todo su aparato intacto.

Evalle aceleró y adelantó a la pareja de adolescentes como si la muerte de Kardos fuera inminente. Subió la moto a la acera, cortándoles el paso. Se levantó la protección del casco que le cubría la cara, lo que vería cualquiera que pasara caminando por esa calle débilmente iluminada, ya que sus ojos brillaban en la oscuridad.

Sintió un nudo en el estómago cuando ellos continuaron caminando como si no la vieran.

¿Cómo podía una persona ser tan estúpida? Lo único que quería era conversar cinco minutos con él. No una nueva migraña. Tenía que separar a esos dos y devolver a Bettina al club nocturno antes de que se enteraran de la desaparición de la chica y Deek diera comienzo a una cacería. O para ser más exactos, procediera a la caza de testículos.

Evalle miró con rabia a Kardos.

—¿Qué crees que estás haciendo?

Bettina respondió con una voz sin vida que indicaba que otro tenía el control sobre ella.

—Ve por la puerta trasera hacia la primera calle. Gira a la izquierda.

Oh, mierda.

¿Quién los había atrapado en un trance? Para ser más exactos… ¿qué los tenía en un trance?

Cuando los adolescentes llegaron hasta Evalle, ella levantó la mano en alto.

—Quietos.

Ellos pasaron justo a su lado, continuando su camino por la calle que se extendía hacia un oscuro vacío donde las luces de las farolas no llegaban.

Después de dejar frenada la moto, corrió para atraparlos. Una ola de poder alcanzó a los chicos, levantándoles el pelo. Dejaron de caminar.

Esa energía llegó hasta Evalle.

Ella levantó un escudo un instante antes de que la golpeara. El escudo permitió que la energía fluyera por encima de ella sin provocarle ningún efecto.

Pero le procuró una pista que podía usar. La magia olía a vieja, era magia de centurias, y seca como un desierto.

Kardos y Bettina se quedaron de pie quietos, frente a la oscuridad del final de la calle. Evalle levantó las manos y empujó hacia atrás la magia, devolviéndola hacia su fuente.

Alrededor de los chicos explotaron chispas.

De acuerdo, eso no había funcionado.

Sería afortunada si no había herido a alguno de los dos.

—No puedes quedártelos. —Se movió para colocarse frente a los adolescentes. Recelosa de lo que podía emanar de ellos, Evalle se protegió con los brazos.

El aire se revolvió como una nube siniestra, anunciando que alguien muy jodido no estaba contento.

De la oscuridad emergió un hombre con los amplios pasos lentos y relajados de un depredador que se dirige hacia su presa. Su guardapolvo de cuero se agitaba detrás de él. Ya que no corría aire capaz de moverlo, era una señal del poder que irradiaba a su alrededor. El cabello negro le caía sobre los hombros, con dos delgadas trenzas a cada lado de la cara. Sus ojos emitían un brillo dorado en la oscuridad y sus dos pupilas podían verse aun a pesar de la distancia. Completamente hermoso y masculino, no se detuvo hasta alcanzar la farola. A ella se le erizó el vello de la nuca y la sangre se aceleró en sus venas.

Vyan.

El kujoo que involucró en una batalla no autorizada a los veladores dos años atrás y estuvo a punto de soltar un ejército que lo habría destrozado todo y a todos. Los veladores jamás se habían enfrentado a un enemigo tan fuerte, pero aquello fue así porque por aquel entonces Vyan poseía la piedra Ngak.

Una enfermiza sensación de miedo empapó sus huesos. Si él estaba aquí ahora sería para reclamar la piedra y terminar lo que había empezado.

La mirada de Vyan irradiaba el odio y la repugnancia que le tenía.

Estaba bien. A ella tampoco le gustaba mucho.

—Has interferido de nuevo, mestiza —dijo Vyan como si Evalle estuviera simplemente entorpeciéndolo en en su camino y no fuera ninguna real amenaza.

Ella dejó escapar un sonido de disgusto y le devolvió el desprecio con fuerza.

—Pobre Vyan, siempre fingiendo. Trey te dio una patada en el culo una vez y yo puedo hacerlo también ahora. —Esa amenaza sonaba bien a pesar de que estuviera marcándose un farol. Si no hubiera sido por el vínculo que tenía con Tzader, Quinn y Trey, Vyan podría haberla aniquilado junto con todos los demás mientras estuvo en posesión de la piedra Ngak.

Esperaba que él hubiera olvidado esa parte.

Ella miró a Kardos y Bettina, que todavía eran sus esclavos.

—Tengo que decir que eres valiente al arriesgar tu libertad por ellos. —Shiva le había prometido la libertad con una sola condición: él tendría que comportarse bien en el mundo de los humanos.

Él se rio de forma malvada.

—Los términos exigían que yo no atacara a los veladores. —Miró a los dos adolescentes—. Por fortuna para mí, ninguno de estos dos está en tus filas.

Cierto, pero ella no iba a reconocerlo, y no permitiría que él tocara a ninguno de esos chicos. Ladeando la cabeza hacia la pareja, Evalle preguntó:

—¿Qué es lo que quieres de ellos?

—Simplemente jugaba a hacer de Cupido. El chico dijo que deseaba a la chica. Pues ya está. ¿No es grandioso el amor?

Evalle sorbió la respiración con brusquedad.

—Estás en pañales… lo estoy viendo. —Le dedicó una mirada afilada—. Tú dirigiendo una flecha al corazón de alguien… y yo voy y me lo creo. Sé que estás mintiendo. Kardos nunca confiaría en un extraño para algo tan personal. Es un superviviente de las calles, no un idiota. —Bueno, de hecho eso no era cierto, ya que estaba mentalmente trastornado como para encapricharse con la hermana de Deek—. Suéltalos, Vyan. No tengo paciencia esta noche, y te cortaré la garganta antes que negociar contigo.

Un destello extraño oscureció sus ojos, como si estuviera riéndose en silencio o burlándose de ella.

—No tengo peleas con los veladores. Así que supongo que será mejor que los libere. Cuando se despierten podrás contarles el cuento de Hansel y Gretel. —Se dio la vuelta y desapareció en el abismo negro del que había emergido con tanta rapidez que ella necesitó varios latidos de corazón antes de darse cuenta de que se había ido.

¿Qué había sido eso?

Se quedó allí de pie, completamente pasmada. Eso había sido demasiado fácil, y jamás era así con Vyan.

Se quedó pensando en sus últimas palabras. ¿Le había dicho que hablara a los chicos acerca de una bruja que ponía un cebo a los niños para atraparlos y comérselos? ¿Era una forma de advertirle de que una bruja iba tras ellos? Parecía inconcebible, y, sin embargo…

—¿Evalle? —El tono de Kardos revelaba una nota de miedo—. ¿Qué estás haciendo aquí?

Ella se dio la vuelta y se concentró en la expresión conmocionada de Bettina, que se transformó en confusión al ver que Kardos la sostenía de la mano.

Los dos se dieron cuenta al mismo tiempo de que estaban cogidos de la mano. Sus mejillas enrojecieron, y él rápidamente la soltó y dio un paso atrás.

Evalle soltó un suspiro de alivio al ver que al menos tenía una pizca de sentido de supervivencia.

—Tenemos que llevar rápidamente a Bettina de vuelta a casa, antes de que…

El sonido de pies corriendo se aproximaba hacia ellos.

¿O era acaso el sonido de pezuñas?

Se sintió enferma al comprender la destrucción que se dirigía hacia ellos.

«¿Qué estáis haciendo con mi hermana?», bramó una voz masculina.

Ah, mierda. Pero al menos Deek no se había transformado en un centauro, lo cual era el último presagio de su intención letal. Sin embargo, él y su brigada los alcanzarían en cuestión de segundos.

La piel color oliva de Bettina se puso de un blanco macilento.

—¿Qué estoy haciendo aquí?

Las mejillas de Kardos se pusieron todavía más rojas.

—Me pediste que diera un paseo contigo.

—No, no lo hice.

«Me alegra tanto no tener hijos.»

Evalle quería sacudirlos a los dos.

En lugar de eso, se volvió y se preparó para defenderlos del escuadrón de muerte que estaba a punto de reclamar el corazón de una persona que ella necesitaba desesperadamente interrogar.

Doce

Evalle sostuvo la mano en alto a la espera de que Deek no lo interpretara como una señal de guerra. Era difícil saberlo con un centauro, y había recordado demasiado tarde que la señal de la palma abierta era un insulto para los griegos.

¿Era Deek un centauro italiano o griego? El nombre sugería que era italiano, pero la mayoría eran griegos. Cerró la palma de la mano. Los centauros no tenían sentido del humor.

Deek se detuvo frente a ella, sus siete hombres se extendieron a su lado y detrás de él. Era hermoso, pero como una cobra, letal con un solo mordisco.

—¿Qué está haciendo aquí mi hermana?

—No es culpa mía —dijo Bettina desde donde se encontraba junto a Kardos, detrás de Evalle.

—Tú calla. —Evalle ignoró el grito de indignación de Bettina. La chica estaba malcriada al nivel de una heredera y probablemente no habría oído esas palabras en su vida. Pero en aquel momento, Evalle tenía cosas mucho más importantes que afrontar antes que los sentimientos de una mocosa mimada. Como por ejemplo a un centauro dispuesto a reorganizar las partes de su cuerpo.

Se esforzó por sonreír a Deek.

—No es lo que estás pensando…

Deek la interrumpió.

—¡Mentira! Revisé las cámaras de seguridad para encontrar a Bettina. —Apuntó su mandíbula hacia Kardos—. Este gamberro menor de edad entró en mi club sin pagar ni conseguir ningún sello de entrada. Lo cual significa que hizo uso de la magia. Es mi territorio. Son mis reglas. Se viene conmigo. Ahora mismo.

Kardos había avanzado unos pasos y se hallaba a la izquierda de Evalle. Bettina había hecho lo mismo, quedando a la derecha de Evalle. ¿Creería que estaba segura junto a Evalle o estaba a su lado de alguna forma como muestra de su apoyo a Kardos?

¿O simplemente estaba siendo una adolescente testaruda?

Evalle imaginó que ese podría ser un buen momento para reorientar la ira de Deek.

—Tienes problemas más importantes que el de un adolescente cuyos poderes resultan demasiado inmaduros como para ser peligrosos.

Kardos gruñó en respuesta a su insulto.

—Alguien usó un cebo para atraerlo a tu club y que usara la magia para burlar a tus guardias.

Deek se burló.

—¿Quién se atrevería a hacer semejante cosa?

Ella sabía que iba a preguntar eso, pero no podía hablarle a Deek de Vyan mientras VIPER estuviera tratando de averiguar la localización de la piedra Ngak. Vyan tendría su merecido si se soltara a Deek contra los kujoos. Apostaba a que Deek podría encontrarlo, pero tener a un centauro encolerizado en medio de las cosas podría obstaculizar las operaciones encubiertas... sería como lanzar una granada viva en medio de un grupo de esquizofrénicos paranoicos.

Y nadie querría que esa piedra acabara en manos de Deek.

Ella volvió las palmas hacia arriba.

—Yo misma estoy tratando de averiguar quién fue.

—¿Qué aspecto tenía? —Deek dirigió la pregunta a Bettina, que dio un paso atrás.

Bettina negó con la cabeza.

—No lo sé. Por un momento yo estaba en el club, después Kardos me pidió que diéramos un paseo...

—¡Lo sabía! —Las venas se hincharon como cuerdas bajo la piel del cuello de Deek.

Kardos dio un paso atrás.

—Yo no quería salir con ella.

Cuando Bettina emitió un sonido ofendido, claramente disgustada con la forma en que lo había dicho, Kardos dirigió la vista hacia ella.

—Oh, nena, no quería decirlo así, solo quería decir que no tenía ni idea de que ese tipo me estuviera jodiendo. Por supuesto que querría pedirte que salieras conmigo. Solo que soy lo bastante sensato…

—Voy a matarlo. —Deek fue hacia Kardos.

Evalle se interpuso y lo obligó a retroceder. Detener un tren de mercancías habría sido más fácil. No le sorprendería que le saliera un moretón en el hombro.

—Mira, Deek, puedo entender lo que sientes, ya que yo misma he querido estrangularlo varias veces, pero él no es el peligro aquí. Hay alguien que sí lo es. Alguien con tanto juicio que ninguno de nosotros querríamos enfrentarnos a él sin estar preparados. Y ahora mismo, yo voy en su busca para cazarlo. Hasta que encontremos a ese tipo déjanos en paz. Llévate a Bettina de vuelta contigo, pero asegúrate de mantenerla vigilada en caso de que nuestro amigo común vuelva a infiltrarse en su mente y se la lleve con algo mucho más peligroso que un adolescente que apenas puede hacer uso de sus poderes.

Deek inmediatamente adoptó una pose chulesca, hinchando el pecho y cruzándose de brazos.

—Siempre está bien protegida.

Las cosas se iban poniendo a favor de Evalle hasta que Kardos resopló al oír ese comentario.

Deek quiso agarrarlo de la garganta y ella de nuevo embistió su cuerpo contra esa montaña de acero… un esfuerzo que la dejó sin aire.

«Kardos, eres un idiota. Si quieres morir, hay maneras mucho menos dolorosas de hacerlo.» Además de que a ella no le dejarían moratones.

Si Kardos continuaba así, consideraría la opción de entregárselo al centauro.

Obligó a Deek a retroceder un paso, segura de que él estaba evitando usar la magia solo porque algún humano podría verlos. Pero si se encontraran en el sótano del Iron Casket no habría habido discusión.

—Mira, Deek, me pondré en contacto contigo si averiguo algo nuevo sobre el tipo que quebrantó tu seguridad.

Deek deslizó la mirada sobre los tres y finalmente asintió con la cabeza.

—Hora de irte, Bettina.

La chica dejó escapar una ráfaga de aire con tanta rapidez que debía de haber estado conteniendo la respiración. Levantó la barbilla como una reina ofendida y se dirigió hacia Iron Casket. Los guardias despejaron el camino para ella, y luego la rodearon, moviéndose en masa con Deek detrás de ellos.

Impresionante.

Asustaba, pero era impresionante.

—Uff... ha estado cerca —dijo Kardos soltando una bocanada de aire con alivio.

Evalle dio una vuelta en torno a él.

—Mierda, Sherlock. ¿Qué creías que hacías mezclándote con la hermana del centauro? Desde el momento en que entró en escena hace un mes, hizo saber a todas las criaturas que el simple hecho de mirarla era un suicidio.

—Bueno, no creí que lo dijese para siempre. Además, ese tipo viejo no me asusta.

Ella puso los ojos en blanco ante su juvenil arrogancia.

—Cuando un ser tan poderoso como Deek dice «Muerte a cualquiera que toque a mi hermana», puedes meter la frase en el banco y firmar un depósito. En dos mil años los centauros no han tenido fama de marcarse faroles. Ha olvidado más formas dolorosas de matar a alguien de las que tú y yo aprenderemos en toda nuestra vida.

—¿Faroles? ¿Qué tipo de palabra es esa?

Evalle apretó los dientes mientras la rabia se precipitaba a través de ella. ¿Era esa la única parte de su advertencia que había oído ese imbécil?

«No es extraño que no quiera tener hijos.»

—¿Te has perdido la parte en que te explicaba que no estaba de broma y que eres el próximo idiota de su menú?

Eso pareció traspasar su tozudez.

—Entonces tal vez debamos salir de aquí.

Oooobvio.

Al menos ahora estaba entrando en razón, pero lamentablemente no era tan fácil.

—Primero necesito explicarte un par de cosas. —Miró alrededor, para asegurarse de que estaban solos—. He oído que conociste al demonio Birrn aquí en el club. ¿Es eso cierto?

—Sí, fue una locura. Yo y Kell estábamos buscando algo de plata… —Su rostro se nubló por la culpa—. Quiero decir que íbamos en busca de nuevos ingresos cuando un merodeador nos contó que había un tipo en el Iron Casket que estaba dispuesto a pagar a recaderos que hicieran de peones para él.

Evalle frunció el ceño. ¿Cómo podía haber contactado con un malhechor para obtener información? Grady había hablado con ellos una vez y llegaron a irritarle tanto cuando casi se matan tratando de robar un vehículo en marcha… Y los otros malhechores ignoraban a esos chicos.

—Tú no tienes suficiente poder para estrechar la mano de un malhechor.

—No lo tenía. Kell estaba jugando al ajedrez en el parque Woodruff cuando vi a un malhechor iridiscente, así que fui a hablar con él solo porque era tremendamente raro. Nunca había visto una cosa igual.

Eso seguía sin tener sentido.

—¿Estás seguro de que fue un malhechor lo que viste? Ella no conocía a ninguno que diera algo si no era a cambio de un apretón de manos, y no era propio de ellos salir a pasar el rato y ponerse a brillar. No es que fueran luciérnagas.

—Creí que era un tipo raro, pero parecía sincero, y luego desapareció tan pronto como me habló sobre el trato en el Iron Casket.

Sí, se trataba de una trampa. ¿Qué demonios había estado pensando?

—Me sorprende que Kell se involucrara. —Normalmente tenía más cabeza.

—Él creyó que sonaba sospechoso, así que acudió como respaldo. —Kardos se puso serio—. Le pedí que se escondiera y no permitiera que nadie supiera que estaba conmigo, pero cuando el Birrn me atrapó, Kell trató de ayudarme. Idiota.

A ella la inundó una oleada de alivio al confirmar que los chicos habían sido engañados y no le habían tendido a ella una trampa.

—¿Te dijo alguna cosa el Birrn?

—En realidad nada. —Kardos intercambió una mirada con ella—. Solo que tenía que encontrarte.

¿De qué iba aquello? ¿Era la estación de casa de mutantes?

¿O tan solo la estación de caza de ella?

Hasta donde sabía, ella era la única que caminaba libremente.

—¿Estás seguro de que me querían a mí específicamente?

—Sí. Dijo que sabía que éramos amigos tuyos. Kell no pensaba llamarte, pero el Birrn amenazó con devorarme si él no lo hacía. —Movió los pies—. Incluso entonces, por un momento Kell vaciló. Qué lástima de hermano gemelo, ¿verdad? En cualquier caso, finalmente Kell pensó que entre los tres podríamos salir de aquella situación si te llamaba. Eso fue antes de que el demonio nos atara al semáforo, donde nos encontraste. Siento que te hayamos metido en una trampa.

Evalle se encogió de hombros.

—Para eso vivo. Y prefiero eso a que los dos seáis devorados por un demonio. —No quería que Kardos vacilara a la hora de llamarla otra vez—. Ahora tengo que irme. —Caminó hacia la moto.

—¿Me vas a dejar montar tu yegua?

Eso la hizo detenerse tan en seco como si la hubieran agarrado por la espalda. Su ira volvió a encenderse con tanta rapidez y ferocidad que se sorprendió de no hacerlo explotar allí mismo. De hecho, eso le ahorraría a Deek el problema de matar a Kardos.

Evalle se giró lentamente, a la espera de encontrar una expresión de arrogancia en su rostro.

—¿Qué... me... has... llamado?

Él tenía la boca abierta pero no decía palabra. La conmoción o el miedo le habían arrebatado el color del rostro. Era una gran imitación de un pez sofocado por la falta de oxígeno, hasta que finalmente se quebró:

—¿Cómo? Has creído... yo nunca... nunca te llamaría eso. —Señaló la moto—. La moto, Evalle. Estaba preguntando si podía montarme en el asiento trasero de tu moto, y la he llamado yegua.

—Oh. —Ella había oído eso pero con una coma antes de la palabra «yegua». Era cierto que él estaba acostumbrado a esa jerga que entre otras cosas se refiere a las motos como yeguas. Sí.

—De acuerdo. Te llevaré. Solo por esta vez.

Sus mejillas se ruborizaron.

Bien. Tal vez había perdido algo de su actitud engreída con ella. Evalle dejaría a Kell cometer más de una infracción, pero su hermano estaría metido en problemas en menos de una hora si le daba algún margen de libertad.

—Tu boca va a lograr que te maten. ¿Lo sabes?

—Bueno, espero que no. Preferiría morir durmiendo junto a una nena bien calentita después de un buen ñaca-ñaca. —Kardos miró fijamente el suelo y arrastró los pies—. ¿Cómo has venido a parar tú aquí, por cierto?

No debería permitir que cambiara de tema solo para distraerla, pero la verdad era que incluso si pasaba toda la noche masticándose a Kardos lo único que lograría sería terminar con la mandíbula dolorida. A él todo lo que le entraba por una oreja le salía por la otra.

—Os estaba buscando a ti y a Kell. Grady me dijo que tú estabas aquí. Necesito que tú y Kell hagáis algo por mí.

—Eso está hecho. Lo que tú quieras.

Ella suspiró al ver lo rápido que había aceptado. Sí, ellos eran amigos, pero había muchos seres sobrenaturales que podrían convertirlo muy fácilmente en un esclavo.

—No quiero que ni tú ni Kell comentéis a nadie que estuvisteis con un Birrn anoche y tampoco que me visteis allí. ¿Lo entiendes?

Él apartó la mirada a un lado, pero antes ella pudo ver la expresión de preocupación que asomaba a sus ojos.

Demasiado tarde.

—¡Mierda! ¿Con quién has hablado?

—Yo no he sido. —Kardos levantó las manos en señal de rendición—. Kell habló con un viejo que juega al ajedrez en el parque.

Todo el mundo, desde los oficinistas hasta la gente de la calle juega en Woodruff Park. Es el lugar favorito para el entretenimiento de los hombres mayores. Y las partidas de ajedrez se multiplican como las malas hierbas bajo la sombra de los robles que crecen desgarbados al lado sur. Kellman jugaba al ajedrez con los tipos mayores porque, a diferencia de Kardos, no iba en busca de actividades que acortaran su vida. Le gustaba el desafío.

Evalle solo había visto a los jugadores de ajedrez durante las raras veces que había pasado por allí a la luz del día y nunca el tiempo suficiente como para recordar a ninguno.

—¿Tienes un nombre o alguna manera de identificar al viejo con quien habló Kell sobre el demonio? —Lo de viejo no era una pista demasiado sólida, ya que para los gemelos «viejo» era cualquiera con más de veinticinco años.

—No era uno de los viejos, no era ninguno de los habituales. Yo me acerqué mientras estaban hablando y le pregunté a Kell en qué estaba pensando cuando decidió hablarle sobre un Birrn a un humano. Kell dijo que el tipo no era humano y que ocurrió algo extraño cuando empezaron a hablar, como si todo transcurriese con más lentitud y Kell se sintiera dominado por él, como si eso fuese un alivio. —Kardos afiló la mirada, pensando—. Puede que el tipo tuviera unos treinta años. Puro músculo. Pelo largo negro. Era un nativo americano, creo.

A ella se le retorció el estómago. Mierda y mierda.

Storm habría seguido la pista de los chicos y habría acudido al lugar donde ella mató al demonio. Consultó su reloj. Faltaban poco más de noventa minutos para encontrarse con Storm en Piedmont.

¿Ya habría descubierto el cuerpo en la morgue?

Si así era, estaría a punto de que apareciera un nuevo cuerpo en la morgue.

La única duda era si sería el de él. ¿O el de ella?

Trece

Como Kardos no podía ir en moto sin casco, y con su mala suerte sería imposible que no los pararan y los multaran, Evalle lo envió a la estación de metro más cercana y le dio dinero para que pudiera llegar al centro y encontrarse con su hermano. Él se quejó del transporte público pero al final accedió a ir en metro.

Tan pronto como estuvo segura de que Kardos se encontraba a salvo en el tren, se dirigió hacia la morgue, con la intención de evitar otro desastre.

No tardó mucho en llegar, giró hacia una zona de aparcamiento cerca de la puerta principal del edificio de dos pisos que daba al estadio del Fulton County, donde jugaban al baloncesto los Braves. Sacó su abrigo blanco del hueco que había debajo del asiento y se precipitó hacia la puerta. En un único movimiento bien ejecutado, se puso la bata de laboratorio encima de la ropa.

En el interior de las puertas de cristal, avanzó en línea recta por el pasillo hasta que llegó a la zona de examen, donde la examinadora médico Beaulah Layton se hallaba diseccionando un cadáver al otro lado de la ventana de cristal. Las cejas de Beaulah se movían arriba y abajo rítmicamente mientras canturreaba alguna canción de los setenta que Evalle no lograba localizar. Beaulah se movía como la estrella de la pantalla de una película muda, con su cabello negro perfectamente peinado, como si tuviera un plan para cenar y no el cometido de rebanar cadáveres hasta las cinco de la mañana.

Cuando Evalle no estaba persiguiendo demonios, se dedicaba a alguna tarea de mantenimiento de equipo y a limpiar, pero prefería estar lo más lejos posible de los cadáveres. Lamentablemente, esa mañana había estado cara a cara con un cuerpo maltratado.

Dio unos golpecitos en el cristal.

Beaulah se dio la vuelta lo bastante rápido como para asegurarse de que fuese quien fuese quien estuviera perturbando su paz recibiera el embate de su mirada rabiosa. Dejó la sierra para cortar huesos que había estado usando y caminó de costado hasta la puerta que Evalle había abierto.

Evalle hizo todo lo que pudo por ignorar el aroma a muerte rancia que invadió sus orificios nasales.

—Siento haberme encontrado mal la pasada madrugada. Debió de haber sido algo que comí. Me vino de golpe y ya pasó.

—Bien. No quiero un clásico virus de la gripe H1N1 circulando por aquí, y menos cerca de mí.

Evalle sonrió.

—Eso ya lo he oído antes. Solo quería comprobar cómo iban las cosas por aquí. ¿Algún problema con el equipo?

—El equipo está bien, pero ha sido una tarde de locos aquí.

Evalle frunció el ceño.

—No estoy al tanto de las últimas noticias. ¿Hemos tenido un tornado o algo así? ¿Alguna bomba en el aeropuerto?

—Ah, no. No se trata de que hayan llegado cuerpos nuevos sino del que ya estaba aquí.

A Evalle se le encogió el estómago con aprensión.

«Eso no sonaba nada bien.»

—¿A qué te refieres?

—El cadáver destrozado desapareció.

Por un momento, Evalle creyó que realmente iba a ponerse enferma. Aquello no podía ser bueno para ella.

—¿Qué? ¿Cómo?

Beaulah se encogió de hombros.

—Ni idea. Estaba aquí cuando me fui este mediodía. Volví a las seis de la tarde para encontrarme con el investigador de control animal, que quería ver el cuerpo, y me sorprendí abriendo un cajón vacío. Nadie sabe qué ha ocurrido, y lo que es seguro es que la muerta no ha podido salir corriendo por su cuenta. La policía ha buscado huellas dactilares, pero las únicas que han hallado son las mías y las de los internos que me ayudaron a cargar la bandeja.

Evalle se encogía ante cada palabra que la acercaba cada vez más y más al desastre.

—¿Qué crees que ocurrió?

—No tengo ni idea. Los guardias de seguridad revisaron las cintas de grabación de todos los que entraron y salieron. No había nada inusual. Nadie que no debiera estar aquí.

Eso era comprensible, puesto que todos los empleados de seguridad eran humanos y no sabían que las criaturas no humanas podían entrar y sacar un cuerpo sin ser detectados.

La pregunta era… ¿quién habría estado allí y qué querría del cuerpo de una mujer muerta?

«¿Usarlo como una prueba contra mí?» Su paranoia se disparó con nuevas fuerzas. ¿Y quién podría culparla?

«Piensa, E, piensa.»

¿Habría sido Storm quien se habría llevado el cuerpo? No tenía ni idea de cuál era el alcance de sus poderes o qué era lo que Sen esperaba exactamente que hiciera mientras fuera su compañero, pero no descartaría la idea de que robara un cuerpo para usarlo como prueba contra ella y luego lo devolviera a la morgue.

Evalle reprimiría la necesidad de hacer inspiraciones profundas hasta que estuviera fuera, donde el aire no tenía el sabor a formaldehído.

—No quiero retenerte más. Te veré el martes.

—Cuídate. —Beaulah regresó hasta el cadáver.

Evalle se apresuró para salir del edificio lo antes posible.

En cuanto se halló fuera, introdujo una gran bocanada de aire en los pulmones y corrió hasta la moto. Acababa de guardar la bata de laboratorio bajo el asiento trasero cuando una voz masculina la sobresaltó.

—¿Creíste que estaba de broma cuando te advertí «o si no…»?

Se había olvidado de Isak.

Evalle transformó su expresión de pánico en una de agradable sorpresa antes de volverse hacia él.

No parecía tan amenazador esa noche con una camisa azul metida por dentro de los tejanos, pero ella lo conocía en su versión con traje de asesino-de-demonios. Creer que su actitud relajada no era premeditada sería un error. A cualquiera le bastaría con mirar en el interior de su mirada de acero para percibir el peligro que acechaba allí.

El peligro podría resultar atractivo para una mujer acostumbrada a su línea de trabajo. Como si eso le importara a ella.

Lo más curioso era que en realidad casi le importaba.

Se metió las manos en los bolsillos.

—¿Cómo me has encontrado aquí?

—Tengo amigos en lugares infames.

Igual de infame era la pregunta. Ella miró hacia la verja, por donde había pasado antes su tarjeta.

—¿Cómo cruzaste la puerta de seguridad si no eres de las fuerzas de la ley?

Ella siempre había creído que aquel era un lugar seguro donde aparcar, pero ahora comenzaba a dudarlo.

—Una conversación creativa. ¿Qué te ha ocurrido esta mañana?

—Me disculpo por eso, pero he tenido un imprevisto y no tenía tu número de teléfono para avisarte. ¿Ves lo que pasa cuando no compartes?

No hubo respuesta. No hubo reacción.

Ella añadió:

—Tuvo que ver con mi trabajo y mi jefe.

—¿Este trabajo?

Vaya. Había olvidado lo agudo que era Rambo.

—No, mi... otro trabajo. Trabajo en mensajería y tuve que hacer una carrera hasta Chattanooga que surgió en el último momento. —Era una suerte que Storm no estuviera allí, pues su detector de mentiras se habría puesto de un rojo ardiente.

—Tuvo que ser algo condenadamente importante para que recibieras una llamada a primera hora del domingo.

«No tienes ni idea.»

—Se trataba más bien de una oferta que no podía rechazar.

Él no parecía convencido, pero tampoco la acusó de mentirosa.

—Eso no cambia el hecho de que me dejaras plantado.

—Denúnciame.

—No era eso lo que tenía en mente.

Simplemente la manera en que lo dijo le provocó un hormigueo en la piel y la puso nerviosa. Tragó saliva para tratar de evitar un movimiento delator.

Los labios de él se curvaron hacia un lado, sin llegar a sonreír, pero mostrando que no estaba enfadado. Tenía los ojos azules, de un azul más profundo de lo que ella esperaba.

Todavía necesitaba averiguar qué era lo que él sabía acerca del Birrn, si es que estaba dispuesto a compartirlo.

—Solo íbamos a tomar un café. ¿Qué me dices si lo cambiamos por una comida y yo me encargo de la cuenta? Tú eliges.

Él se tomó su tiempo pensando cómo responderle.

—De acuerdo. ¿Qué tal un almuerzo mañana?

¿Almuerzo? Ella no podía almorzar, pero tampoco quería explicarle la razón de que no pudiera salir a plena luz del día a un hombre que no tenía ninguna compasión por los seres sobrenaturales.

—Tengo el reloj corporal cambiado porque trabajo por las noches.

—En ese caso, ¿qué me dices de esta noche?

Ella tenía menos de treinta minutos para llegar a Piedmont a medianoche y encontrar esa roca. Si no lograban poner las manos en la piedra Ngak, sus problemas se volverían insignificantes en comparación con aquella especie de Armageddon. Y aún más importante, no podía dejar plantado a Storm sin despertar sospechas adicionales.

Isak no esbozó una sonrisa completa pero su voz sonaba llena de humor.

—¿Vas a pronunciar una decisión después de todo ese arduo proceso mental que estoy contemplando?

—Esta noche tengo una agenda apretada. Solo estaba intentado encontrar un hueco en mi horario. Pero definitivamente sí podría encontrarme contigo a las cuatro y media de la mañana.

Él parecía albergar dudas de que volviera a darle plantón.

—¿Dónde? Ya que tienes una agenda apretada, escoge tú el lugar. —Enfatizó la expresión «agenda apretada», como cuestionando la validez de las palabras.

—Hay un sitio donde dan cenas toda la noche en Peachtree, justo al sur del Fox Theater. —Ya que parecían haber hecho las paces y ella tenía la paciencia de un mosquito, trató de extraer rápidamente algo de información.

—¿Averiguaste qué fue lo que trajo a ese Birrn a la ciudad?

—Algo averigüé.

Ella se quedó a la espera de que él se explicara, pero no. En lugar de eso, dio un paso hacia delante y envolvió dos dedos alrededor de su muñeca, suavemente, y le levantó la mano, dejando la parte interior de su muñeca a la vista.

El sello del Iron Casket, con su forma de ataúd, brilló en el espacio estrecho y oscuro que había entre ellos.

Ella debería haber apartado el brazo y haber dado una razón para quitarle las manos de encima, si es que continuaba usándolas. Eso sería más digno de su instinto de protección que el hecho de quedarse allí parada embriagada por su aroma delicioso.

—¿Una salida nocturna de chicas? —Su pregunta vino acompañada de una sonrisa que aumentó su atractivo todavía más.

Ella se encogió de hombros.

—Yo no tengo amigas. —Pensándolo mejor, sí había una mujer a quien consideraba su amiga, pero Nicole era una bruja y Evalle nunca había hecho salidas nocturnas de chicas con nadie. No tenía sentido desdecirse ahora.

—¿Algún amigo?

—No. —Respondió demasiado rápido y se dio cuenta demasiado tarde de cómo había sonado. Ni amigas. Ni amigos. Nada de amigos humanos—. Quiero decir que sí tengo chicos amigos, pero no tengo ningún amigo especial.

Esa respuesta pareció complacerle, y a ella le hizo sentir la necesidad de justificar su falta de vida social.

—Trabajo mucho.

—Por las noches.

—Sí. No me queda mucho tiempo durante el día.

—¿Y eso por qué?

Cuanto más explicara ahora más fácil sería condenarla más tarde. Levantó la mano con su reloj solo para hacer evidente el gesto.

—Me encantaría terminar esta conversación, pero tengo que estar en otro sitio dentro de veinte minutos.

Él estudió su rostro y su pelo, su mirada se entretuvo en los detalles y luego vagabundeó otra vez, íntimamente, como una caricia visual que la hizo tiritar aun con aquel calor.

Ser el centro de esa intensidad le aceleró el corazón de una manera curiosa. En parte por suspicacia y en parte por atracción.

Ninguna de las dos cosas le resultaba cómoda.

Dio un paso a un lado, luego se mantuvo ocupada comprobando que todo estaba listo para marcharse, cuando en realidad su moto siempre estaba lista.

—Te veo hoy en la cena, ¿de acuerdo?

—Allí estaré.

Ella lo sentía pensar. Si se hubiera tratado de Tzader o de Quinn, simplemente le habría preguntado qué era lo que le preocupaba, pero con Isak vacilaba. Era una criatura desconocida.

Tenía un brillo en los ojos que le hacía preguntarse si él captaba sus pensamientos.

—Hay una cosa que no me hubiera imaginado de ti.

Ella se puso el casco, pero tenía la visera levantada mientras se sentaba a horcajadas en la moto. Se rio burlona.

—¿Solo una cosa que no te hubieras imaginado? Estoy deseando oírla.

—Tengo curiosidad por tu aura. Tu aura es... diferente.

¿Podía ver auras? Mierda. Ella había anticipado muchas preguntas, pero no esa.

—¿Diferente? —preguntó, esperando que a él le pasara inadvertido el temblor de su voz—. ¿En qué sentido?

—No es humana.

Catorce

El parque Piedmont se extendía a lo largo de seis manzanas de la ciudad; un espacio verde abierto que combinaba filas de árboles, un pequeño lago y zonas de recreo donde mucha gente acudía a relajarse.

Evalle sabía quién podía estar acechando en esos rincones oscuros durante la noche, y nada de eso le resultaba relajante ni divertido… al menos no para las víctimas. Dejó su moto aparcada a dos manzanas de distancia y caminó hasta el parque, llegando a la entrada de Piedmont un minuto después de la media noche.

Ni rastro de Storm.

Mientras caminaba junto a la verja de entrada, envió una llamada telepática.

«Tzader o Quinn, ¿estáis en Atlanta? Hooola.»

Nada se movía junto a los muros, ni un ser humano ni ninguna otra criatura.

«Estoy aquí, Evalle —la voz de Tzader acudió a través de su mente—. Quinn estará de vuelta en la ciudad dentro de una hora o dos. ¿Dónde estás tú?»

«En el parque Piedmont, a la espera de reunirme con el tipo nuevo. ¿Has oído hablar de Storm?»

«Trey me habló acerca de la piedra Ngak y de Storm, pero no sabía mucho de él.»

Ella dejó escapar un suspiro en alto.

«Todo lo que sé es lo que Sen me dijo cuando nos puso a trabajar juntos. Es un chamán que puede captar el rastro de actividad sobrenatural y revelar si alguien está mintiendo o no.»

Vaciló en el momento de mencionar que Storm había influido en sus emociones, ya que Tzader a estas alturas solo necesitaba detalles que fueran pertinentes.

«Yo creo que Sen ha traído a Storm con la intención de encontrar una prueba que demuestre que yo represento una amenaza para el resto de vosotros y así poder encerrarme por toda la eternidad.»

«Eve... Ya sé que te toca las pelotas, pero eso no quiere decir que él quiera deshacerse de ti. VIPER necesita tus poderes y destrezas. Tú no ayudas a mejorar la situación si te apartas de tu camino para fastidiarlo.»

«¿No me digas que estás justificando las acciones de Sen?»

«En absoluto, pero tengo que mantener la paz entre él, VIPER y los veladores, por la seguridad de la tribu. No permitiré que Sen se propase abusando de su posición contigo, pero causándole hostilidad solo conseguirás que a él le sea más fácil justificar sus acciones.»

El mero hecho de respirar la convertía en un ser hostil para Sen. Pero comprendía lo que Tzader le estaba diciendo.

«Entendido. ¿Dónde estás tú ahora?»

«En Decatur. Todavía intentando encontrar mi fuente en el Noirre. Desapareció, huyendo de algo. Espero que nadie lo haya capturado.»

Ella sintió la presencia de Storm un instante antes de que apareciera en el camino.

—Estoy aquí —le dijo a Storm, y luego informó en silencio a Tzader. «Aquí está el tipo nuevo. Necesito toda mi atención disponible para tratar con él. Tú y yo podemos encontrarnos en mi casa al amanecer.»

«Allí nos vemos.»

Bien. Quinn estaría allí también. Por alguna razón necesitaba sentirse menos sola aquella noche. Aunque se sentía orgullosa de ser independiente, había veces en que incluso el más fuerte necesita refuerzos.

Storm no hizo ningún movimiento hacia el parque mientras la miraba con una intensidad que la sorprendió.

—¿Has acabado todos tus recados?

—De momento sí. —Tendría que darle una razón creíble para marcharse al encuentro de Isak a las cuatro y media, y solo faltaban algunas horas.

Y antes de eso necesitaba inventar alguna razón que pudiera explicar por qué su aura no parecía humana. Después de aquella observación él se había excusado y se había marchado inmediatamente.

Tenía un par de horas para inventarse un modo de explicar el hecho de que su aura no fuera humana.

Mientras tanto, el modo de tener una conversación lo más segura posible con aquel que era su mayor problema, Storm, consistiría en hacerle preguntas todo el tiempo.

—¿Ya has descubierto algo sobre la piedra?

—He estado allí.

—¿Has estado dónde? —Ella se encogió por dentro en cuanto las palabras salieron de su boca. ¿Por qué no tendría un botón de rebobinar? Storm habría estado siguiendo el rastro al Birrn y buscando el vínculo que ella tenía con él. Que era la última cosa que deseaba recordarle y lo último sobre lo que querría hablar.

La expresión de él no delataba ninguna emoción.

—He estado persiguiendo el rastro de conejos para confirmar algunas pistas.

Ya que él no compartía nada más, como el detalle de haber estado jugando al ajedrez con Kellman, decidió que cambiar de tema era el curso de acción más seguro.

—Vamos a caminar por el parque.

—Detrás de ti.

Se estremeció doblemente ante la idea de tenerlo detrás de ella, y se dirigió hacia las zonas más oscuras del parque, donde su visión mejoraba.

Pero honestamente, sus pensamientos no estaban puestos en la piedra. Estaban puestos en su trasero, que sentía caliente como un estofado.

¿Cómo podría averiguar si Storm había encontrado algo condenatorio? La forma más rápida sería preguntárselo, pero esa era también la forma más rápida de meterse en arenas movedizas si la conversación comenzaba a girar en torno a lo que ella sabía acerca de la aparición del demonio... especialmente con los poderes que él tenía. Sería mejor abordar temas más seguros.

—¿Alguien tiene nueva información acerca de la piedra?

—Todavía no podía quitarse de encima esa sensación de estar a punto de ser descubierta.

Ni olvidar la voz en la cabeza que le había hecho una advertencia.

¿Había sido real o imaginaria?

¿Amiga o enemiga?

Hasta que no estuviera segura, no pensaba prestar más atención a esa voz sin identificar. Podía perfectamente tratarse de un enemigo que intentara alejarlos del rastro y sacarlos de los alrededores antes de que encontraran lo que estaban buscando.

Storm se aclaró la garganta y le siguió el paso.

—Nadie ha descubierto nada todavía, pero el arroyo que corre a través del parque ha tenido un cambio inusual durante la noche, con jacintos que crecen como... —Hizo una pausa, sin duda perdido en la búsqueda de la analogía.

—¿Cómo Audry II en *La pequeña tienda de los horrores*? —le sugirió ella.

—Supongo que sí.

Evalle hizo una pausa y reparó en la confusión de su rostro. ¿Dónde había estado Storm esos últimos años como para no saber de qué le estaba hablando?

Él dio unos pasos para colocarse a su lado.

—La ciudad ha tenido que enviar un equipo para limpiar el arroyo antes de que una tormenta inunde la zona. Dado que la piedra tiene poder para afectar su entorno inmediato, como por ejemplo el de hacer crecer jacintos velozmente para salir del arroyo y colocarse a la vista de su próximo dueño, Lucien cree que es una señal de que la piedra será hallada en esa zona.

Evalle frunció el ceño.

—¿Pero Lucien y Adrianna no han visto la piedra?

—Encontraron muchas rocas con el aspecto de la piedra. Ninguna que se pareciera a la que Lucien vio la noche en que Trey luchó contra los kujoo.

—¿Trey les ha echado un vistazo?

—Sí. Vino directo hacia aquí después de la reunión de VIPER y llegó cuando los trabajadores estaban descargando la retroexcavadora. Estuvo observando todo el tiempo cómo vertían rocas y barro en la orilla y se quedó allí hasta que Lucien y Adrianna aparecieron. Ellos dos pasaron todo su turno caminando por el parque, pero… nada.

—Lo siento por ellos. Es un fastidio tener que estar buscando algo. Lo menos que podía haber hecho aquel bastardo desconsiderado sería haber puesto un cartel en miniatura con una flecha que señalara y dijera «He aquí la piedra Ngak». —No pudo evitar el sarcasmo, ¿pero acaso alguien les había dicho que la piedra saltaría hacia sus manos?

Storm se rio, cosa que a ella le sorprendió. Tenía una risa bonita, una risa que calentaba el aire y le rozaba la piel. Bajo circunstancias diferentes, de hecho podría llegar a gustarle trabajar con él.

Él añadió:

—Lucien hizo caminar a Adrianna a lo largo de la orilla esperando que la piedra se revelara para ella, pero no hubo suerte. Al parecer no es la mujer poderosa que la piedra quiere.

Evalle se detuvo y se dio la vuelta para examinar su rostro y ver si él consideraba que aquella era tan mala idea como le parecía a ella.

Él levantó la mano en un gesto de desdén.

—No sé si yo lo hubiera hecho, pero en todo caso no he sido yo quien fue asignado para trabajar con ella.

¿Había una nota de alivio en su voz al decir esa última parte? Debería dejarlo de lado, pero la necesidad de saber de qué lado estaba con alguien, incluso con Storm, la ganaba.

—¿Podría haber algo peor que trabajar con un mutante?

—Yo no trato con brujas. Conozco algunas que ahora puedo llamar amigas y en las que puedo confiar en cualquier situación, pero no trataría con una bruja superior. Le dije a Sen que tengo mis limitaciones cuando se trata de trabajar con otros agentes. Normalmente trabajo solo.

En realidad no había respondido a su pregunta acerca de formar pareja con un mutante en particular.

—Entonces,¿por qué aceptaste trabajar conmigo? ¿O la verdad es que no estás aquí para ser realmente mi compañero de equipo?

No hubo respuesta.

Y eso la hizo sudar. Caminó junto a él arrastrando los pies, a la espera de una respuesta, pero Storm seguía sin haber dicho ni una palabra cuando llegaron al camino pavimentado que atravesaba el extremo superior del parque. Ella dio tres largas zancadas hasta pasar las farolas que había a lo largo del camino y regresó al abismo negro que envolvía el resto del parque.

—¿Me has oído, Storm?

—Sí.

—¿Y? —Ella dejó de caminar.

Él se detuvo, luego se volvió lentamente y dio un paso hacia ella de modo que quedaron separados apenas por unos centímetros. Lo bastante cerca como para que ella sintiera su suave aliento en el pelo y la frente.

Él levantó la mano y extendió un dedo para tocarle la cara.

Ella no quería retirarse y cederle ningún terreno, pero tampoco deseaba que un segundo hombre devorara algo más de su espacio personal esa noche.

La indecisión destruyó cualquier capacidad de reaccionar.

Los dedos de él le tocaron el pelo, y luego acariciaron la curva de su oreja.

—¿Sabes que hueles a menta y a flores?

A ella se le aceleró el pulso. ¿A él le gustaba cómo olía?

Podía entender lo de las flores, ya que cuidaba algunas en su hogar subterráneo, pero no tenía ni idea de dónde venía lo de la menta.

—La verdad es que no lo sabía. ¿Qué tiene que ver la forma con que huelo con la respuesta de por qué aceptaste trabajar conmigo?

—No tenía ni idea de si aceptaría ser tu pareja hasta que entré en la sala de operaciones. Créeme, me chocó tanto como a ti. El olor a menta fue lo primero que me llegó, pero fue el olor a flores el que me atacó. Ahí estás… toda vestida como una dura motorista pero oliendo como una delicada flor. Cuando me senté a tu lado, esos dos aromas me golpearon a la vez y al instante supe lo que eso significaba.

—¿Qué? —Esa pregunta susurrada se le escapó de los labios sin esperar el permiso de su cerebro.

—La menta es singularmente refrescante y tan fuerte que a muchos les resulta abrumadora. Las flores pueden parecer frágiles, y, sin embargo, algunas como la flor de loto, que solo crece en el lodo, resisten los entornos más brutales para embellecer un mundo que hace todo lo que puede por destruirlas. Los dos aromas encajan contigo, y supe que podría ir en contra de mi fibra sensible y trabajar con alguien como tú.

Sus palabras la sedujeron con una facilidad que encontró aterradora y muy inquietante. Era como si hubiera podido ver directamente el interior de su alma y dejar al desnudo sus cicatrices.

Storm pensaba que ella era diferente, frágil y decidida.

Tenía razón en lo de frágil.

Pero había expuesto algo que ella se negaba a analizar acerca de sí misma, y lo último que quería era que él pensase que se reconocía o que había llegado a tocarla de alguna manera. Era el hombre que trabajaba para los ojos y los oídos de Sen.

Lo miró fijamente de forma inexpresiva.

—¡Vaya! Eres uno de esos hombres capaces de leer en el envoltorio de un chicle la descodificación del universo entero. —Se inclinó más cerca, como si fuera a compartir el mayor secreto del mundo—. Pero a veces... es tan solo un envoltorio. He masticado mucho chicle de menta y debo de haberme restregado contra un arbusto florido en algún momento. Puede haber explicaciones simples que no tengan nada que ver con mi personalidad ni la humanidad... ni con la falta de eso.

Él frunció los ojos, y parecía estar viendo todo lo que ella trataba de ocultar.

—No, no tiene que ver con nada que se te haya pegado. Es un aroma que sale de lo que tú eres.

Ella se había olvidado de que su dedo todavía descansaba sobre su cuello hasta que comenzó a hacer círculos jugando con un mechón de su pelo. Si ella se apartaba le estaría demostrando cuánto le había afectado esa diminuta conexión. Cualquier cosa antes que eso.

El corazón le latía como una pluma de excitación que se deslizaba a lo largo del filo de una cuchilla de miedo, pero ella no mostraría su debilidad. Ni a él ni a nadie.

Jamás.

Su tacto dejó un pedazo de piel crepitante en su estela.

—Acepté formar pareja contigo porque tú no eres como los demás.

«No eres como los demás.»

Un bicho raro.

Eso la trajo de vuelta a la realidad y a la verdadera razón de que Storm formara equipo con ella… para sorprenderla en una mentira.

Permitir que aquella atracción la cegara al peligro que él representaba sería un error fatal. Estaba jugando con ella, jugando con sus emociones. Ya había demostrado que podía influirla con sus poderes.

¿Era eso lo que estaba haciendo ahora? ¿Alguna parte de su actual emoción era real, o las emociones que sentía le eran enviadas por él?

Si no mantenía la guardia en alto, él ayudaría a Sen para que la destruyera.

Retrocedió, rompiendo la conexión.

—No juegues conmigo ni vayas a creer ni por un momento que caeré víctima de tus encantos.

Si no fuera por su habilidad para la visión nocturna, ella no habría visto que su frente se arrugaba. Soltó una risa dura y luego sacudió la cabeza ante algún pensamiento interior.

—No creo que hayas jugado a ningún juego en tu vida, ¿verdad, Evalle?

Los juegos eran para los niños que no sabían nada de los monstruos.

Y algunos de los peores monstruos que había ahí fuera eran en realidad humanos.

Reconocer que nunca había sido una niña normal que jugaba con otros niños solo la haría parecer más rara. Guardar silencio era la decisión más segura.

Él soltó una larga exhalación.

—Solo usé mis poderes una vez, y no fue para herirte de ninguna forma. ¿Te he dado alguna otra razón para que no confíes en mí?

«Déjame pensar… ¿aparte del hecho de que trabajes con Sen?»

¿Acaso eso no era suficiente?

Y él todavía no había confirmado ni negado la acusación de que estuviera ayudando a Sen. Puede que él no hubiera usado sus poderes para herirla, pero sí los había usado para influirla.

En otra situación puede que ella hubiera apreciado esa intervención suya que había aplacado su pánico durante la reunión. Sin embargo, Storm no tenía ninguna razón para hacer algo solo por ser bueno.

Ella no confiaba en la bondad. Lo tenía claro. El altruismo era una mentira que la gente usaba para desarmar a los débiles. Ella no se creía que a él le gustara cómo olía. Y no confiaba tampoco en que a ella le gustara cómo olía él.

Antes de admitir cualquiera de esas dos cosas, se encogió de hombros.

—No me has dado ninguna razón para confiar en ti, y si nos quedamos hablando no vamos a encontrar la piedra. Tenemos que movernos.

Él se quedó donde estaba, bloqueando el camino.

—¿Por qué eres siempre tan retorcida?

—No tenemos tiempo suficiente para repasar la lista de razones. —Se cruzó de brazos, asumiendo su pose de basta-con-todo-esto.

—Vamos al grano. ¿Qué es lo que he hecho para fastidiarte tanto? Y no me lances tu teoría de la conspiración infundada acerca de que trabajo en tu contra.

—¿Infundada? Tal vez toda esa historia de «podemos ser amigos» funciona conmigo tan poco como tu flirteo. —«¿Acaso eso encendería su barómetro de mentiras?»

¿Quería que ella confiara en él?

Bien.

No lo haría sin un examen, y el que ella tenía en mente era de acertar o fallar.

—Si quieres demostrar que eres digno de confianza, ¿qué tal si me explicas qué es lo que has descubierto acerca del asesino del Birrn?

—¿Quieres reducirlo todo a una cuestión de trabajo? Bien. —Él acortó la distancia entre ellos hasta que Evalle sintió que las pupilas negras de sus ojos la perforaban—. Pude captar un par de aromas. Uno de ellos era aroma a menta.

A pesar del calor sofocante que los envolvía, ella sintió que se le helaba la piel con un sudor frío. Él podía efectivamente vincularla con el demonio Birrn.

¿Se lo habría dicho ya a Sen?

Antes de que pudiera pronunciar una sola palabra, brilló una luz a su izquierda. Evalle se apartó de Storm y del destello de luz.

El rostro y el cuerpo de Sen aparecieron tan brillantes como un fósforo encendido en la oscuridad.

—He venido por ti, mutante.

—¿Por qué? —Pero su cerebro llenó los blancos.

Miró a Storm. El bastardo la había traicionado. Lo sabía.

—Eres un perro.

—Yo me la llevo —se ofreció Storm.

Sen afiló la mirada. Evalle y Sen gritaron al unísono:

—¡No!

Evalle retrocedió un paso y miró a su alrededor. Si pudiera alejarse de Sen, le contaría a Tzader lo que estaba pasando sin que Sen ni Storm se enterasen.

—Mi moto está a dos manzanas del parque.

—Déjala —le ordenó Sen—. Te están esperando.

—¿Me esperan? ¿Quiénes me esperan?

Pero Sen no respondió, y ella no tenía ninguna duda de que se trataba del Tribunal.

Lo intentó otra vez.

—¿Tengo una audiencia para la suspensión? —Giró en redondo para discutir con Sen y se quedó helada al ver su mano acercándose a ella—. No, no, no…

El mundo comenzó a dar vueltas en una nube gris. Oyó que Storm gritaba alguna cosa, pero esta se perdió en el vértigo enfermizo que aumentaba en su cabeza porque la agitación de ser teletransportada le retorcía el estómago.

El mundo desapareció de la vista y ella ya no estaba… se dirigía directamente hacia la peor de las pesadillas.

Quince

Odiaba el olor del pasado.

Lo odiaba casi tanto como odiaba a Sen.

Atisbando a través de sus gafas de sol, Evalle lanzó un vistazo al Reino Inferior donde se reunían los tribunales, una zona neutral para todas las criaturas que conformaban la coalición de VIPER.

El Tribunal estaba compuesto de tres entidades cuyos firmamentos no tenían relación ni directa ni indirecta con la situación que envolvía al ser sobrenatural que había que juzgar en cuestión.

Las decisiones podían ser tomadas sin peligro de represalias. La decisión de si podría o no podría permanecer en libertad.

Ella bajó la cabeza y mantuvo el cuerpo completamente quieto a pesar de que no había recuperado todavía el equilibrio. Por dentro temblaba, y estar inmóvil le suponía un esfuerzo supremo. La última vez que Sen la había teletransportado ante la reunión del Tribunal había tenido arcadas y le vomitó encima de las botas. Debía de ser por eso que esta vez la había dejado de rodillas sobre la densa hierba acolchada y se había quedado a más de un metro de distancia, dirigiéndole una mirada amenazadora.

Él ya no era su mayor preocupación. No aquí.

A través del aire le llegaba el poder de los dos dioses y de la diosa de pie en la tarima elevada de mármol blanco con vetas de oro. El estrado se hallaba en el centro de una extensión de tierra circular del tamaño de una manzana de la ciudad y el mundo se disipaba en sus bordes y un cielo negro iluminado de estrellas cruzaba de lado a lado por encima de sus cabezas.

Era algo así como estar arrodillada en el interior de un globo de nieve inmóvil durante la noche.

Mostrarse impresionada delante de seres poderosos nunca era sabio. Sin embargo, su vida, por alguna razón que desconocía, estaba en cuestión, y ella necesitaba agudizar rápidamente su ingenio.

Murmuró con humildad.

—¿Puedo tomarme un momento para recuperar el equilibrio?

—Puedes tomarte un momento. —La diosa polinesia Pelé era increíblemente hermosa y evidentemente la única amable. Sorprendentemente, ya que Pelé era mucho más conocida por su temperamento que por su belleza exótica. El pelo negro le caía sobre los hombros desnudos haciendo un vibrante contraste con el tejido floreado de su vestido sin tirantes.

De pie a la derecha de Pelé estaba Ares, el dios griego de la guerra, que tal vez simpatizaría con la lucha de Evalle por conservar su libertad, puesto que en cierta ocasión había sido capturado y retenido por dos gigantes durante trece meses. Tal vez simpatizaría con ella... si no fuera una mole gigantesca a la espera de poder atacar a alguien o a algo. Cruzó sus brazos llenos de protuberancias musculosas. Sus piernas habían adoptado una clara posición de guerra, con su cuerpo dispuesto a la batalla, con una coraza y espinilleras de bronce. El pelo le caía en ondas sobre los hombros y hacía juego con la barba bien recortada alrededor de sus tersos labios.

Loki completaba la corte suprema del tribunal de justicia de Evalle. El dios escandinavo era un timador nato. Unos cuernos estrechos tan largos como los brazos de Evalle serpenteaban por encima de su frente y se curvaban hacia arriba con las puntas señalando hacia delante. Tenía tendencias demoníacas circulando por sus venas, pero ella apostaba a que sería incapaz de quedarse quieto dentro de una celda. Su mirada viajó por todas partes en cuestión de segundos mientras daba vueltas de un lado a otro a una esfera peluda pasándola de mano en mano.

En otro tiempo, Evalle habría considerado la presencia de Loki como un punto a su favor, ya que él podía ver los problemas provocados por los mutantes como algo no muy distinto de las cosas que él había hecho en el pasado. Pero el hecho de que estuviera presente en el mismo espacio que Ares podía volverse letal. Rápidamente.

Probablemente era por eso que los dioses se habían colocado uno a cada lado de Pelé.

Todo aquello tenía mala pinta.

Sen no podía llevarla directamente como sospechosa ante el Tribunal, no sin una prueba irrefutable que demostrara más allá de toda duda que ella era una amenaza para la humanidad.

—Mutante. —Sen gruñó con un tono más grave que el de un león inquieto.

Ella lo ignoró y alzó la barbilla para hacer saber a todos que estaba preparada para el proceso.

—Me presento ante ustedes con humildad y confusión, puesto que no sé de qué infracción soy culpable.

Sen se dirigió al Tribunal.

—Al parecer la mutante ya se ha recuperado de la teletransportación.

Evalle mantuvo la compostura, pero algún día se vengaría de Sen por cada desaire y cada humillación.

No podía esperar a que llegara ese día.

Pelé fue la primera en hablar.

—¿Llamas a alguien para que testifique por ti?

Evalle solo se había enfrentado al Tribunal en una ocasión anterior, y no sabía de ningún otro agente que hubiera tenido que hacerlo. La última vez que le habían ofrecido aquella posibilidad ella solicitó la participación de Tzader. Sen la había tratado como si fuese una imbécil por no darse cuenta de que únicamente podía solicitar la presencia de Brina o de Macha.

Eso era lo que el Tribunal entendía por «llamar a un amigo». Ella había preferido prescindir de llamar a Brina la última vez antes que ser humillada cuando la reina guerrera evitara presentarse ante un mutante.

Pero esa última vez, Tzader era quien le había comunicado que iba a ser llamada para un interrogatorio. Y, en cambio, ahora Tzader no tenía ni idea de que ella estaba allí, y todo en aquella reunión parecía amenazante. Se arriesgaba a ser humillada y a algo todavía peor como quedar cautiva.

Evalle mantuvo la voz firme.

—Deseo pedir a Brina de la Isla de Treoir que esté presente. —No era cierto, pero lo que sí tenía condenadamente claro era que no quería molestar a Macha. Tzader continuaba afirmando que Brina ayudaría a cualquiera de su tribu que se lo pidiera.

Sería un buen momento para poner a prueba esa teoría.

Pelé asintió ante la petición de Evalle y anunció para que todos lo oyeran:

—Como desees. Brina de la isla de Treoir, reina guerrera de los veladores, en deuda con la diosa Macha, tu presencia ha sido requerida. No proseguiremos con este foro hasta que aparezcas o envíes tu palabra para negarte a aparecer. Sen, debes salir hasta que te pidamos que vuelvas.

—Sí, diosa. —Sen desapareció al instante.

A Evalle le encantaría tener la habilidad de poder hacer eso.

Mientras los segundos se arrastraban con los pies llenos de barro, la preocupación se cernía en torno a su pecho con tanta fuerza que apenas podía respirar.

¿Por qué tardaba tanto?

¿Rechazaría Brina su petición?

El tiempo pasaba a una velocidad diferente en esa dimensión. Cuando el retraso se alargó en lo que parecían haber sido treinta minutos, Evalle luchó por no cruzarse de brazos y dar golpecitos con los dedos. Mostrar algún signo de impaciencia no sería prudente. No con esas tres entidades vigilándola.

Además Brina podría interpretar esos gestos como una mala imagen de los veladores.

Loki dejó de hacer malabarismos con la esfera. A esta inmediatamente le salieron alas y luego flotó por encima de su hombro y allí se quedó. Él miró alrededor simplemente como para constatar la situación.

—No veo razón para seguir esperando.

Pelé arqueó una ceja.

—¿Acaso tu tiempo es más valioso que el nuestro?

Evalle había ido y vuelto rápidamente la última vez que tuvo que enfrentarse a un trío de entidades.

¿Acaso Brina los estaría haciendo esperar para que se enfadaran lo bastante como para despachar a Evalle para siempre?

Loki respondió a la mirada arrogante de la diosa con una de las suyas.

—Lo único que sé es que mi tiempo sí es valioso. Y soy capaz de tomar una decisión mientras que otros tal vez no puedan.

—Contendrás tu lengua a menos que desees perderla por el insulto que esgrimas. —Ares dio un paso atrevido por delante de Pelé para ponerse de frente a Loki, que sonrió abiertamente como un mocoso malvado.

Evalle estaba preparada para retractarse de su petición a Brina cuando una ráfaga giratoria de hojas de colores otoñales apareció entre ella y el Tribunal. Una cabellera del rojo brillante de la puesta de sol le llegaba a Brina por la cintura. Llevaba un vestido de un verde oceánico que competía por el dominio con el idéntico tono de sus ojos. Pero aquella no era la Brina de vida real, sino solo un holograma de la reina guerrera, que no podía abandonar físicamente su isla mística del Mar de Irlanda.

—Por favor, disculpadme por retrasar el proceso. —La voz de Brina sonaba suave y deferente pero revestida de acero—. Estaba atendiendo un asunto de mi diosa.

¿Por qué sería que Evalle no la creyó? Bajo la expresión «un asunto de mi diosa» cabía cualquier cosa, como una charla con Tzader antes de decidir si convenía gastar su tiempo ayudando a una mutante.

—Tu retraso es aceptable. —Fue Loki el que habló antes de que Ares o Pelé pudieran manifestar una opinión.

Pelé lo miró con callada malicia y luego dirigió su atención a Brina.

—Tenemos la desagradable tarea de comunicarte que otro mutante se ha transformado y ha asesinado.

La boca de Evalle se abrió de asombro. Ahora entendía por qué no le habían concedido un aplazamiento de la audiencia. No se trataba del demonio Birrn.

Habían descubierto lo de la mujer humana.

«Que Macha me asista.»

Brina dejó caer la cabeza, como señal de vergüenza ante el Tribunal.

Evalle no dejaría caer la suya. No siendo inocente y acusada por error.

—¿Puedo hablar? —preguntó Brina.

Ares fue el primero en responder esta vez.

—Por supuesto.

Brina repasó a los dioses con su mirada.

—Hemos estado vigilando a Evalle de cerca, y no ha mostrado ningún signo de ser una amenaza para los humanos. Yo pediría que continuara en su actual posición con VIPER y bajo nuestra supervisión.

No es que ella no apreciara el apoyo de Brina, pero odiaba que hablaran de ella como si fuese un animal feroz, incapaz de vivir entre los humanos como cualquier otra persona a menos que alguien la controlara con una correa.

Los ojos de Pelé se volvieron ácidos.

—A Evalle se le ha permitido permanecer libre todo este tiempo en base a tus recomendaciones en el pasado. Pero esta situación es diferente.

—¿En qué sentido, diosa? —La voz de Brina fluía como un riachuelo imperturbable.

Pero no era su cuello el que estaba en riesgo. Evalle mantuvo las manos frente a ella para evitar moverse o salir corriendo.

Pelé miró a Loki y a Ares con una expresión de preguntar si ya habían terminado.

Como ningún dios habló en voz alta, ella respondió a la pregunta de Brina acerca de en qué sentido aquel ataque era diferente.

—El mutante que se ha transformado en una bestia esta vez ha sido una mujer. Mató a tres personas inocentes y tuvo que ser destruida, pero no antes de que los agentes de VIPER descubrieran que estaba embarazada. Ese bebé murió con ella. Hasta ahora, a Evalle le ha sido permitida su libertad en base a su posición única. Ahora que esa mujer mutante ha demostrado ser capaz de transformarse y de ser fecundada, tenemos dos riesgos potenciales si Evalle continúa viviendo entre los humanos.

Por un lado, estaba agradecida de que todavía no conocieran la existencia del cuerpo mutilado.

Por otro lado, aquello era peor. No estaba siendo acusada de algo que creyeran que había hecho. La estaban condenando por las acciones de alguien que ni tan siquiera conocía.

La injusticia de aquello ardía en su interior y la puso furiosa. ¿Cómo se atrevían a juzgarla?

Soltó las manos para agarrase las piernas, luchando contra la presión que se cernía a su alrededor.

Iban a encerrarla. Ahora mismo.

Si hubiera sabido de qué iba todo aquello habría luchado contra Sen empleando todos sus medios.

El sudor le corría por el interior de los brazos.

—Brina, por favor.

—¡Silencio! —Brina ni siquiera miró en su dirección.

Evalle envió una súplica telepática: «Tzader, necesito ayuda».

«¡Silencio!» El grito de Brina sonó todavía más fuerte en la cabeza de Evalle.

—Entiendo la argumentación de vuestras preocupaciones. —Brina se dirigió al Tribunal con una voz mucho más calmada—. En tanto que Evalle ha demostrado ser una seguidora ejemplar de nuestras creencias y una valiosa agente VIPER, solicitaría al Tribunal que le proporcione la oportunidad de demostrar que no representa un riesgo para los humanos, que ella es diferente que los otros mutantes.

Las tres entidades intercambiaron miradas, luego le dieron la espalda a Evalle y a Brina para deliberar entre ellos.

Evalle no podía creer que Brina hubiera dado un paso hablando en su favor, tal y como Tzader le había dicho. Estaba en lo cierto acerca de la confianza que es devuelta.

Brina había hecho todo lo que había podido por proporcionarle tiempo.

«Loada sea la diosa.»

Evalle se frotó las palmas húmedas contra los tejanos, celebrando la posibilidad de que las sospechas en contra de ella se disiparan. Aun contando con la ayuda de Tzader y de Quinn, habría esperado que esa prueba que necesitaba para enterrar su caso llevara un tiempo.

Pero sin duda Brina solicitaría a VIPER que le permitiera salir para concentrarse en esa búsqueda. ¿Acaso Brina compartiría información con los mutantes encarcelados?

Evalle estaría dispuesta de buen grado a presentar informes ante el Tribunal cada pocas semanas. Cualquier cosa que necesitaran para hacer su trabajo.

—Hemos tomado una decisión —dijo la diosa mientras ella y los otros dos las miraban de nuevo de frente.

—Tu petición es aceptable para nosotros…

«¡Aleluya!» Evalle casi se queda estupefacta por el alivio.

Hasta que Pelé habló de nuevo.

—… con la condición de que Evalle permanezca leal a VIPER y no se asocie con otro mutante mientras busca la prueba de su inocencia.

«No he visto a otro mutante en ocho años, y si lo hubiera visto probablemente me habría asesinado.» Evalle respiró con calma, preparándose para agradecer al Tribunal esa oportunidad.

Brina asintió.

—Aceptado.

Ares se aclaró la garganta.

—Ella tendrá hasta la primera hora del jueves para demostrar que no entraña ningún riesgo el hecho de que permanezca entre los humanos. Si su estado cambia en cualquier momento entre ahora y entonces será teletransportada de inmediato a una localización de seguridad.

El estómago de Evalle cayó hasta el suelo.

—¿Tres días?

Tres condenados días.

¿Sus divinas mentes se habían vuelto locas?

Sin duda no se trataría de los mismos tres días que tenía que dedicar a la caza de la piedra Ngak si no quería parecer desleal a VIPER…

Oh diosa bendita…

Hiciera lo que hiciese estaba jodida. Si demostraba su inocencia, sería desleal, y si era leal jamás sería capaz de demostrar su inocencia.

Finalmente Sen vería cumplido su deseo y ella sería enjaulada.

En apenas tres días.

Dieciséis

Jungla amazónica, Sudamérica

Vyan miraba fijamente a su señor de la guerra, que estaba a punto de conducirlos a todos directamente hacia la muerte. Quería llamarlo lunático, pero su inteligencia y deseo de vivir dejaba aquella palabra fuera de su vocabulario. En lugar de usarla empleó un tono moderado que ocultaba el rostro de su verdadera naturaleza.

—Os aconsejaría una última vez, mi señor, repensar este plan con tan solo unos pocos hombres.

Después de traspasar el portal que había sido abierto por la bruja, Batuk había estado conduciendo a los hombres de manera implacable para invadir la ciudad.

—Solo necesitamos diez —dijo finalmente Batuk—. Hemos esperado suficiente tiempo. Tengo un deber para con mis hombres, nuestros hombres.—Al decir eso, deslizó su espada a través de un árbol que tenía tres veces el tamaño del brazo de Vyan—. Cada hora que derrochamos, mi gente pasa otro día en una miseria inmoral bajo el monte Meru. ¿No puedes entender eso?

—¿Que yo no lo entiendo? Traspasé el portal hace dos años para tener la oportunidad de liberar a nuestra gente. —Vyan había abierto un camino a través de la espesa maleza de esa jungla llamada Amazonas, tan diferente a las calles de Atlanta, donde él había vivido.

—¿Acaso el tiempo que has pasado en este nuevo reino ha suavizado tu odio por los veladores? —Batuk se lo preguntó sin volverse a mirarlo.

—¿Cómo puedes decir eso? —Los veladores mataron a

mi esposa. Solo cuestiono lo mucho que nos arriesgamos enfrentándonos a un monstruo con menos de una legión de guerreros.

—Tenemos algo que la bestia querrá. Esta bestia será nuestro escudo contra los veladores. Cuánto nos convendría que nos ayudara por su propia voluntad. —Batuk rio para sí.

Vyan ahorró aliento. Los monos corrían a través de las ramas por encima de su cabeza, chillándose unos a otros. Él reparó en uno gordo que serviría para una buena comida si tuvieran tiempo de detenerse a cazar. Su señor de la guerra tenía menos paciencia que un perro pisando los talones de una perra en celo.

—¡Batuk! —lo llamó uno de los hombres, al tiempo que echaba a correr. Cuando Vyan y el señor de la guerra se volvieron, vieron a Nhivoli avanzando con dificultad a través de la jungla, adelantando a los hombres que marchaban en fila, y se detuvo sin aliento—. Tengo vuestra oferta de paz.

—Excelente. Mantente al final de la fila hasta que te llame. —Despachó a Nhivoli, que trotó y desapareció detrás de la hilera de hombres oculta por la vegetación.

Batuk planeaba sacrificar un animal al monstruo.

Eso le recordó a Vyan el suero de la bruja que llevaba para alimentar al animal.

—¿No tienes curiosidad por saber qué animal capturó Nhivoli?

—No. No tengo duda de que ha seguido mis órdenes con precisión, como haría cualquier soldado. —Batuk se rascó la barba negra canosa—. Espero que mi primero al mando muestre el mismo compromiso y lealtad.

Vyan deseó por milésima vez haber encontrado de joven alguna otra manera de adquirir la tierra que él y su esposa pretendían convertir en una granja. Tomar una espada para seguir a Batuk con la promesa de su propia parcela de tierra había tenido sentido en otro tiempo. Pero era una decisión estúpida observada con claridad a toro pasado. Solo había sido otro modo de fallarle a su esposa. El tiempo le había arrebatado el rostro de ella, pero no el sentimiento de culpa por no haber sabido protegerla.

Vyan parpadeó para aliviar el picor caliente que sentía en

los ojos y tragó saliva para humedecer su garganta seca. Su saliva tenía un sabor amargo por la sal y el remordimiento.

Un chisporroteo de energía bañó su piel con un manto de advertencia.

—Para. —Vyan alzó la mano para enfatizar su orden. El vello de los brazos se le erizó. Olfateó el aire en señal de peligro. El aliento que inhaló le quemó la garganta, indicándole que la amenaza estaba cerca y era poderosa. Habían entrado en la jaula invisible del monstruo. Vyan afiló el oído con la posibilidad de enfrentarse a una criatura. Delgadas ramitas saltaron bajo sus pies, con el ruido de un árbol cortado por un hacha.

Él y sus hombres se movieron para colocarse en torno a su señor de la guerra.

Batuk sacudió la cabeza y levantó un único dedo para indicar a todos sus hombres, con excepción del primero al mando, que debían permanecer detrás de él. Un acercamiento arrogante tratándose de un enemigo desconocido.

Resignado a su destino, Vyan se colocó al lado de su señor de la guerra, que se dirigió hacia un claro.

La jungla entera estaba quieta. No había ninguna criatura corriendo a toda prisa a través del terreno ni bajando en picado por el aire entre las enredadas ramas de los árboles que había sobre sus cabezas. Un olor fétido asaltó la nariz y la garganta de Vyan.

Captó un sonido, un ruido profundo y ronco que provenía de un animal grande. Obtuvo la atención de Batuk antes de señalar a través del claro donde una hoja de palmera, a cinco metros del suelo, temblaba de forma sincronizada con cada aliento rasposo de la bestia que estaba allí oculta.

Batuk avanzó otro paso hacia el claro.

Una fuerte vibración desgarró el aire, seguida de un aullido agudo cargado de amenaza, como si el animal les advirtiera de que habían traspasado sus dominios y no había ya modo de salir.

La sangre de Vyan bombeó con fuerza a través de sus venas. Tocó su espada, colgada en el cinturón de cuero de su cadera, pero debía tener cuidado. La bruja que había liberado al pequeño grupo de los suyos le había advertido de que cualquier uso de la magia en la jaula hechizada del monstruo se volvería en contra de ellos.

Se oyó un imponente bramido en el denso bosque que había frente a ellos. Los árboles se balancearon y el suelo tembló.

El animal alzó la cabeza.

Vyan jamás había visto algo tan repulsivo. ¿Cómo era posible que una criatura viva oliera a podrido de aquella forma? La mayor parte de su cuerpo estaba cubierta de llagas y costras. Las pequeñas zonas que no lo estaban, se hallaban cubiertas por una espantosa tela de retales o pelos sucios o sarro. Batuk y él creían que se hallarían ante algo que tuviera una forma humana, pero aquella cosa de tres metros de altura no podía ser más que un monstruo.

Vyan sacó su arma, infundiéndose ánimo con el sonido de ocho espadas más desenvainadas detrás de él.

—¡No! —ordenó Batuk—. Envainad vuestras armas. ¡Ahora!

«¿Entonces moriremos como corderos sacrificados?» Vyan se esforzó por contener su frustración. Hizo lo que se le ordenaba y permaneció de pie junto a su señor de la guerra, a quien había jurado lealtad varios siglos atrás.

El animal separó sus labios agrietados con un rugido, exhibiendo unos dientes de sierra irregulares. Inclinó la cabeza hacia atrás y bramó, con un sonido que no era ni animal ni humano pero que transmitía claramente el mensaje de que habían desperdiciado la ventaja de atacar primero que les había dado la bestia. En su prisa por alcanzarlos, arrancó árboles tan gruesos como la cintura de Vyan y avanzó con imponentes pisadas, haciendo temblar el suelo.

Cuando la bestia entró en el claro, ya era medio humana. Al menos el tonel que tenía por pecho, las dos largas piernas y los brazos colgando a los lados tenían una estructura humana. Llevaba unos tejanos harapientos pero ninguna camisa le cubría el torso peludo, manchado de sangre. Su abdomen y sus hombros encorvados estaban cubiertos de costras. Cada uno de sus pies de tres dedos era del doble de tamaño que los de Vyan.

Sus ojos negros escudriñaban por debajo de una frente protuberante.

—Por todos los santos, ¿qué es esto? —susurró Vyan, pero no llegó a recibir una respuesta.

El animal alzó sus abultados antebrazos con cuatro gruesos dedos colgando en cada mano. Señaló a Batuk con sus uñas serradas.

—Estoy aquí para ofrecerte un trato —le dijo Batuk, levantando la mano en una orden silenciosa para que el animal se detuviera.

En lugar de detenerse, la bestia dio otro paso y apretó sus dedos pequeños y regordetes formando dos puños. Era una advertencia, pero el monstruo tenía curiosidad, o de lo contrario ya los habría asesinado.

Los hombres murmuraron atropelladamente, claramente cuestionando la cordura de todo aquello. Incluso Vyan se preguntaba si su señor había perdido la cabeza al atravesar el portal.

El animal olfateó el aire, gruñó y luego miró de cerca a Vyan y a Batuk. Volvió a husmear y gruñó, como si se preparara para atacar.

Batuk gritó por encima de su hombro.

—Trae a la mujer.

«¿Una mujer?» Vyan se quedó helado al oírlo. Captó el aroma de una criatura inocente aun antes de que Nhivoli y otro soldado avanzaran con una joven atada y amordazada, colgada por las manos y por los pies de una rama que los dos hombres llevaban apoyada sobre sus hombros. Al principio parecía que ella estaba inconsciente, pero el rugido del animal la despertó. La pobre chica reparó en la escena abriendo los ojos con asombro, y luego se agitó atrás y adelante, sangrando allí donde las cuerdas habían cortado su suave piel.

Un grito furioso surgió en el cerebro de Vyan y amenazó con explotar. Detuvo a los hombres antes de que entraran en el claro y le habló a Batuk.

—No puedes hacer esto.

—No discutas conmigo. —La mano de Batuk se movió hacia su espada. Su rostro se retorció de rabia—. Esta es la única manera de liberar a nuestra gente. Sin la ayuda de la bestia, no tenemos ninguna oportunidad contra los veladores una vez se enteren de nuestra huida del monte Meru. ¿Acaso no te importa tu gente? ¿Has olvidado todo lo que les debes?

Darle un sablazo a Vyan habría sido menos que ese insulto.

El animal gruñó y rugió, dando zarpazos en el suelo.

—Espera, tengo una oferta. —Batuk hizo un gesto a los hombres para que entraran en el claro.

El recuerdo de todo lo que Vyan había perdido en aquella sangrienta guerra contra los veladores invasores lo atravesó. El dolor forjó una alianza con su ira para desgarrar con un tajo su corazón, aquel corazón que un día se había marchitado dentro de su pecho. Había pasado siglos soñando con vengarse, queriendo hacer prácticamente cualquier cosa con tal de que los veladores pagaran, pero usar a esa mujer revolvía algo en su interior que él creía muerto desde hacía ochocientos años atrás, junto a su esposa.

Su conciencia.

Primero los hombres sacaron de la pértiga las cuerdas que sujetaban las manos y pies de la mujer, y luego retrocedieron rápidamente.

—Todas las guerras requieren sacrificios —le susurró Batuk a Vyan—. Además, tú no tienes poder en el interior de esta jaula, así que no hagas morir a mis hombres por un sentido del honor inapropiado.

Vyan luchaba por encontrar una solución a aquella situación imposible en que se había metido. Puesto que no tenían manera de contraatacar, aquel animal los mataría definitivamente a todos. En realidad, Vyan daría la bienvenida al final de su infierno privado, pero no a costa de otra vida inocente.

Manteniendo un ojo en Batuk y sus hombres, el animal se apoyó en una rodilla cerca de la chica que se retorcía y cuya piel brillaba de miedo. Ruidos débiles gorgoteaban bajo la mordaza de su boca. La bestia la estudió, como si no estuviera segura de qué hacer. Luego metió una uña afilada por entre una de las cuerdas que le sujetaban los pies y la cortó de un tajo limpio. Ella se quedó helada, contemplando fijamente con horror los ojos inyectados en sangre del monstruo. Cortó también las cuerdas que ataban sus muñecas. El cuerpo de ella se sacudió, sus pequeños hombros temblaban. El sencillo saco azul que llevaba como vestido se adaptaba a las curvas de un cuerpo de mujer que contradecía su juventud.

La bestia deslizó suavemente una garra entre la mordaza y su rostro, quitándole el trapo con un pequeño esfuerzo.

Ella gritó, con los ojos desbordantes de terror.

Batuk comenzaba a preguntarse qué era lo que haría realmente la bestia. Lanzó una mirada a Batuk, cuyas cejas negras tensaban su dura expresión.

Su señor de la guerra estaba sin duda confundido.

La mujer comenzó a llorar de un modo histérico y arrojó palabras en una lengua que Vyan no hablaba. Aunque pudo entender lo que significaban. Estaba suplicando por su vida.

El propio desprecio con el que había vivido cada día por fallarle a su mujer no sería nada comparado con lo que sentiría si no hallaba un modo de detener aquello. Lo poco que quedaba de su alma acabaría completamente devastado.

Cuando la chica intentó gatear para alejarse, la criatura rugió y dio un golpe en el suelo con la palma abierta. Salieron enredaderas de la tierra, que subieron por la espalda de la chica y luego se ataron a sus brazos y sus piernas. La bestia mostró los dientes. Sacó la delgada lengua y la extendió hasta tocarle la cara.

Ella se encogió, dándose la vuelta y llorando más fuerte.

Vyan cerró los ojos, maldiciéndose a sí mismo junto con los demás. ¡Aquello estaba mal!

El grito de la chica le hizo abrir los ojos y sacudió lo que le quedaba de humanidad. No podía permitir que Batuk hiciera aquello. Todos habían jurado venganza a los veladores, pero ofrecer aquella pobre mujer a un monstruo no era la idea que él tenía de la guerra.

—¡Espera! —Vyan sabía que tendría que pagar con su propia vida aquella interrupción.

La mirada de odio de la bestia solo era superada por la airada mirada asesina de Batuk, que debería haber hecho retroceder a Vyan, pero no lo hizo.

—La chica no ha tomado el suero que nos dio la bruja —se apresuró a explicar Vyan.

El rostro del señor de la guerra se puso rojo de ira y bochorno, o ambas cosas juntas.

—Nhivoli, ¿por qué no se lo has dado?

—Mi señor, yo no tengo el suero. Es Vyan quien lo tiene.

La uñas de Batuk crecieron convirtiéndose en largas garras

de metal, una señal de que quería matar a alguien. Viendo sus brillantes ojos amarillos clavados en Vyan era fácil adivinar a quién.

—Ella no es más que comida si no se bebe el suero. ¡Dáselo!

El llanto de ella sacudió la jungla. El aire tembló con su desesperación.

—La bruja dijo que no era necesario que se bebiera toda la poción —intervino Vyan—. De hecho nos advirtió de lo que ocurriría si bebía demasiado. —La bruja en realidad había hablado de dar el suero a un animal, y luego dejar la ofrenda a la bestia para que se alimentara, porque ella creía que la poción trabajaría de forma más lenta y duraría más si no era consumida directamente, pero tampoco estaba segura. A Vyan en realidad no le importaba lo que le hiciera al monstruo, pero no permitiría que aquella chica fuera un cordero sacrificado.

—¡Dale la poción ahora mismo! —aulló Batuk.

Vyan se esforzó por pensar rápidamente bajo la amenaza de muerte inminente.

—¿Y qué ocurrirá si se bebe el suero y lo vomita? No podemos arriesgarnos a malgastar nada de líquido. El cuerpo de la bestia es mucho más fuerte que el de ella. Dale un poco a la bestia para ver si funciona. Si no, le das el resto a la chica, pero no dejemos que la mate antes de eso. —No tenía ni idea de cómo lograría liberar a esa chica del monstruo y de Batuk, pero así ganaba unos minutos para idear un plan.

Ignorándolos, el monstruo levantó una mano hacia ella, con los dedos curvados para atacar. Ella gritó, y luego se desmayó.

Vyan dio un paso hacia la bestia, sujetando la espada con la mano. La cabeza de la criatura giró hacia un lado. Miró fijamente a Vyan con un odio crudo.

—Señor. —Batuk extendió los brazos, ofreciéndole las palmas abiertas—. He traído algo mejor que la chica. Tengo un suero que os proporcionará aquello que más deseéis.

La respiración estruendosa de la bestia se aceleró. Sus ojos negros reptaron de la chica a Batuk, y luego volvieron a su presa. Parecía luchar con su indecisión hasta que lentamente movió la mano atrás y adelante por encima de la chica. La orden silenciosa provocó que las enredaderas que la ataban se deslizaran por un lado de su cuerpo y se adentraran en la jungla, como víboras asustadas. Moviendo su mano otra vez, la bestia hizo que su débil cuerpo se elevara y lo sostuvo con un brazo extendido, y para desesperación de Vyan, se dio la vuelta hacia los densos bosques.

¿Y ahora qué?

Vyan era el mejor estratega de Batuk, pero no tenía ni idea de cómo impedir que la bestia se llevara a la chica. Si todo lo demás fallaba, usaría su espada. Hacer eso decididamente tendría como resultado su propia muerte en manos de Batuk, pero Vyan ya tenía suficientes pesadillas sin cargar con la muerte de aquella mujer sobre sus hombros.

Llamó a la bestia.

—¿Así que no quieres el suero que te curará para que dejes de ser una bestia? Entonces tendremos que marcharnos.

Ante su desafío, la bestia se volvió a mirarlo de un modo tan frío que parecía no tener ojos en esas cavidades negras.

Vyan inspiró profundamente y esperó que aquella no fuera la última vez que lo hiciera.

—Deja a la chica y yo te daré el suero.

—Es mi regalo para ti —intervino Batuk rápidamente con suficiente énfasis como para hacer saber a todo el mundo que era él quien estaba al mando. Juntó las manos frente a su pecho, luego hizo una reverencia al monstruo, pero sus ojos ardían con ira cuando miró a su primero al mando.

Lo único que Vyan esperaba era que si sobrevivía a aquello, más tarde pudiera convencer a su señor de la guerra de que estaba tratando de salvarlos a todos. Sacó el frasco de metal y dio un paso hacia delante.

La bestia giró en redondo. La mujer colgaba de su brazo.

—Deja a la chica —repitió Vyan, con un tono de consejo, más que de orden.

Cuando la bestia vaciló, Vyan abrió el frasco y lo inclinó para verter el contenido en la tierra. Al oír la estridencia con que Batuk tomó aire, Vyan se preparó para morir en el próximo minuto.

La bestia lanzó a la chica a un lado, ella aterrizó sobre varios arbustos y luego cayó al suelo. Vyan se estremeció de dolor, pero de momento ella no estaba herida. Estaba magullada y probablemente traumatizada. Pero físicamente se recuperaría.

Colocó el frasco en un trozo de tierra desnudo y retrocedió.

La bestia puso la mano sobre el recipiente metálico, que se elevó en el aire hasta el nivel de sus ojos. Miró fijamente el frasco, claramente interrogándose acerca de su contenido, mientras el murmullo de su grave respiración se oía desde lo profundo de su pecho.

—Necesito que nos ayudes, ¿por qué iba a envenenarte? —preguntó Batuk con tono alentador.

La bestia golpeó el suelo con el pie.

Las enredaderas emergieron de los árboles hacia Vyan y los demás antes de que él pudiera sacar su espada. Luchó por liberarse, pero era como si estuviera atado con metal trenzado.

Los hombres gritaban a Batuk que los soltase.

Su señor de la guerra permanecía de pie mirando fijamente a la bestia.

—Mátame a mí si es lo que quieres, pero libera a mis hombres. El único error que ellos han cometido es el de confiar en mí. Mi único error ha sido creerte, y también de querer vengarme de los veladores, hacer que su líder Brina pague por haberte convertido en lo que te ha convertido.

La bestia dejó de rugir y examinó al señor de la guerra.

En ese momento, Vyan fue testigo de un destello de anhelo en sus ojos vacíos. La bestia quería creer a Batuk.

El silencio los vinculó a todos durante varios segundos.

Luego, la bestia levantó la mano y señaló con un dedo el frasco que flotaba por encima de su barbilla, pero sin llegar a tocarlo. El recipiente metálico se movió hacia la boca de la bestia y se inclinó, mientras la bestia echaba la cabeza hacia atrás para permitir que el líquido marrón se colara por su garganta.

—Puede que no nos ayude —advirtió Vyan por lo bajo.

Batuk estaba increíblemente sereno dada la situación.

—Nunca hemos sabido el resultado de ninguna batalla antes de los primeros golpes de espada. —Volvió la cabeza y clavó en Vyan una mirada amenazadora—. Nunca antes habías dudado de mi habilidad para conducir a mis hombres. ¿Dudas ahora?

—No. Mi lealtad no flaquea. —Vyan se aseguró de que su

voz sonara sólida y convencida para ocultar la mentira. Siendo honesto, su fe estaba a punto de fallar.

Fallaría muy pronto.

El frasco cayó al suelo golpeando con fuerza. La bestia se dobló por la mitad, gimiendo y sujetándose el estómago. Sus ojos eran de un rojo fuego cuando alzó la cabeza. La bestia se arañó el pecho como si tratara de decir algo, y luego se retorció de una forma imposible.

Un grito de agonía salió de sus labios agrietados.

Vyan no podía creer lo que estaba viendo. Rogaba que vivieran suficiente tiempo para que la bruja pagara por lo que le había dado a esa bestia, ese brebaje que lo estaba destrozando en pedazos.

Apareció un polvo rojo de quién sabe dónde, girando en remolino alrededor de ellos, cada vez más y más rápido hasta que la bestia fue engullida en una nube que rugía con un sonido amplificado. Arena, ramas sueltas y piedras se levantaron del suelo en una nube que giraba, tironeando de la piel de Vyan, haciéndole cortes en la cara y en los hombros. Los gritos de los hombres se perdían con el ruido hasta que el viento cesó por completo.

La calma sobrevino tan abruptamente que los soldados se quedaron quietos y silenciosos de modo que Vyan solo oía el latido de su corazón y cada respiración jadeante. Sentía en los labios sabor a sangre y a polvo.

Cuando la niebla se disipó, la bestia ya no era una bestia. Todavía llevaba los tejanos raídos y no tenía camisa. Ahora estaba allí de pie y medía algo más de un metro ochenta. Su pelo dorado y sus ojos pálidos estaban tan fuera de lugar en esa jungla como su perfecta dentadura blanca y sus bellas facciones.

Esos ojos de un verde sobrenatural no eran humanos.

Esos ojos eran lo único que delataba que se trataba de un mutante.

—¿Qué es lo que quieres, señor de la guerra? —preguntó el hombre, con un brillo tan duro en su mirada como los afilados músculos que envolvían la parte superior de su cuerpo. Cruzó los brazos sobre su suave torso.

Batuk pidió calma.

—Me han dicho que eres Tristan. Y que eres un mutante y

no un velador puro, a pesar de que hayas nacido bajo su estrella. Se rumorea que por tus venas corre la sangre de un espíritu oscuro, pero tu cabello y tus ojos pálidos me sorprenden.

Tristan resopló.

—Sin duda no habéis venido hasta aquí para hablar de mi aspecto.

—Como antes te dije, he venido a hacer un trato contigo. Necesito que alguien con tus poderes nos ayude.

—¿Por qué debería importarme lo que necesites?

—Porque si aceptas mi oferta, podrás permanecer con el aspecto que tienes ahora… para siempre. Ya nunca más serás conocido como una bestia.

Las cejas de Tristan se alzaron con asombro, luego sacudió la cabeza y lanzó una mirada malhumorada a Batuk.

—¿Quién te crees que eres para venir a ofrecerme lo imposible?

Pero la curiosidad se había filtrado a través de la bravuconería de sus palabras.

—Soy Batuk, el señor de la guerra kujoo. Mis hombres y yo estamos dispuestos a sacrificar nuestras vidas con tal de que los veladores paguen por los crímenes cometidos con nuestras familias y el saqueo de nuestras tierras. No nos detendremos hasta que todos y cada uno de ellos estén muertos.

Vyan se sintió alentado ante el destello de interés en los ojos de Tristan cuando Batuk mencionó la guerra con los veladores.

—Todavía no has respondido a mi pregunta, señor de la guerra. —Tristan se movió, su postura apática reforzaba su falta de paciencia.

—Déjanos en libertad para que podamos hablar como hombres. Te he demostrado que no soy tu enemigo por la forma que tienes ahora.

Tristan echó a un lado la cabeza, como dando a alguien la orden silenciosa de que se marchara. Las enredaderas se desenroscaron del cuerpo de Vyan y serpentearon hacia los árboles cercanos. La bruja había advertido que aquella parte de la jungla estaba enteramente bajo el gobierno y el poder de Tristan, pero también era su prisión. El área de dos quilómetros cuadrados estaba cubierta por un hechizo que le impedía salir.

En cuanto los hombres estuvieron libres, Batuk se acercó unos pasos hacia él.

—He jurado vengarme de los veladores por asesinar a nuestra gente y hacernos perder el favor de nuestra diosa Shiva. Mis hombres han escapado a través de un portal que abrimos entre los dos mundos. Estoy dispuesto a ayudarte a obtener lo que quieres si a cambio tú me ayudas a conseguir lo que necesito.

—¿Qué es exactamente lo que necesitas?

Batuk vaciló justo lo suficiente como para que Vyan no confiara en la respuesta de su señor de la guerra.

—Liberar a mi gente de su prisión bajo la montaña Meru. Pero estoy seguro de que tendremos un encuentro con los veladores antes de que eso se cumpla. Si es así, necesitaremos tu ayuda para derrotarlos, ya que nuestros dioses nos prohíben enfrentarnos en guerra con los veladores. Tú puedes luchar contra ellos. Nosotros no podemos.

Tristan soltó una risita, un sonido burlón que pretendía ridiculizar.

—¿Te das cuenta de que los veladores que hoy viven son solo un grupito de santurrones mariquitas? Esa perra de Macha los protegerá tanto tiempo como mantengan su juramento de honor.

Batuk curvó los labios.

—Me tiene sin cuidado su juramento, y a ti tampoco debería importarte. —Su justificación crecía con cada descarga de su profunda voz—. Me han contado de qué manera Brina te negó tu derecho de nacimiento. Que ella te enjauló aquí, negándose a que salgas sin su permiso. ¿No anhelas vengarte por haber sido desechado como inservible?

—Tú no sabes nada de mí, solo rumores y cuentos que intercambian los malhechores y las brujas negras. No tengo ninguna razón para creerte. Vete ahora que me siento relajado. O, si no, puede que escoja a uno de los tuyos para llevarlo a mi cueva y mostrarte cómo animo a aquellos que osan aventurarse en mi espacio. —Sus cejas se alzaron con una amplia sonrisa que apareció en su cara demasiado bonita.

Vyan tocó la empuñadura de su espada.

La mirada de Tristan se clavó en él con ojos tan encendidos

como una puesta de sol, que podrían haber servido para cocinar el mono que Vyan querría para la cena. Un rayo de luz feroz se disparó desde su mirada hacia el suelo a los pies de Vyan, lo bastante cerca como para hacer salir humo de sus botas.

En respuesta, Vyan lanzó a Tristan una peculiar mirada nada impresionada, como si le estuviera diciendo «¿es esto todo lo que tienes?». Era una frase divertida que había oído decir a los chicos de la calle en Atlanta. Ajustando sus dedos a la empuñadura de su espada, consideró la posibilidad de recurrir a la magia para responder a la ofensa, pero no se arriesgaría a herir a los otros soldados.

No le pasó por alto el hecho de que Batuk hubiera evitado abordar la agresión.

—Sé muy bien una cosa. —Batuk captó de nuevo la atención de Tristan—. Ningún hombre querría continuar viviendo como una bestia si pudiera salir de esta tierra libremente y con su propio cuerpo en este mismo minuto. Si aceptas mi oferta, yo tengo la llave capaz de abrir para siempre el cerrojo de esta existencia maldita.

Tristan hizo un ruido con la garganta que despreciaba la oferta de Batuk.

—Escucha muy bien, señor de la guerra. Un hechicero local se acercó aquí guiado por la curiosidad. Lo mantuve cautivo durante un mes y le di la oportunidad de utilizar el vudú para curarme. No ocurrió. De hecho, trató de matarme para poder usar mi sangre. Su cráneo decora ahora la entrada de mi cueva. Te daré un minuto para convencerme de por qué no debería usar tu cabeza para completar el juego.

Batuk sonrió con confianza.

—El suero que te he ofrecido fue preparado por nuestra bruja, que sabe mucho acerca de mutantes. Todos mis hombres y yo contribuimos con nuestra sangre en la preparación del brebaje para unir nuestros poderes contigo, pero la bruja nos advirtió de que no durarían mucho. Dijo que podrías escapar de esta prisión mientras conservaras tu forma humana por esta vez, pero que solo duraría tres días. Antes de ese plazo, si te unes a mi ejército, localizaremos la piedra Ngak, que tiene el poder de romper tu maldición para siempre.

Ahora Vyan entendía el plan.

¿Tres días para encontrar la piedra Ngak y conseguir el control? Estaban destinados a morir en ese lapso. La leyenda sostenía que la piedra siempre había escogido un ser poderoso en el pasado. ¿Cuáles eran las posibilidades de que encontraran al nuevo amo de la piedra o de que Tristan cumpliera la misión de Batuk y lograra tomar posesión de la piedra en tan poco tiempo? ¿Y cómo podían confiar en que Tristan mantendría su palabra si aceptaba?

Para Vyan habría estado bien conocer todo el plan antes de viajar hasta allí y arriesgar su vida por nada.

Tristan miró a Batuk con ojos afilados.

—¿Cuál es la parte que no me estás explicando?

—Que no podemos enfrentarnos a los veladores sin llamar la atención de los dioses. No tenemos el apoyo de Shiva, por eso te necesitamos para...

Hubo de nuevo un titubeo, y eso le hizo preguntarse a Vyan qué juego estaba jugando Batuk.

—... para que nos ayudes a enfrentarnos a los veladores antes de dejar este mundo. En segundo lugar, la piedra Ngak ha escogido un nuevo amo. Shiva lo sabría inmediatamente si uno de nosotros se hiciera con el control de la piedra Ngak, o de lo contrario yo ya habría ido a buscarla por mi cuenta. Los veladores infestan la tierra en estos tiempos y no hay duda de que también saben que la piedra ha escogido un dueño.

Tristan negó con la cabeza.

—Entonces básicamente me necesitas para no llamar la atención hasta que puedas salir de la ciudad, ¿es eso?

Batuk inclinó la cabeza en señal de confirmación.

—Una vez convenzas al nuevo amo de que te entregue la piedra por propia voluntad, tendrás en tus manos el poder para romper la maldición de ser un monstruo. A cambio, quiero que uses la piedra para enviar a mi tribu al que era nuestro hogar hace ochocientos años... no el monte Meru, sino el lugar donde vivíamos como hombres con nuestras familias. Y como te he dicho, existe la posibilidad de luchar contra los veladores si se desata un conflicto.

Los ojos de Tristan parpadearon y se afilaron sobre Batuk antes de adoptar una expresión de tácita comprensión que a Vyan le resultó tan poco digna de confianza como las palabras de Batuk. Algo acababa de ocurrir entre los dos. Si pudiera saber qué era...

Todo el cuerpo del mutante se relajó.

—¿Por qué querría ayudarme el amo de la piedra?

—Porque el amo será en esta ocasión una mujer. Con el rostro y el cuerpo que ahora posees, ¿no puedes persuadir a una mujer para que cumpla con tu voluntad?

Tristan esbozó una sonrisa.

—Hay muchas maneras de conseguir que una mujer se pliegue a mi voluntad. Algunas son más agradables que otras. Parece que tenemos un trato.

Puede que Batuk tuviera un trato, pero Vyan no tenía intención de doblegarse ante Tristan ni de confiar en que ese bastardo ayudara a su gente.

Vyan tampoco confiaba ya en su líder.

Eso le permitía contar con una sola persona.

Él mismo. Y solo tenía una forma de actuar. Tenía que encontrar a la mujer que poseía la piedra antes que Tristan, y convencerla para que ayudara a liberar a su gente antes de que el auténtico plan de Batuk los hiciera morir a todos.

Vyan apretó los dientes como si la tarea que tenía por delante desalentara su convicción. Maldita sea, su conciencia había escogido el peor momento para regresar.

Diecisiete

La sensación de estar girando como una peonza cesó abruptamente y Evalle se halló de repente de pie. Movió las manos para recuperar el equilibrio. Sus palmas toparon con una superficie flexible, pero fue la bocanada de aire que aspiró lo que le indicó exactamente dónde se hallaba.

Sen la había teletransportado al interior de un urinario público callejero.

En pleno verano de Atlanta. Grosero.

El sentido del humor de ese bastardo venía del mismo sitio donde tenía la cabeza la mayor parte del tiempo.

Manoseó el pomo de la puerta y salió a tropezones a una acera oscura, con las piernas temblorosas y tragando el aire fresco. La acera se inclinaba por culpa de su mareo.

Las náuseas amenazaban con poner la guinda final a su perfecto día de mierda.

Al menos todavía no había amanecido. Habría sido peor que Sen la enviase a una letrina pública a plena luz del día y a cuarenta grados y sin ropa suficiente para poder salir fuera.

Una mano la agarró del hombro.

—Hey…

Se dio la vuelta bruscamente con la mente llena de furia. Nadie volvería a hacerle daño.

Él paró el golpe de su puño derecho. Ella levantó la rodilla. Él usó la otra mano para desviar la patada que iba directa a sus huevos. Eso dejó un flanco abierto que le permitió a ella contraatacar con el puño izquierdo, dándole en la barbilla.

—¡Oh, maldita sea. Para!

La hizo girar como una peonza.

En ese punto el mareo la ganó. Y se imaginó lo que seguiría.

—O paras o te vomitaré encima —le advirtió, segura de que eso sería suficiente para que Storm la soltara.

—No llevas bien lo del transporte, ¿verdad?

¿Se estaba burlando? Ella podría soltarse aunque él la mantuviera sujeta de espaldas contra su pecho, pero tenía las piernas tan débiles que probablemente caería boca abajo sobre la acera. Siempre odiaba sentirse débil, pero el temblor de sus extremidades no cesaba.

—En VIPER lo llamamos teletransportación. Tú haces que suene como si yo fuera una fruta fresca estropeada durante un envío.

Esta vez él se rio, con un sonido gutural y cálido. Su forma de agarrarla dejó de ser para contenerla y de pronto se volvió cómoda.

Ella trató de apartarse pero su propio cuerpo se negó a colaborar. Los dedos de él le envolvían el abdomen y lentamente se movieron cogiéndola de la cintura. Él respiraba profundamente, con un movimiento que a ella le sirvió para hacerse una idea de lo amplio que era su pecho.

El ambiente cambió de la guasa a la consciencia.

Lo que sentía no era el habitual estado de luchar o salir huyendo que usualmente experimentaba cuando estaba cerca de un hombre.

Estaba dividida entre querer permanecer en esa situación unos segundos más o apartarse violentamente de alguien que al fin y al cabo estaba ayudando a Sen.

—¿Estás mejor ahora? —La voz de Storm sonó cercana a su oído y como si no quisiera oír un «sí», pero esa fue la respuesta que ella le dio—. De acuerdo. Si te suelto, ¿prometerás no golpearme ni escaparte de mí?

—No por ahora.

Cuando los brazos de él se apartaron, ella experimentó un temblor de decepción. Y la sorprendió no experimentar ese miedo que le helaba los huesos al estar sujeta entre sus brazos.

¿Alguna vez llegaría a desear que un hombre la tocara… que realmente la tocara?

Ella retrocedió, reconociendo la calle y los edificios al darse la vuelta y comprobando que su moto estaba en el mismo lugar donde la había dejado. Satisfecha de que no le hubiera ocurrido nada a su pequeña, miró de frente a Storm.

—¿Qué hora es?

—Alrededor de las cinco. Será de día en media hora.

Mierda. Había perdido casi cinco horas a pesar de que la reunión del Tribunal había parecido durar menos de una hora. Isak debía de estar muy cabreado al ver que le daba un segundo plantón en su segunda cita. Había que hacer frente a un solo problema cada vez. Clavó sus ojos en Storm.

—¿Qué estás haciendo aquí?

—Esperando a que aparecieras. De nuevo. —Inclinó la cabeza en dirección a la moto—. La encontré después de que te marcharas. Me imaginé que la habías aparcado por aquí y quise tenerla vigilada.

—¿Por qué?

Storm la miraba de una forma que la llevaba a pensar que se había perdido algo en la conversación, como si hubiera hecho una pregunta fuera de lugar.

—Ya era bastante malo ser arrancada de la tierra por Sen, pero hubiera sido mucho peor volver y encontrarte sin tu moto.

Había sido amable por parte de él cuidar de la moto, ya que no tenía ni idea del sistema de seguridad que impedía robarla. Su amabilidad la conmovió mucho más de lo que hubiera querido.

—¿Y qué pasa con la búsqueda de la piedra Ngak?

—Sen regresó poco después de tu partida. Le dije que ya había terminado mi turno en el parque y que si esperaba que trabajara contigo, entonces tú tendrías que estar aquí para que eso fuera posible.

¿Con qué propósito le pondría Storm un cebo a Sen? ¿Especialmente por qué con ella? ¿Le estaría diciendo la verdad o simplemente trataba de manipularla para que pensara que estaban del mismo lado? Ella mantuvo oculta su curiosidad.

—Tendremos que encontrar esa piedra.

—Los agentes de VIPER han estado en el parque y las zonas de alrededor toda la noche, así que la misión no ha estado enteramente abandonada. Además, no creo que ninguno de nosotros encuentre esa piedra hasta que esta escoja a su mujer.

Hizo que sonara como si lo hubiera dicho un adolescente cachondo.

—¿Qué agentes han estado aquí desde que me fui?

—Casper vino durante un rato, y luego estuvo aquí Tzader. Otro tipo se unió a él....

—¿Quinn?

—Sí, apareció de repente. Los dos se marcharon hace poco.

Pero Storm se había quedado. Ella desearía saber cómo tenía que sentirse respecto a eso, pero solo había dormido un puñado de horas en tres días y estaba demasiado cansada para pensar llegados a este punto.

—Me voy a casa. Gracias por vigilar mi moto.

—No es nada. ¿A qué hora quieres que volvamos a reunirnos?

Vaya, finalmente había descubierto que pedirle que se encontraran a una hora específica no funcionaría.

¿Pero qué podría decirle a Storm? Había dejado de nuevo plantado a Isak y seguía sin tener forma de encontrarlo. Puede que Isak supiera por qué el demonio Birrn iba en busca de un mutante, y esa información podría ser útil ante el Tribunal, pero dudaba de que compartiera algo con ella después de ese segundo plantón.

Demonios, estaría de suerte si no apuntaba hacia ella el enorme cañón que cargaba con él.

Storm esperó pacientemente una respuesta, con sus ojos llenos de una tranquila comprensión en la que realmente ella hubiera deseado confiar.

—Te veré en la misma puerta esta noche a las nueve. —Ella dio la conversación por acabada y se dirigió hacia la moto antes de hacer alguna estupidez como ofrecerse a tomar un café con él.

—Funcionará. Voy a dormir un poco y luego voy a seguir un par de pistas.

Evalle ya estaba a punto de llegar a la moto cuando sus palabras la detuvieron.

—¿Qué pistas?

—Sobre el asesinato del Birrn. —Storm avanzó unos pasos y se detuvo frente a ella—. Tú podrías ayudarme contestando algunas preguntas.

Está bien. Él había reconocido un aroma a menta.

El de ella.

—¿Por qué piensas que podría serte de ayuda?

—Uno de los hechiceros dijo que tú habías estado allí y que los ayudaste a escapar del Birrn. ¿Quieres explicármelo?

En realidad, no.

Él le había preguntado si antes de la reunión con el Tribunal ella había tenido que luchar contra un ataque de pánico. Ahora tenía muchas más preocupaciones que la agenda de Sen. Estaba enferma del estómago por llevar tanto rato mareada y no le quedaba energía para enfrentarse verbalmente a Storm.

—Sí, yo estuve allí. Sí, ayudé a los gemelos a escapar del Birrn. Y sí, te lo podía haber dicho esta mañana y evitar que trabajaras tan duro hoy para darle a Sen la información que necesitaba para suspenderme. Siento no haber querido ayudarte a ponerme la correa.

Tratar de ser más hábil que Storm con las palabras era como jugar al balonmano con un pulpo. No podía hacerlo durante mucho rato sin salir perdiendo.

—Todo eso lo sé, y que luchaste contra el Birrn y que estabas presente cuando el Birrn fue destruido.

Evalle se había cruzado de brazos y tenía los puños cerrados, preparada para decirle lo que pensaba de cualquiera que fuese el hombre que procuraba información a Sen, pero Storm no la dejó.

—Duerme un poco y refréscate. Mis preguntas pueden esperar. —Storm usó un dedo para limpiarle una capa de sudor de la frente, y el movimiento barrió su enfado a un lado con la misma facilidad—. A pesar de lo que piensas, yo no acepté trasladarme a Atlanta con el único propósito de entregarte a Sen en una bandeja. ¿Quieres que sea sincero? Bien. Él cree que tú le estás escondiendo algo, y lo que específicamente me ha pedido saber es si algo puede estar poniendo en riesgo la coalición de VIPER. Cunado Sen preguntó antes por el Birrn, yo le dije que estaba siguiendo el rastro de la persona que lo había matado, que es lo que estoy haciendo. Pero tú no lo mataste, ¿verdad?

Ella no se atrevía a hablarle a Storm acerca de Isak por

miedo a que él le trasmitiese la información a Sen... lo cual definitivamente no iría a favor de sus mejores intereses. Además, todavía tenía que averiguar qué era lo que Isak sabía acerca del Birrn.

Eso si él le volvía a dirigir la palabra algún día, después de que lo hubiera dejado plantado dos veces.

—No. Yo no lo maté.

—Entonces será mejor que corras. —Su tono era feroz.

—¿Por qué?

—Porque te convertirás en una mutante bien tostadita si no lo haces —le dijo jugando.

Ella se permitió una sonrisa.

—¿Por qué no le contaste a Sen que yo había estado en el lugar donde fue asesinado el Birrn?

Storm podía convertir un minuto en el período de tiempo más largo solo con mirar con esos ojos abrasadores.

—Porque yo no soy el chivato de Sen. Yo decido por mi cuenta quiénes son los buenos. —Giró la palma de la mano y la subió hasta su cabello, dejando que sus dedos descansaran sobre su hombro por un breve momento antes de retroceder. Sus ojos estaban más oscuros que antes. Fuera lo que fuese lo que estaba pensando desapareció tras su mirada cerrada—. Ahora vete, antes de que algo aún más malvado que un Birrn venga esta noche y decida comerte.

Ella le habría hecho más preguntas, pero todos sus instintos le indicaban que saliera de allí lo más rápido posible. Porque si no lo hacía, efectivamente algo malvado podía devorarla. No era que realmente le importara. Al paso que iba, estaría muerta al cabo de tres días.

¿O sería capaz de encontrar el milagro que pudiera conservar su libertad y salvar el mundo de aquellos que deseaban destruirlo?

Dieciocho

Aún no había amanecido aquel lunes cuando el tráfico se dirigía en masa hacia las zonas de aparcamiento, ante las cuales pasaba Evalle en ese momento. Disminuyó la velocidad para escudriñar cada una de ellas.

No había troles trabajando en los pabellones. Ni demonios acechando en las sombras.

Vigilaba tres aparcamientos en el centro de Atlanta para Quinn, que parecía poseer más inmuebles que muchos países pequeños. Si él quería considerar como trabajo una visita nocturna para cuidar sus negocios, no sería ella quien se lo discutiese. Sobre todo porque Quinn le ofrecía un alquiler reducido en recompensa por la vigilancia.

Ya había cumplido todas las misiones de esa noche.

Condujo la moto en dirección a casa.

«¿Cuándo volverás a casa?», preguntó Quinn en su mente.

¿Cómo sabía que aún no había llegado? Aparte de sus demás dones, ¿también era psíquico?

Elevó la mirada al cielo que amenazaba con soltar los primeros rayos de sol en apenas unos diez minutos.

«Estoy a un kilómetro y medio del ascensor.»

«Z y yo te veremos allí.»

No era un gran conversador, este Quinn.

Giró por el bulevar Marietta y entró en una calle lateral que la dejó por debajo del nivel del tráfico de Atlanta. Sus estrechos neumáticos rebotaban en la calle con surcos que transcurría a lo largo de las vías del ferrocarril que en otros tiempos formaban la zona original subterránea de Atlanta, donde los civiles acudían en grupo por su seguridad. La zona subterránea de Atlanta hoy en día se había convertido en una atracción turística floreciente bastante segura para los niños.

Ella prefería las espeluznantes horas del amanecer allí abajo, en la oscuridad del vientre de Atlanta, donde los trabajadores del muelle sudaban para ganarse la vida, antes que el inmaculado mundo de trajes caros... un mundo lleno de doctores que simplemente nunca bajaban allí.

Aparcó frente a la puerta de su ascensor personal, que podía soportar el peso de un vehículo grande, apretó el control remoto para abrirlo y entró.

Oyó pasos que se acercaban, haciendo crujir la grava acumulada sobre el pavimento. Empujó la moto para hacerla entrar en el compartimento del ascensor y se volvió para poder verles la cara a sus visitantes.

—¿Qué tal, chicos?

—¿Siempre tienes que regresar tan al límite de las horas de luz? —preguntó Quinn.

Ella le sonrió abiertamente.

—Cortar el heno cuando no brille el sol y todo eso. Además, Sen hizo que se me hiciera tarde.

—¿Qué es lo que quiere ahora? —Tzader fue el último en entrar, y sonaba abatido. ¿No habría descansado desde el día anterior?

—Me agarró para llevarme a una reunión ante el Tribunal... —comenzó a explicar ella.

—¿Sin contactar antes conmigo? —Tzader sentía crecer su ira.

Evalle apoyó la moto contra su cadera y levantó una mano, dudando si convenía hablar allí.

—No se trataba de una audiencia para la suspensión, lo cual hubiera requerido el debido procedimiento.

No más satisfecho que Z, Quinn captó su reticencia a dar explicaciones.

—Entremos a su apartamento donde nadie pueda oírnos.

Ella tecleó el control remoto, cerró la puerta y dirigió su atención al panel de botones alargados que estaba colocado detrás de un cristal a prueba de balas.

Colarse dentro del ascensor sería fácil para un intruso.

Romper el cristal a prueba de balas que había sobre los botones dispararía todos los juegos de alarmas de las habitaciones subterráneas donde ella vivía. Pero incluso si alguien llegara tan lejos, le haría falta conocer la secuencia correcta para accionar los botones. Esta cambiaba a diario, y solo las tres personas que había ahora mismo dentro de aquel ascensor conocían esos códigos.

Tzader y Quinn podían accionar el código cinéticamente, y eso es lo que habría hecho alguno de los dos, porque el ascensor comenzó a moverse.

—¿Tienes algo de comer aquí? —Tzader se ponía completamente malhumorado cuando además de estar cansado estaba también hambriento.

Ella se puso a pensar.

—Claro, tengo una nueva receta para...

Tzader y Quinn dijeron al unísono:

—No.

—No es justo. No habéis probado nada de lo que cocino desde aquella primera vez. —Cuando el ascensor se detuvo a varios metros por debajo del suelo, ella mentalmente accionó los botones a la inversa y empujó la moto hacia la zona de treinta metros cuadrados de su mundo privado. Colocó el vehículo en el ascensor hidráulico que usaba para su pequeña y la calzó para dejarla inmóvil en su sitio. A un lado de la habitación había una hilera de armarios blancos, colocados en la parte superior e inferior de la pared, pero ella era la única que podía verlos en ese momento.

Una serie de luces fluorescentes se encendieron por encima de sus cabezas.

Lo habría hecho Quinn, que no tenía paciencia para estar a oscuras.

—Yo me encargo de la puerta —dijo Tzader, al tiempo que el ascensor se cerraba tras ellos.

Después de una mirada rápida para asegurarse de que todo estaba tal como lo había dejado, Evalle los guio a través de una serie de túneles sin luz hacia su apartamento.

La tensión de sus hombros se aligeraba a medida que se aproximaba a su hogar. Quinn la habría dejado vivir allí sin pagar alquiler.

Ni hablar. Si fuera necesario dormiría en un lavabo público, y lo había hecho, antes que deberle a alguien algo tan básico como un lugar donde vivir. Él había puesto un precio justo, y ella se ganaba un salario con su trabajo en la morgue y recibía una paga de la fundación de los veladores como agente de la coalición.

VIPER negociaba los pagos de todos sus agentes con excepción de los veladores, que preferían no aceptar dinero de la coalición. Evalle imaginaba que Brina y Macha no querían depender de VIPER igual que ella no quería depender de nadie.

Quinn estaba en la junta de los magnates financieros de los veladores, que invertían los fondos acumulados a lo largo de generaciones. Ellos cuidaban de los suyos.

—¿Qué le ha pasado a la luz de este pasillo? —se quejó Quinn.

—Estoy ahorrando en tus facturas. —Mientras se acercaba a la puerta de acero que no tenía pomo ni cerradura a la vista, ella lanzó un canal de energía para abrirla.

Quinn gruñó algo en voz baja.

—No soy el maldito dueño de un tugurio. Todas mis propiedades tienen energía verde y lo sabes. No me digas que tus ojos no pueden aguantar un poco de luz.

—Tienes mejores cosas en las que gastar el dinero.

Podía mostrarse autoritario algunos días, en especial en lo concerniente al bienestar de ella, pero respetaba su necesidad de independencia.

Evalle entró en su vivienda. Candelabros en las paredes y diminutas luces halógenas empotradas en el techo iluminaban la sencilla habitación. Quinn defendía que se necesitaba suficiente luz para que los invitados se movieran de forma segura.

Ella como norma no tenía invitados, pero incluso una persona ciega podría manejarse entre los pocos muebles que tenía.

Era un hogar y era el suyo. Salía y entraba a su antojo. Su única indulgencia eran las plantas, especialmente las que tenían flores a las que engañaba con luz artificial.

Tzader se dejó caer sobre el sofá lleno de bultos, dejó escapar un gemido nacido de un profundo cansancio y se quitó las botas. Se echó hacia atrás, estiró las piernas cubiertas por los tejanos y cruzó los brazos sobre la camiseta negra sin mangas, tan completamente distinta de la camiseta de felpa gris de cuello redondo que llevaba Quinn, con un logo de golf sobre el pecho y una tiras sueltas.

—Veo que has cambiado la decoración desde la última vez que estuve aquí. —Quinn envió una mirada reprobatoria al puf naranja que había en medio de la habitación—. ¿Has tenido un rato para decidir cuál es la mejor localización para esta cosa?

—Qué lástima que no hay una policía de esnobs, Quinn. Harían una fortuna con tus informes.

Él suspiró con fatigada paciencia.

A ella le encantaba alterar su nariz aristocrática.

Un ruido al fondo del apartamento la hizo entrar en acción. Se apresuró y saltó por encima del ofensivo puf.

Un gruñido retumbaba desde el pasillo que daba al dormitorio.

Se oyeron unas pisadas en el suelo duro de cemento, dirigiéndose hacia el salón, cobrando velocidad y finalmente provocando el eco de pequeños estallidos.

—¿Evalle? —Tzader constató la amenaza y se puso en pie. Los cuchillos que colgaban de sus caderas chasquearon listos para entrar en acción. Dio un paso hacia ella.

—Oh, por la bendita diosa —murmuró Quinn.

Ella les ordenó a los dos:

—Retroceded. Lo tengo bajo control. —Manteniendo su atención en el pasillo, se preparó para el ataque que saldría de la oscuridad.

Una gárgola de cincuenta centímetros surgió por el aire, batiendo las alas, como una bala de cañón con la boca abierta para exponer sus afilados dientes. Todos apuntando en dirección a su pecho.

—¡Maldita sea, Evalle! —Tzader trató de agarrarla del brazo y falló porque ella saltó a un lado en el último segundo.

La gárgola aterrizó sobre el puf, y el impulso la hizo deslizarse con él todo el camino a través de la habitación hasta topar con la pared.

Evalle se echó a reír, disfrutando del mejor sonido que había viajado por su garganta en todo el día.

—Eso ha estado bien, *Feenix*. Ven aquí, cariño.

Feenix hizo un ruido que sonó en parte como un gruñido y en parte como su habitual resoplido cuando era feliz. Tenía la boca completamente abierta, mostrando los afilados incisivos que eran tan letales como parecían. Soltó su pequeña barriga y cerró sus alas de murciélago al bajar del puf, todavía sofocando la risa por su manera de deslizarse digna de un premio NASCAR. Todos ellos eran fans de las carreras americanas de coches.

—Esa cosa no es consciente de su fuerza —gruñó Tzader, pero sus cuchillos estaban quietos en su sitio. Señal de que se encontraba relajado—. Un día se acabará haciendo daño.

—No, no lo hará. —Se puso en cuclillas mientras *Feenix* caminaba hacia ella como un pato, agitando felizmente las alas. Sus enormes ojos eran dos esferas naranjas que brillaban como una calabaza de Halloween en contraste con su cuerpo cubierto de escamas marrones y de un verde oscuro.

—Te podía haber conseguido un perro... algo adecuadamente entrenado que no te matase. —Quinn dio un paso a un lado, poniendo sus pantalones caros fuera del alcance de las afiladas puntas de las alas de *Feenix*.

—Un perro o un gato querrían salir fuera a la luz del día y necesitarían más cuidado del que podría darles. A *Feenix* le gusta la oscuridad, es autosuficiente y me quiere. Es perfecto. —Ella abrió los brazos y él fue a su encuentro, cerrando las alas para que pudiera abrazarlo. Era como abrazar a un sumiso caimán, tan frío como una cueva negra y con un olor a cuero recién tostado. La piel que le cubría las alas era la parte más suave—. Por fin di con el nombre perfecto. *Feenix*.

—Porque *Lucifer* ya estaba escogido supongo...

—Cuidado, Quinn —dijo ella en forma de amenaza burlona—. O le diré a *Feenix* que quieres un abrazo.

Tzader soltó una risita y negó con la cabeza.

Quinn se estremeció en su camino al sillón reclinable que había escogido la semana pasada de un saldo de última hora de la noche.

Para ella era difícil encontrar mercadillos de rebajas cuando la mayoría se cerraban al caer la noche.

—No es un pájaro que se alce de sus cenizas —murmuró Quinn.

Ella discutió.

—Sí, sí lo es, pero de todas maneras no es exactamente el

mismo nombre. Es con dos ees. —Se lo deletreó—. Escogí *Feenix* porque este pequeño bicho sobrevivió a un hechicero demente y escapó de un edificio en llamas mientras que todas las otras *cosas* que el hechicero había creado murieron a pesar de ser más grandes y más fuertes.

Soltó a *Feenix*, que andaba como un pato a través de la habitación haciendo ruidos tipo gruñidos. Recogió un cocodrilo de peluche y metió el suave juguete en el pliegue de su brazo doblado, sujetándolo como a un muñeco de trapo.

—Y en cuanto a *fénix*, el nombre del pájaro, significa «el más hermoso entre los de su especie». Exactamente igual que mi *Feenix*.

Quinn se aclaró la garganta.

—Evalle, querida, puede que finalmente necesites que el médico te prescriba unas gafas. Esa criatura *no es* atractiva.

—Para mí sí que lo es —susurró ella. Luego sonrió a Quinn, que despotricaba acerca de la mayoría de las elecciones que ella hacía en su vida. Odiaba que no le hubiera permitido contratar gente para terminar de decorar el interior de aquel lugar y comprar muebles. Ella sí les había permitido a él y a Tzader que le compraran plantas, y por eso aquello parecía más una jungla que una casa.

—¿Comida, Evalle? —le recordó Tzader.

Ella se balanceó a un lado y a otro, sonriendo.

—Tengo *pizzas* congeladas.

Ninguno de los dos hombres dio muestras de interés. Ella añadió:

—Y tengo abastecido mi bar. Tengo todo un alijo, y agua para Quinn y una Guiness... nada menos que de barril, para ti, Z.

—Ahora estás hablando en serio. Tzader se estiró de nuevo, para acabar apoyando los pies en un brazo del sillón.

—Con suficiente alcohol puedo comer cualquier cosa. —Quinn le hizo un gesto de desdén.

—No querrás arruinar tu gusto por el caviar —murmuró Tzader.

—Ni tú el tuyo con las salchichas de Viena. —Recostado y con los ojos entrecerrados, Quinn estiró las manos en los brazos del sillón, como si disfrutara de los sencillos muebles más de lo que quería reconocer.

—¿Qué pasó con Sen? —preguntó Tzader antes de que ella saliera.

—Esperemos a que os traiga comida y bebida.

Tzader hizo un ruido de aceptación.

Evalle se dirigió a la cocina y se detuvo cuando recordó algo que tenía en el bolsillo.

—*¿Feenix?*

La gárgola alzó los ojos, abriéndolos con expectación.

¿Cómo podría alguien no quererlo?

Sacó la tuerca de rueda que había encontrado y la lanzó por el aire.

Él extrajo la lengua, atrapó el regalo en el aire y se lo metió en la boca. Hizo un sonido de estarlo saboreando y sus mejillas se hincharon como si estuviera chupando un caramelo.

—¿Eso era una tuerca de acero? —A Quinn no se le escapaba nada.

—Sí. Le encanta todo lo que es plateado.

—Oh, diosa bendita… —Quinn murmuró algo más que la hizo reír y después ella entró en la cocina.

Sentía el corazón cálido ante la extraña sensación que la envolvía. Felicidad. Menudo momento para sentirse por fin feliz ahora que estaba a punto de morir o de ser encarcelada en el plazo de tres días.

Se puso a calentar el horno. Tenía que agradecerle a Quinn la cocina de acero inoxidable, que ya estaba allí cuando ella se mudó. Él y Tzader habían ido a visitarla solo dos veces desde que se había mudado, cuatro meses atrás, y nunca se habían quedado mucho rato.

¿Podría ser que tuvieran miedo de que los invitara a comer después de lo que les había cocinado la primera vez? ¿Quién iba a saber que el pato olía tan mal cuando se quemaba?

Sacó una jarra del armario y comenzó el lento procedimiento de servir una Guinness de barril mientras ponía las *pizzas* en el horno y preparaba el cóctel de Quinn.

Tener compañía aquella noche después del horroroso Tribunal era… agradable.

Quinn y Tzader podían visitar su refugio cuando quisieran, pero los demás no. Incluso después de dos años, no sabía demasiado acerca de sus experiencias pasadas, pero sí sabía la única cosa que realmente importaba... que podía confiar en ellos sin la menor duda.

Cuando Tzader tuvo la oportunidad de trasladarla a la división del sudeste, ella aceptó inmediatamente, moviéndose a través del campo durante tres noches. Eso había sido cinco meses atrás. Tras llegar a Atlanta, había encontrado un gimnasio donde podía ejercitarse y ducharse por las noches. Durante el día, dormía en un almacén cercano que tenía el clima controlado. Allí guardaba un saco de dormir y una bolsa con ropa.

Era lo mismo que había hecho cuando comenzó a vivir por su cuenta a los dieciocho años.

Al ver que ella evitaba llevarlos al lugar donde se estaba quedando, ellos un día la siguieron hasta el almacén.

Quinn al principio había quedado horrorizado, luego enfadado, y finalmente se había limitado a suspirar y decirle:

—Prepárate para mudarte en veinticuatro horas.

Tzader se había negado a ni tan siquiera discutir otra alternativa.

Ella finalmente había aceptado con la condición de pagar un alquiler por el apartamento. Nada de tratos de caridad y nada de deber nada a nadie. Estaría dispuesta a vivir en un almacén o un lugar peor durante el resto de su vida antes que estar a merced de alguien.

Nadie volvería a ser dueño de su vida otra vez.

Ella nunca había compartido los horribles detalles de su niñez que la habían llevado a volverse tan independiente.

Ni siquiera con esos dos hombres.

Quinn le había asegurado que tenía un espacio que estaba dentro de su presupuesto, e incluso estaba dispuesto a ajustar más el alquiler si echaba un vistazo a algunos de sus garajes.

Así es como había acabado en un espacio con todo el encanto de un refugio antinuclear, que era un paraíso comparado con el claustrofóbico agujero donde pasaba veinticuatro horas al día cuando tenía dieciocho años. Aquí tenía más de cien metros cuadrados para hacer lo que se le antojase. Con su limitado presupuesto, lo cual significaba que hacía muy poco.

Finalmente acabaría convirtiendo aquello en un verdadero refugio.

Si el Tribunal no decidía encerrarla en otra parte.

Si era así, Brina la pondría en algún lugar donde nadie pudiera encontrarla. Ni siquiera Tzader.

Evalle estrujó la toalla de secar los platos que tenía en la mano. Si eso ocurriese…

Algo le dio unos golpecitos en la pierna, sacándola de ese momento de desesperación que le oprimía el pecho.

Feenix estaba allí con su bebé cocodrilo metido bajo un ala. Tenía los ojos caídos, y eso era señal de que estaba infeliz o preocupado.

—¿Qué ocurre, cariño?

Él apoyó la cabeza contra su pierna y le dio unas palmaditas en los pies, algo que había hecho la última vez que había llegado a casa conmocionada después de que el Tribunal la hubiera convocado a una reunión.

¿Acaso sentía que ella estaba bajo amenaza?

Evalle no se rendiría sin luchar, pero se aseguraría de que *Feenix* estuviera cuidado si ocurriera lo inconcebible y ella perdiera.

—Todo está bien. —Sonrió para que las palabras sonaran ciertas. Se estiró hacia la encimera y abrió un cajón del armario para sacar una larga cuchara de cocina de acero inoxidable que había encontrado en la basura y había esterilizado—. Aquí tienes, cariño.

Ella le puso la cuchara bajo la nariz y él la mordió, quitándosela de la mano.

—Vuelve y haz compañía a los chicos. Yo voy en un minuto. ¿De acuerdo?

Feenix se alejó tambaleándose, lamiendo la cuchara que ahora sujetaba en una mano y arrastrando su animal de peluche aferrado con sus otros cuatro dedos.

Evalle llevó al salón una pequeña bandeja de plástico con una botella de Powerade, la jarra de cerveza de Z y el cóctel de Quinn. Algún día colocaría en el salón una televisión y una cadena de música estéreo, pero por ahora su ordenador portátil en el dormitorio y el radiocasete en la cocina eran suficiente.

—Pon la mesa, *Feenix*. —Evalle llevó la bandeja con las bebidas allí donde él puso un cartón en la posición de una mesa de café al alcance de Tzader y Quinn—. Gracias, cariño.

Feenix aplaudió con las manos y se puso de nuevo a jugar con su cocodrilo.

Ella retiró el tapón de plástico de la botella de Powerade y tomó un sorbo.

—¿Preparados para que os ponga al día mientras se cocinan las *pizzas*?

Tzader se incorporó en su asiento, se frotó los ojos, luego levantó la jarra y miró la capa superior de la cerveza.

—Impresionante. ¿Dónde aprendiste a dibujar el trébol de cuatro hojas en la espuma?

—Internet. Para todo hay vídeos en YouTube. —No tuvo que preguntar si la bebida de Quinn estaba bien. Él tenía una expresión eufórica después de beber un trago—. ¿Por qué no me contáis los dos lo que descubristeis en Carolina del Norte, y yo os cuento lo del Tribunal y lo que Trey no sabe acerca de los demonios, ya que me imagino que a estas alturas él os habrá puesto al día?

En los ojos de Tzader la furia hervía a fuego lento, pero asintió.

—Hablamos con él. —Quinn se reclinó en su asiento—. Te diré lo que sé, luego Tzader puede hablarte acerca del informante. El mutante que fue cogido en Carolina del Norte hace dos meses tendría cerca de veinte años o veintipocos, de acuerdo con los merodeadores de allí. Era un ladrón, entró en algunos negocios, robó un par de coches, hurtaba en almacenes, pero nada de mayor importancia.

Evalle golpeó con los dedos en su rodilla, pensando.

—¿Lo arrestaron alguna vez?

—No. Su velocidad era antinatural, como la habilidad de Trey, que sospechamos que pudo ser heredada como un atributo de velador. La policía simplemente pensó que era un delincuente profesional. No había huellas dactilares y nunca captaron su rostro en las cámaras de seguridad. A mí me costó hallar un denominador común en los delitos hasta que comencé a pensar en tu aversión al sol.

—¿Él también es un tipo raro que vive como un vampiro? —bromeó Evalle. Fue hasta el puf y le dio una patada para acercarlo a la mesa de café improvisada con cartón, luego se sentó dejando escapar el aire.

—Sabes que odio que te llames rara a ti misma —la amonestó Quinn—. Pero no, él no era nocturno. La policía le puso una trampa, pensando que un coche abierto con un bolso con cámara oculta en el asiento trasero resultaría un atraco fácil si lo dejaban solo durante tres días de lluvia. El mutante robó el coche el cuarto día en medio de un sol brillante. Ahí descubrimos que todos sus delitos habían sido cometidos a la luz del día y nunca bajo la lluvia. Un velador de las fuerzas de la policía que seguía el caso se dio cuenta de que el delincuente podía tratarse de un ser sobrenatural, así que pidió encargarse de la vigilancia. Cuando el mutante robó el coche, el policía velador lo siguió, seguro de que localizaría una criatura no humana, por eso llamó para pedir apoyo.

Evalle asintió.

—¿Y así es como nueve machos veladores lo acorralaron, verdad?

—Sí. Durante las seis horas de persecución, el tiempo comenzó a cambiar de nublado a un frente tormentoso aproximándose. Cuatro de ellos lo acorralaron en la parte trasera de un colegio un domingo, y los otros cinco acudieron al recibir una llamada telepática. Antes de que el ladrón se diera cuenta de que los policías no eran humanos los dejó atrás corriendo, saltó de su coche para huir justo cuando empezaba a llover. Los veladores para entonces ya habían formado un vínculo. El ladrón era igual que cualquier otro delincuente asustado hasta que se mojó, entonces se puso a gritar como si se hubiera quemado con ácido. En ese momento se transformó, convirtiéndose en una bestia que arrancó la cabeza de uno de los veladores antes de que ellos se dieran cuenta de lo que él era y tuvieran la oportunidad para romper el vínculo.

Ella se mordió el labio inferior, enferma ante la pérdida de tantas vidas. Sus familias, cuyo padre, marido, hermano o hijo jamás volverían a casa.

—¿Cómo averiguaste todo eso mientras VIPER no pudo descubrir nada en las dos primeras semanas?

—Otro velador de la zona oyó la llamada de socorro de esos nueve cuando el mutante comenzó a transformarse y mostrarse después de los asesinatos, pero antes de que llegaran allí las fuerzas de la ley. Este velador tuvo la sensatez de quitar los vídeos de los coches de policía y llamar a Brina, que envió a Sen a limpiar el desastre y transportó al mutante a una localización segura. Brina le dijo al velador de la zona que guardara el vídeo hasta que Tzader y yo apareciéramos, ya que a su modo de ver se trataba más de un asunto entre veladores que de algo de la incumbencia de VIPER.

Evalle levantó una ceja al oír eso.

—Brina quiere tener los trapos sucios a buen resguardo.

Tzader dejó escapar un sonido desconforme.

—No empecemos, Eve. La primera responsabilidad de Brina es para con nuestra tribu, lo cual te incluye a ti.

—Incluso un chucho recibe un hueso de vez en cuando. —Pero Brina había intervenido por ella hoy.

Quinn se puso en pie y contempló a Tzader.

—¿Por qué no sigues tú y yo voy a reponer nuestras bebidas?

Tzader le pasó su jarra.

—Cuando estábamos investigando en Charlotte, pescamos a alguien robando el botín del mutante. Alguien con la habilidad de cambiar su apariencia física.

—¿Un trol?

—Eso es. Cuando Quinn descubrió la importancia del tiempo meteorológico hizo un mapa de la zona donde tuvieron lugar los robos y dibujó unas líneas hasta que descubrimos una zona general de intersección. En cuanto tuvimos eso, comenzamos a interrogar a los merodeadores y encontramos la guarida del mutante en un edificio abandonado. Antes de entrar, pasamos una semana observando el escondite para ver si había alguien conectado con él de alguna manera. Lo que encontramos fue un trol que apareció los días soleados mientras el mutante estaba fuera y se llevó algunas cosas, como joyería o una motocicleta cromada. Nada demasiado impactante dentro de la pila de cosas que encontramos, pero sí algo consistente.

—¿Qué era lo que hacía el mutante con las cosas robadas?

—Parecía que la mayoría de ellas las empeñaba, y el dinero lo guardaba en una salida del aire acondicionado de su escondite. Tenía una revista doblada por la sección de furgonetas, como si estuviera tratando de ahorrar dinero suficiente para comprar una.

Evalle entendió inmediatamente por qué alguien que no podía soportar la lluvia de la misma manera que ella no podía soportar el sol, querría un vehículo de bajo perfil donde poder vivir en caso de necesidad. A ella le habría encantado tener una furgoneta de esas en lugar de viajar en todos los autobuses nocturnos que había tomado durante mucho tiempo.

—¿Qué ocurrió con el trol?

Tzader cogió la cerveza que le ofreció Quinn, luego miró la capa de espuma.

—¿No hay trébol?

Quinn soltó un suspiro como de sentirse explotado y abrió una barra de chocolate de Mr. Goodbar de tamaño extragrande, que Evalle había comprado ya que sabía que era la golosina favorita de él. Quinn dijo a Tzader:

—No hay trébol, no, y tampoco hay sombrillitas de papel. Le estabas hablando a Evalle del trol.

Tzader bebió primero un trago de cerveza y después continuó hablando.

—Capturamos al trol y amenazamos con delatarlo a VIPER porque él no había declarado su residencia en Charlotte. Juró que se marcharía ese mismo día.

Evalle resopló al oír eso.

—Dijo que se iría a casa a cuidar de la madre anciana y enferma que no tiene, ¿verdad?

—Algo parecido —admitió Tzader—. Nosotros le dijimos que no iría a ninguna parte a menos que pudiera brindarnos información acerca del ladrón al que había estado robando en las próximas veinticuatro horas. Si así lo hacía y esa información resultaba confirmada y útil, podría marcharse. Volvió dos horas más tarde con dos datos. El trol dijo que alguien estaba buscando al mutante.

Feenix saltó al regazo de Evalle, haciendo ruidos de gorjeo con cada respiración. Era un pequeño chico duro. En cuanto se acomodó del todo en su regazo, ella pidió una aclaración:

—Entonces, ¿el trol sabía que el ladrón era un mutante?

Quinn intervino.

—No hasta después de hablar con otros en su comunidad subterránea y confrontarlo. El trol quedó bastante conmocionado al saber que había estado robando a un mutante, especialmente cuando comenzó a circular la voz de que el ladrón había matado a nueve veladores.

Los trols temen a los mutantes. Ahora eso la animaba, salvo por el inconveniente de que Sen encontrara una manera de usar eso en contra de ella.

—Hablaste de dos datos. ¿Quién estaba buscando al mutante según el trol?

—Hay un Rak que tiene las antenas fuera en busca del mutante.

No había más que añadir ese término a la lista de demonios de hoy, a Sen y al Tribunal. Se sentía como una muñeca bebé metida dentro de una tarta rellena como premio sorpresa.

Finalmente alguien le acabaría hincando el diente.

—¿Qué es un Rak? —Ahora que tenía un ordenador, cada minuto que pasaba despierta sin estar trabajando en la morgue o corriendo en pos de pistas de VIPER, lo pasaba estudiando páginas web que Z y Quinn le habían facilitado. Sin embargo, su conocimiento de seres sobrenaturales, habilidades insólitas, criaturas extrañas y todo lo relacionado con eso era muy limitado en comparación con la experiencia de Quinn y de Tzader.

—Rak es el término en jerga abreviada para Rakshasas, una criatura o demonio malévolo que puede adoptar cualquier forma, no solo las humanas —explicó Quinn.

—¿Otro demonio? —¿Ese era el resumen de noticias semanal? Le parecía estar oyendo al presentador de las 6 en punto: «Un mutante se convierte en la cena de una convención de demonios. A las once película». Tres demonios en diez días y dos de ellos iban a la caza de un mutante—. ¿Qué le ocurrió al Rak?

—Huyó a Atlanta —le respondió Quinn—. La segunda cosa que el trol nos dijo fue que el Rak había dejado un mensaje cifrado para un velador. El Rak es el informante con quien fue a encontrarse Tzader a Atlanta.

Así que había otro demonio en Atlanta. Tres en un día tenía que ser un récord. Y este otro también iba en busca de un mutante.

Las casualidades eran para la gente con una vida normal, no para ella.

Las paredes de su mundo comenzaban a cerrarse, y por primera vez en dos años tenía serias dudas acerca de cuánto podrían ayudarla Tzader y Quinn si alguien tenía como blanco a los mutantes y sabía dónde encontrarlos. ¿A ellos? ¿O a ella?

Todos esos demonios apareciendo en el sudeste no eran accidentales.

Con el Tribunal respirándole en la nuca, Evalle necesitaba cualquier pista que ese demonio Rak pudiera procurarle, como quién era el que sabía cómo hallar a los mutantes. Y tal vez el origen de los mutantes. Brina no sabía cómo encontrarlos o identificarlos en su forma humana, pues de lo contrario habría capturado a aquel de Charlotte antes de que este tuviera la oportunidad de transformarse y matar a los veladores.

Evalle sintió un cosquilleo de excitación en la piel. Esa podría ser la clave para proporcionar respuestas al Tribunal.

Si alguien podía sonsacar información de un soplón, ese era Tzader. Deslizó la mirada hacia él, que todavía no había dicho qué había pasado con el Rak.

Ella estrujó con la mano un pedazo del puf, para aliviar el estrés.

—Dime que has encontrado a ese tal Rak, Z, y que conseguiste la información que buscabas.

—Sí y no.

No era exactamente la respuesta que estaba esperando.

Diecinueve

—¿Qué quieres decir con sí y no? ¿Dónde está esa cosa demonio-Rak? —Evalle trató de contener su frustración, ya que no iba dirigida a Tzader ni a Quinn, ¡pero qué demonios!

¿Cuándo se había convertido en chica de la portada para los demonios?

Tzader dejó escapar un suspiro lleno de frustración.

—Este es todo el resumen. Ninguno de los troles o merodeadores de Charlotte habían oído hablar del mutante hasta que el Rak lo mencionó, porque Brina había mantenido el puñado de ataques del pasado fuera de la corriente principal de espionaje. Los troles tampoco tenían ni idea de quién había enviado al Rak a Charlotte. El Rak ofreció muchas noticias que sacaron a los troles de sus agujeros, pero nada sobre el mutante salió a la superficie hasta que se corrió la voz de que había matado a los veladores.

Evalle apretó los dientes.

—¿Los troles sabían que él estaba buscando a un mutante? Podían habérselo comunicado a VIPER antes de que perdiéramos nueve veladores.

Quinn dejó escapar un sonido de desdén malhumorado.

—Eso requeriría tener una conciencia.

Tzader hizo un sonido de disgusto, luego continuó explicándose.

—Tan pronto como el Rak oyó que el mutante había asesinado a los veladores y luego había desaparecido, supo que había perdido su presa y que su amo lo mataría por haber fallado la misión. Así que el Rak dejó un mensaje cifrado en gaélico con los troles, asegurándoles que un velador pagaría bien por él, y luego huyó hacia Atlanta.

—¿Tú entiendes el gaélico? —Evalle sabía muy poco acerca de la historia de Z y de Quinn. Cuando Tzader asintió, ella asimiló también esa nueva pieza de información. Actualmente ella estudiaba lenguas en sus clases por Internet, y el gaélico era una de ellas.

Le enviaría su próximo correo electrónico en gaélico para sorprenderlo.

—¿Qué decía el mensaje, Z?

—El Rak quería hacer un trato para intercambiar información acerca de un velador traidor a cambio de un pasaje seguro a un destino de su elección. Y la nota explicaba cómo encontrarlo a él en Atlanta. Quinn se quedó en Charlotte para vigilar al trol hasta que encontráramos al Rak y estuviéramos seguros de que no nos había engañado.

Los nervios de ella se tensaron ante la pesada pausa de Tzader.

—¿Y?

—Encontré al Rak, pero no quiso decírmelo todo hasta que tuviera un acuerdo de Sen para ponerlo bajo custodia protegida de VIPER.

—Tenía que estar asustado hasta la médula como para querer meterse en una celda de VIPER —murmuró ella.

—Lo estaba. —Tzader se frotó la nuca. Sus ojos oscuros revelaban largos días de desgaste—. Todo lo que tuve que hacer fue decirle a Sen que este sujeto tenía información acerca de magia Noirre, pues según decía, el Rak podría demostrar que se estaba empleando en esa zona. Sen aceptó ponerlo bajo protección hasta que determináramos si mentía o no. Es por eso que no pude acudir a la reunión de ayer.

Ella lo entendía, pero le hubiera gustado contar con Tzader en la reunión para que le diera su impresión acerca de Storm, Adrianna… e Isak, a quien tendría que encontrar lo antes posible para tener alguna esperanza de averiguar quién había enviado al Birrn.

A estas alturas, si aparecía otro demonio, ella necesitaría una pizarra para seguir el rastro de los jugadores en acción.

¿Y qué pasaba con el cuerpo desaparecido en la morgue?

La voz de Tzader se apagaba más con cada frase.

—Cuando regresé al punto de encuentro con el Rak, él no

estaba allí. Estuve siguiéndole la pista todo el día de ayer, pero huía como una rata de un agujero a otro en Atlanta porque alguien iba tras él. Me imaginé que su amo había acudido en su búsqueda, lo cual sería útil si hubiera logrado atraparlo a él o a ella también. Quinn llegó a las ocho de la noche. Formamos equipo y finalmente encontramos al Rak justo poco después de las nueve.

—¿Dónde estaba? —Ella cambió la mirada de Tzader a Quinn, que tomó el relevo de la explicación.

—Estaba cortado en cinco pedazos, metidos cuidadosamente en una maleta colocada en medio de la habitación vacía de un hotel con una nota donde se leía: NUESTRA COMPAÑÍA TIENE UNA TOLERANCIA CERO EN LA POLÍTICA CON LOS TRAIDORES.

—Eso no tiene mucha gracia. —Evalle se quedó un minuto pensando—. ¿Qué fue lo que te dijo la primera vez que hablaste con él, Z?

—Eso es precisamente lo raro. El Rak dijo que tenía información sobre el velador que trabajaba con el Medb y sabía por qué su jefe iba en busca del mutante, pero no quería dar esa información hasta estar a salvo.

—¡Mierda! —Evalle golpeó con rabia el puf.

Feenix dio un salto, las alas ensanchadas y las orejas de punta preparado en posición de ataque. Le salía humo de los labios, lo cual significaba que podía escupir fuego de un momento a otro.

De acuerdo… hay que saber conservar la calma cuando se convive con gárgolas. Ella lo arrulló.

—Lo siento, pequeño. No quería asustarte.

Quinn se rio.

—¿Tú crees que puedes asustar a un bicho que es capaz de abrir un agujero en la pared que tengo detrás? —Lanzó un pedazo de su golosina a *Feenix*—. Cógelo, muchacho.

Feenix pescó el bocado de chocolate en el aire.

—¡No lo alimentes con eso! —Ella tenía ganas de estrangular a Quinn.

—¿Tú lo alimentas con tuercas y te preocupa introducir un poco de chocolate en su dieta? —A Quinn se le escapó la risa.

—El chocolate le hace tirarse pedos, y luego yo tengo que

pasar dos horas en la bodega entretenida con mi moto hasta que el aire se despeja, maldita sea.

—Sí, maldita sea —asintió *Feenix*.

Tzader y Quinn dirigieron la vista hacia él.

—¿Habla?

—Le estoy enseñando unas pocas cosas. —Le besó la cabeza escamosa.

Feenix plegó sus alas y bajó de su regazo para ponerse a andar como un pato en torno a la habitación diciendo:

—Hola, uno, dos, tres, cuarto, cinco, seis, maldita sea. —Después de eso continuó murmurando cosas sin sentido.

Evalle clavó en Quinn una mirada acusadora.

—Pero yo no quería añadir esa palabra a su vocabulario.

Quinn levantó las manos en señal de rendición.

—Yo no te pedí que maldijeras delante de él. Si el chocolate le da gases, no quiero ni imaginar los montones de caca oxidada que hará con las tuercas.

—Absorbe el acero en su sistema. Hicimos un agujero en el fondo de un armario de modo que tiene una cueva donde esconderse cuando necesita su espacio. Es muy pulcro.

—Sí, maldita sea. —*Feenix* agitó las alas, luego se instaló en un rincón y comenzó a contarse los dedos. Tenía ocho, pero solo sabía contar hasta seis, así que tenía que empezar de nuevo cuando llegaba a los dos extras.

Tzader negó con la cabeza mirando a Evalle.

—Llévalo fuera de nuevo y pillará expresiones más largas y originales que *maldita sea*.

—Conseguiré orejeras para la próxima vez que lo lleve a ver a Nicole. Ella adora verlo, y a *Feenix* le gusta ir en la moto. —A Evalle no le gustaba sacar a *Feenix* a ver a nadie, pero Nicole era una bruja del grupo de aquelarre de Sasha, donde algunos le temían porque tenía dones inusuales y un extraño aire letal a su alrededor. Pero su grupo de aquelarre no permitía la magia negra, y Nicole nunca practicaría las artes oscuras.

Ella era una de las personas más amables y honorables que Evalle había conocido. Tal vez siempre había sentido una cercana afinidad con Nicole porque era diferente de las otras brujas.

Y el hecho de que Nicole tratara a *Feenix* como un príncipe todavía la volvía más especial a ojos de Evalle.

—No quiero saber nada más acerca de llevar a *Feenix* en público o sacarlo a dar paseos en moto. —Tzader sacudió la cabeza—. Volvamos a los problemas reales. El Rak confirmó que alguien del aquelarre de Medb estaba practicando la magia Noirre en el sudeste y que tenía algo que ver con los mutantes.

—¿Estás hablando en plural de mutantes que andan sueltos? —Evalle golpeó el puf con los dedos. ¿Habría alguna noticia positiva?

—Posiblemente. —Tzader se permitió otra larga pausa, luego la miró directamente a los ojos—. Tenemos que informar de esto a Brina y a VIPER.

Ella conocía esa mirada y ese tono, pero observó a Quinn para confirmar sus sospechas. La preocupación que exhibía su rostro angular era un signo suficiente de que no querían compartir con ella información que se pudiera ver obligada a difundir.

Quinn se aclaró la garganta.

—Hace dos años te dijimos que siempre tenemos un plan preparado por si se hiciera necesario llevarte a un lugar seguro, y puede que haya llegado el momento.

Ella comenzó a negar con la cabeza.

—También dijisteis que en ese caso nunca podría regresar ni estar de nuevo con vosotros. No puedo hacer eso.

—Evalle, cariño, nosotros tampoco queremos que te vayas a ninguna parte —le dijo Quinn—. Pero haremos lo que sea necesario para mantenerte a salvo y cumplir nuestras promesas con la tribu.

¿Abandonar la pequeña vida que finalmente se había ganado después de veintitrés años de lucha? Primero pelearía. Pero eso significaba no ponerlos a ellos dos en una posición que los hiciera escoger entre ella y la tribu. No haría eso a ningún velador, y esos dos significaban para ella mucho más que todos los otros juntos.

Encontraría una manera de salir de aquel desastre sin poner en riesgo a Quinn ni a Tzader. O sufriría las consecuencias en carne propia.

—Entiendo lo que estáis diciendo, y sabéis cuánto significa

para mí que hagáis esto para mantenerme a salvo, pero tengo que tratar de encontrar mis respuestas. Y tengo que ayudar a encontrar la piedra Ngak. Si puedo demostrar mi valor a VIPER, tal vez el Tribunal me conceda algo más de tiempo.

—¿Qué es lo que pasa ahora con el Tribunal? —El cuerpo de Tzader se tensó al inclinarse hacia delante, apoyando los antebrazos en las rodillas.

—Sí, ¿qué es eso de más tiempo? —Quinn bajó el sillón abatible para incorporarse.

Evalle inspiró profundamente y dejó salir el aire.

—Esa es la parte que vosotros todavía no sabéis. La ventana para escaparme ya no existe. Dejadme que os cuente lo que ha ocurrido desde que me despedí de Tzader ayer. —Como Quinn no tenía todos los detalles, ella habló del cuerpo destrozado en la morgue que ahora había desaparecido, los demonios Cresyl y el Birrn. Llegó a contarles cómo había escapado justo a tiempo para que la policía no la encontrara con el demonio calcinado, pero se detuvo antes de explicar nada sobre las citas perdidas con Isak cuando advirtió la reacción de Tzader. Este se cubría la cara con las manos.

—¿Qué ocurre, Z?

—¿Has dicho que el nombre del tirador era Isak? ¿Un tipo grande con un arma sofisticadísima?

—Sí. ¿Lo conoces?

Tzader flexionó la mandíbula.

—Sé cosas de él. Isak Nyght. Maneja un equipo de mercenarios llamado Asaltantes Nocturnos, los Nyght. Son antiguos militares de diferentes ramas, todos de la división especial de élite. Isak tiene una fuente donde conseguir las armas, y hay quien cree que de hecho él mismo las diseña. En el pasado, él y sus hombres habían sido enviados a investigar en situaciones *extraordinarias*, pero en otros continentes.

Quinn frunció el ceño.

—Extraordinarias... ¿te refieres a situaciones con criaturas no humanas?

—Exactamente.

Evalle mantuvo su tono despreocupado.

—¿Isak es humano?

—Sí, pero tiene una habilidad asombrosa para encontrar

información y localizar seres no humanos. —Tzader se rascó la barbilla pensativo—. En base al informe de nuestra gente en el terreno de Teherán, estamos bastante seguros de que los Asaltantes Nocturnos mataron a un mutante que se había transformado en bestia.

A Evalle se le erizó el vello de la nuca por la ansiedad. ¿Isak había matado a un mutante?

—¿Brina sabe que había un exterminador de mutantes suelto por ahí?

Y una pregunta aún mayor... ¿le importaría que Isak acabase con la vida de Evalle?

Tzader levantó la barbilla en señal de confirmación.

—Brina sabe que Isak eliminó a un mutante, pero se mantuvo al margen porque ella no es responsable de nadie fuera de su tribu. Isak es peligroso en muchos sentidos, Evalle, pero principalmente porque no tiene que ver con la junta de VIPER. Lo discutimos años atrás con el Tribunal, y el consenso fue que Isak no encajaría bien para trabajar con nada ni con nadie. Tienes que evitarlo.

Eso sería mucho más fácil si no necesitara respuestas de Isak, pero no podía decirles eso a Tzader y a Quinn sin ponerlos en un conflicto con Brina y la tribu. Isak y su equipo tenían experiencia con el Birrn, quizá sabían de dónde era originario o quién lo había enviado.

La cuestión era cuánto habría descubierto Isak acerca de ella si es que tenía familiaridad con los mutantes.

Evalle continuó su relato y describió la reunión con VIPER, incluyendo los nuevos miembros del equipo, y concluyendo:

—Adrianna me preocupa, pero Lucien debería ser capaz de vigilarla. Estoy más preocupada por Storm.

Quinn examinó el hielo que se derretía en su vaso.

—Investigaré a Storm y Adrianna. Lo que me gustaría saber es cómo ha logrado Sen estar en su puesto. Habría que reemplazarlo.

Eso sería una gran suerte para ella.

—¿Cómo va a ocurrir eso si ninguno de nosotros vota su traslado a una isla, para empezar?

—Sen no se irá a ninguna parte. —Tzader hizo esa afirmación en un tono despectivo—. Ahora dinos qué demonios ocurrió con el Tribunal. Cuando encontramos a Storm en el parque esta noche dijo que Sen te había llevado a los cuarteles, pero no imaginé que pudiera ser nada serio, ya que no me contactó.

¿Storm no les había contado que la habían llevado ante el Tribunal?

Ella recordó la conversación justo antes de que Sen la teletransportase. Sen no había mencionado el Tribunal delante de Storm, así que él en realidad no tenía por qué saber dónde la había llevado.

Y Storm les había hecho saber a Tzader y a Quinn que se la habían llevado.

¿Por qué esa idea provocaba una cálida sensación en su centro?

Su conciencia parloteaba animándola a creer en las buenas intenciones de Storm, pero Evalle ya había pagado un alto precio una vez por creer en otro hombre que había logrado convencerla de que era digno de confianza. Sen había traído a ese chamán allí por una razón… ella. Tenía que tener eso en su cabeza.

Tzader miró a Quinn, luego a Evalle.

—¿Y bien? ¿El problema con el Tribunal es peor que la última vez, Eve?

Ella le sonrió abiertamente.

—El Tribunal fue convocado porque otro mutante se transformó ayer y mató a un humano.

—Esto empieza a ser preocupante.

Que se lo dijeran a ella.

—¿Dónde? —Quinn dejó su bebida y se cruzó de brazos.

—En Birmingham. —Sen le había dado apenas esa pequeña información solo para hacerle saber que el ataque se había producido a dos horas al oeste de Atlanta, en Alabama—. Ya conocéis el procedimiento estándar. Investigan a los posibles sospechosos. Oh, espera. Es verdad… en este caso solo hay uno. Yo. Entonces amenazaron con encerrarme. Nada nuevo.

—No pueden hacer eso sin el consentimiento de Brina. Tú la llamaste, ¿verdad? —Las suaves cejas de Tzader cayeron sobre su intensa mirada.

—Sí, lo hice. Y sí, apareció. Finalmente. —Evalle tomó

aliento, sopesando sus palabras para evitar poner a esos hombres en desacuerdo con Brina—. Brina convenció al Tribunal de que me diera tiempo para demostrar que no soy una amenaza para la humanidad.

Quinn negó con la cabeza.

—Ya has pasado por esto con ellos una y otra vez. ¿Por qué insisten en presionarte?

—Porque la mutante que se transformó esta vez era una mujer... y además estaba embarazada. —Dio un respiro de silencio—. Ahora el Tribunal considera que hay un precedente no solo de una mutante capaz de transformarse y asesinar, sino que también teme que otros mutantes puedan buscarme para procrear o que yo haga eso con alguien... porque, ya sabéis, no se puede confiar en una mutante.

Si alguien supiera que un médico la había violado a los quince años, se darían cuenta de que las posibilidades de quedarse embarazada eran cercanas a cero si suponía permitir que un hombre hiciera eso otra vez. Pero este no era asunto de nadie más que suyo, suyo y del médico que había huido aterrorizado cuando ella mutó parcialmente en una bestia.

No le habría contado a nadie lo que había ocurrido aunque no hubiera perdido el control de su coche y hubiera muerto en un brutal accidente ese mismo día.

Miró a un hombre y a otro.

—Es por eso que vuestro plan de huida solo serviría para que os colgaran a vosotros conmigo, porque VIPER me perseguiría hasta los confines de la tierra si huyera. Tengo que vencer esta situación.

—Nosotros vamos a ayudarte. —Tzader dijo las palabras, pero en la expresión de Quinn se leía que estaba de acuerdo.

—Yo creo que Isak podría tener cierta información acerca del Birrn. —Abordó el tema solo para ver qué diría Tzader.

—No te acerques a él. Cuanto más lejos estés de él tanto mejor.

¿Acaso no debería temer la posibilidad de encontrárselo de casualidad después de haberle dado dos plantones en veinticuatro horas? Pero necesitaba descubrir qué era lo que Isak sabía acerca de ese Birrn y odiaba la idea de ir en su búsqueda sin decírselo a Z o a Quinn, así que lo intentó otra vez.

—¿Y qué ocurre si Isak tiene información acerca de esos demonios? Simplemente puedo preguntarle…

—No, tú eres la persona menos indicada para hablar con él. —Los músculos de la mandíbula de Tzader se tensaron por un momento mientras pensaba—. ¿Recuerdas a ese mutante que al parecer Isak pudo haber matado en Teherán? La bestia partió a su mejor amigo por la mitad. Isak odia a los mutantes. La misión número uno para esos Asaltantes Nocturnos, los Nyght, es seguir el rastro de cuantos mutantes puedan encontrar y destruirlos.

Eso la llevó a hacer una pequeña pausa.

¿Acaso todos los mutantes tenían el aura como ella? ¿Cómo se suponía que iba a protegerse a sí misma cuando no había conocido nunca a otro mutante y no tenía ni idea de dónde se originaban? ¿Habría visto Isak el aura de otros mutantes? ¿Se parecería a la de ella?

El demonio Rak se había referido a más mutantes. ¿Estaría Isak simplemente jugando con ella creyendo que tal vez lo conduciría hasta los otros y tendría previsto matarla tan pronto como encontrara a los demás?

Tragó saliva al sentir el sabor de la bilis en la garganta. Si Tzader y Quinn creían que Isak era una amenaza para ella no se apartarían de su lado mientras ella ayudase en la búsqueda de la piedra Ngak. Isak probablemente no se le acercaría si Tzader y Quinn estaban a su alrededor. Y tampoco con Storm a su lado.

Pero Isak era el único con una posible pista sobre los demonios y tal vez sobre los mutantes.

Entre Isak y Storm habría que lanzar una moneda al aire para decidir cuál era más peligroso para su existencia.

Veinte

—Los hombres están cansados, Batuk. —El sueño vencía a Vyan mientras se ponía unos tejanos limpios y una camiseta azul clara con botones, preparándose para la primera noche de la búsqueda de la piedra Ngak en Atlanta. El sol se había puesto minutos antes—. Los hombres necesitan descansar después de la marcha a través de la jungla y el viaje de vuelta hasta aquí.

Batuk no alzó la vista, mientras seguía afilando su espada.

—Los hombres podrán dormir cuando vuelvan a casa. Quedan menos de dos días hasta la luna llena y no tenemos ni idea de cuál es la mujer a quien la piedra ha escogido. No podemos descansar hasta que la encontremos y nos hagamos con la piedra.

Una música estruendosa golpeó las paredes detrás de Vyan al aproximarse un coche. Era un sonido común en esa zona conocida como el barrio Oeste, donde habían encontrado ese edificio derruido que olía peor que excrementos frescos de camello. Telarañas anchas como mantas se extendían en todos los rincones.

—Odio ese ruido —murmuró Batuk—. Dos días más en este mundo serían una tortura. Debemos encontrar esa piedra. Nuestros exploradores deberían volver pronto con los merodeadores.

Vyan refrenó su lengua por un momento. Había sorprendido a Batuk y a Tristan hablando en secreto una vez durante el viaje, lo cual disipaba cualquier duda respecto a lo bajo que había caído a ojos de Batuk como primero al mando.

¿Acaso el monstruo mutante y su señor de la guerra habrían cerrado un nuevo trato?

Vyan no veía ningún sentido a seguir hablando en círculos. No con el poco tiempo que les quedaba.

—¿Cuál es el plan cuando tengamos la piedra Ngak? ¿Nos marcharemos rápidamente o lucharemos contra los veladores?

El rostro de Batuk no estaba hecho para sonreír. No había humor en sus ojos.

—Nos marcharemos tan pronto como Tristan haya cumplido con su pacto.

—Creí que enviarnos de vuelta a casa era el pacto.

—Como vuestro líder, debo asegurarme de que nunca más volveremos a estar a merced de los veladores. Cuando volvamos a casa, nuestros diez serán lo bastante poderosos como para matar a cualquier enemigo. Entonces no tendremos ninguno.

Su señor de la guerra decía la verdad, pero ocultaba algo detrás de sus palabras. Vyan retuvo las palabras en su mente para repasarlas más tarde y ver si podía desvelar la mentira oculta. Habló con voz suave para expresar su preocupación más importante.

—No estoy convencido de que Tristan pueda conseguir la piedra sin hacer daño a la mujer.

—Tristan sabe que la piedra puede escoger destruirle si él mata a la mujer. —El tono de Batuk sonaba titubeante, dando razones para creer que no estaba tan confiado.

Si no fuera que eso pondría en peligro a la mujer, a Vyan le hubiera gustado que Tristan pagara el precio de su arrogancia.

—Puede que sea incapaz de controlar sus acciones o su poder. El suero no va a contenerlo. Tal vez porque es un mutante. Viste lo que ocurrió en el camino de vuelta hasta aquí cuando…

—… tú lo provocaste —terminó Batuk—. Tengo pocas preocupaciones siempre y cuando no vuelvas a cabrearlo otra vez. Tristan se controlará. —Se alejó hasta donde estaban el resto de los hombres, que habían empezado a almacenar provisiones.

Vyan escondió un cuchillo en su bota además de la espada que tenía sujeta a un lado. Para ocultarla llevaba una gabardina negra que le llegaba hasta las rodillas.

La puerta de acceso al edificio se abrió y Tristan pasó a través. El bastardo engreído iba ahora vestido con una camisa del color de nubes oscuras metida por dentro de unos pantalones brillantes color arena. Iba vestido de forma parecida a los hombres de negocios que circulaban por la ciudad durante el día. Sus dientes blancos brillaron a la tenue luz del crepúsculo cuando sonrió a Vyan.

Una sonrisa que indicaba que él sabía algo que Vyan ignoraba y que eso le divertía.

Vyan advirtió que el cabello rubio de Tristan estaba más corto y mojado.

—¿Dónde has estado?

—Duchándome y buscando ropa decente, ya que no tengo ninguna intención de vestirme como... vosotros. —Del cuello de su camisa colgaban unas gafas de sol. Unas gafas sofisticadas que probablemente el mutante habría conseguido de una tienda cara, mientras que Vyan llevaba unas gafas de sol ajadas que había encontrado en alguna parte.

Pero eso era para ocultar a la gente sus ojos de pupilas dobles. Tristan en cambio llevaba las gafas de sol como un rey llevaría una corona.

—En mis tiempos, las ropas servían simplemente como protección para las inclemencias del tiempo. —Vyan se había bañado en un lago y se había cambiado las cómodas ropas que echaría de menos cuando regresara a su tiempo. Tal vez prepararía una mochila para llevarse consigo. Las extrañas ropas serían buena moneda de cambio si sobrevivían al viaje a través del tiempo.

—Vestirte como un pastor de ovejas es probablemente la razón por la que no tenían una mujer cuando fuiste enviado bajo el monte Meru, pero supongo que también era cuestión de que había muchas ovejas y muy poco tiempo.

A Vyan le dio un vuelco el corazón ante el recuerdo de la pérdida de su esposa, pero nunca dejaría que Tristan supiera que lo había herido. En lugar de eso, respondió a la ofensa.

—Sí, estaba solo cuando llegué bajo la montaña, lo cual significa que me juntaba con quien quería mientras estuve allí, porque solo querían hombres viriles. Lo que debía haberles explicado sobre las ropas es que en mi tiempo un guerrero llevaba ropas solo para protegerse, no para pavonearse como lo haría un pavo real. Los hombres bonitos que pasan horas preocupándose por su rostro y por sus ropas llaman más la atención de los hombres jóvenes que de las mujeres. —Vyan sonrió para marcarse un tanto.

Tristan se detuvo en seco, con los ojos brillantes de un verde oscuro. En sus labios se dibujó un gruñido silencioso. Se crispó y sacudió la cabeza a un lado. Su frente sobresalió haciendo un chasquido y su mandíbula se extendió hacia abajo dejando ver unos dientes afilados como colmillos.

—¡Tristan, para! —ordenó Batuk, corriendo hacia donde estaban.

Tristan gruñó y mostró los puños. Torció el cuello, esforzándose mientras su rostro se agrietaba y distorsionaba en pedazos de piel serrados sobre huesos deformes.

Batuk se giró hacia Vyan.

—¿Qué es lo que le has dicho?

—¿Yo? Nada. Simplemente le hice un cumplido por lo atractivo que estaba. —Vyan se cruzó de brazos y se volvió hacia Batuk—. Te dije la última vez que ocurrió que no podíamos confiar en dejarlo a solas. ¿Me crees ahora?

—Lo que creo es que tú has provocado esta transformación. —Batuk abrió la boca para añadir algo más, pero fue Tristan quien habló.

—No te preocupes, estoy bien. Solo un poco cansado.

Vyan se dio la vuelta y halló a Tristan de nuevo en perfecto estado.

—Eso es comprensible considerando los últimos días, pero todos descansaremos esta noche. —Batuk volvió su negra mirada hacia Vyan—. No vuelvas a provocarlo.

Vyan iba a comenzar a discutir cuando el aire se enfrió de una forma antinatural como una advertencia. Se le erizó el vello de los brazos por el aire helado.

Batuk y Tristan se enderezaron, mirando a su alrededor con actitud de alerta.

Entraron dos soldados. Uno dijo:

—Estos son los dos únicos merodeadores que encontramos tan lejos que estaban fuera de su zona.

Una silueta borrosa, delgada y temblorosa, apareció. Los ojos huecos miraban fijamente hacia delante mientras otras tres figuras transparentes flotaban en la habitación desde diferentes direcciones. La siguiente respiración de Vyan formó nubes blancas en el aire helado. Ninguno de los merodeadores reconocía la existencia de los otros.

—¿Sabéis lo que queremos? —preguntó Batuk a los cuerpos translúcidos que flotaban frente a él.

—Sí. Queréis a la mujer que tiene la piedra Ngak —respondió uno de los merodeadores con una voz hueca que se arremolinó alrededor de ellos. Los otros hicieron eco a sus palabras.

—¿Cómo la reconoceréis? —les preguntó Vyan.

—Tendrá un brillo rosado como el de las botas de una prostituta callejera —respondió uno de los espíritus. Los otros tres asintieron, lo cual significaba que se percibían entre ellos.

—El primero en encontrarla tendrá un apretón de manos conmigo durante quince minutos enteros —declaró Batuk, ofreciendo un trato muy tentador—. Pero aquel cuyas pistas nos acaben ayudando a encontrar la piedra Ngak y tomar posesión de ella tendrá veinticinco minutos de apretón de manos conmigo y con Tristan.

Las cuatro imágenes se estremecieron, parpadeando una y otra vez con indisimulada excitación por aquella oferta exorbitante. Vyan estaba en desacuerdo con eso también, ya que había oído que era peligroso un apretón de manos de más de diez minutos o con dos seres poderosos.

¿Y si Batuk y Tristan creaban monstruos que se volvieran contra los kujoo?

—Dos de vosotros, venid conmigo. —Después de dar esa orden, Tristan se dirigió hacia la puerta.

Todos los espíritus se apresuraron tras él en una ráfaga chocando unos contra otros en una piña de sombras confusas, hasta que Tristan se dio la vuelta y rugió.

—¡Quietos! —Cuando las formas borrosas se separaron, señaló a dos y dijo—: Tú y tú, venid conmigo.

Dos espíritus se sacudieron para situarse por encima de Tristan, uno a cada lado, mientras él caminaba.

Vyan cogió su abrigo, que estaba colgado de un clavo, y luego avanzó hacia delante.

—Y vosotros dos venid conmigo.

—Yo me quedaré aquí para encontrarme con más merodeadores mientras llegan —anunció Batuk—. Cuando la mujer sea localizada, enviaré a alguien que os lo haga saber.

Vyan se detuvo ante la puerta pero no se dio la vuelta al replicar.

—¿No tienes fe en mi capacidad para encontrar a esa mujer?

—Al contrario. No me cabe duda de que la encontrarás. Mi preocupación es si la traerás de vuelta.

Eso fue un golpe duro para su honor.

Vyan no quería que la mujer resultase herida, pero conseguir esa piedra era la única posibilidad de salvar a su gente y regresar a la vida que un día había tenido y que rápidamente estaba olvidando. Esta vez quería una nueva vida en la que derramara sudor labrando la tierra en lugar de ver derramada la sangre de otros hombres.

—Siempre he hecho lo mejor por ti y por mi gente —le dijo Vyan a Batuk—. No haré menos ahora. —Tras eso, cruzó el umbral de la puerta. Una vez fuera, los coches echaban humo y atacaban con sus ruidos. Por todos los santos, echaba de menos el aire fresco. Oteó las calles hasta que vio a Tristan caminando por la acera contraria.

Tristan se detuvo en la esquina para mirar atrás con una expresión tan desafiante que era equivalente a quitarse un guante y arrojarlo al suelo a los pies de Vyan para retarlo a un combate. Luego desapareció al otro lado de un edificio de ladrillos, con los dos espíritus en su estela.

Muy bien.

Tristan podía haber nacido originariamente en este mundo, pero Vyan había pasado los últimos diez meses aprendiendo mucho sobre Atlanta también. Comenzaría su búsqueda en el parque Piedmont, donde una vez él mismo tuvo la piedra durante la batalla con los veladores antes de perderla en un pequeño arroyo de allí.

Ahora se preguntaba si efectivamente él había perdido la poderosa piedra o si esta había escogido su camino incluso entonces.

Ni Tristan ni Batuk habían considerado qué tipo de ser podría convocar la piedra o hasta qué punto sería poderosa la mujer si se resistía a renunciar a ese mágico tesoro.

Los poderes de Vyan eran intensos, pero perdería una batalla contra Tristan si el mutante se transformaba en una bestia.

La mujer también perdería si ocurriera eso.

Uno de sus espíritus se agitó.

—La piedra se ha revelado.

La sangre de Vyan se aceleró.

—¿En el parque?

El espíritu se sacudió con excitación.

—Sí.

Veintiuno

Evalle venía dispuesta a hacer un trato. Pero tenía que ser rápido.

—¿Qué tipo de problemas tienes para aparecer aquí con *eso* y tan temprano? —La forma pálida de Grady planeaba al nivel de sus ojos.

—Muchos problemas. —Ella estaba sentada a más de un metro del suelo sobre una pared de cemento que resguardaba el terraplén detrás del hospital de Grady.

La mirada de Grady estaba clavada en la botella de vino barato que mantenía aferrada en la mano. En la otra sostenía una bolsa del McDonalds. Odiaba darle alcohol cuando preferiría alimentarlo, pero era difícil negarle al viejo Grady un pequeño momento de felicidad. La llovizna caía sobre su gorra de beisbol. La tormenta que había caído a la hora del crepúsculo dejando el cielo completamente negro le había permitido sacar fuera la cabeza más pronto esta noche, pero solo tenía cuarenta y cinco minutos hasta las nueve, cuando había quedado en encontrarse con Storm en el parque.

—Estoy esperando. —Las cejas de Grady treparon hacia su frente.

Ella golpeteó la botella con los dedos. Detrás de ella, a cien metros de distancia, sonaban los chirridos, bocinazos y frenazos de la hora punta del lunes por la noche, como si el dios del trueno, Taranis, tocara un solo de acompañamiento por encima de sus cabezas—. De acuerdo, aquí está mi oferta, y te advierto que ahora quiero respuestas rápidas.

—Entonces hagamos un trato rápido.

—Yo no voy a romper las normas. Si quieres un apretón de manos y esta botella, quiero que me respondas a cada pregunta que te haga. —No lo dijo de forma exigente, simplemente puso las cartas sobre la mesa.

Grady levantó la barbilla como cuando pensaba y flotaba de costado mirando hacia el terraplén, luego parpadeó y se colocó frente a ella.

—Las cosas deben de estar realmente mal.

Evalle no respondió. Cuanto menos dijera, mayores serían sus posibilidades de conseguir carta blanca en el trato, ya que Grady era una gran masa de curiosidad.

—De acuerdo —dijo—. Pero solo por esta vez.

Eso no era un problema, porque si no descubría pronto qué podía hacer, ya no habría razón para hacer tratos en el futuro.

—Entendido.

Evalle bajó de la pared con un salto y aterrizó en la acera mientras Grady dejaba de flotar para quedar a su altura. Después de echar un vistazo rápido a la zona para asegurarse de que nadie estaba prestando atención a una mujer con equipo de lluvia y los pantalones empapados de pie en la oscuridad, extendió la mano y conectó con él.

—Maldita sea, odio la lluvia —dijo Grady en cuanto cobró su forma sólida. La lluvia se deslizaba sobre él como lo hacía por encima del traje de gore-tex que ella llevaba—. Vamos, suelta.

—¿Has averiguado quién controlaba al Cresyl y a los demonios Birrns? —Le entregó la botella y él quitó el tapón y vació de un trago tres dedos del vino barato.

Bajó la botella y su rostro se suavizó por la satisfacción.

—No lo sé exactamente, pero se trata de alguien que está ahora mismo en la ciudad.

—¿Por qué piensas eso?

—Porque hay otro demonio aquí, uno hindú.

Evalle asintió.

—Un Rakhassas. Lo he oído.

—Creo que la misma persona está controlando todos los demonios.

—¿Y qué o quién podría estar haciendo eso cuando todos los demonios deberían ser originarios de diferentes fuentes de poder? Nunca antes he oído semejante cosa.

—Puede que no haya específicamente un solo poder detrás

de todos ellos sino una asociación de algún tipo entre dos poderes oscuros —sugirió Grady.

Ella inclinó la cabeza a un lado.

—¿Cuál podría ser la causa de que dos grupos unieran sus fuerzas?

Grady soltó una risa sarcástica.

—Oh, no lo sé, tal vez los chicos malos decidieron hacer sus propios reclutamientos cuando VIPER abrió su arca de Noé con todos los bichos raros con habilidades extrasensoriales.

—Supongo que tienes razón. —Ella enganchó los pulgares en los extremos de sus bolsillos impermeables para la lluvia—. Teníamos a alguien siguiendo el rastro del Rak y su amo, pero el amo se escapó y el Rak terminó despedazado y empaquetado en una maleta. ¿Cómo ves las probabilidades de encontrar a su amo?

—No muy buenas. No, si es que está enviando a los demonios para hacer el trabajo sucio, y apuesto a que esos demonios no son las formas originales sino algún tipo de copias. Especialmente considerando ese Birrn que tenía marcas celtas. Necesitas encontrar la fuente de poder de los demonios para determinar quién es su amo, pero eso será difícil de hacer cuando tienes un demonio nigeriano con marcas celtas, un demonio Cresyl que es alemán y ahora un Rak hindú. No hay un denominador común. Si yo tengo razón y están siendo controlados por el mismo poder, entonces han sido enviados con un sofisticado disfraz para ocultar su verdadero origen.

—¿El glamour de los seres élficos?

—No. Hay algún tipo de hechizo lanzado por una bruja que disfraza al demonio.

¿Una bruja…? ¿Podía referirse a magia Noirre? Estaba volviendo a la teoría de la conspiración en contra de Evalle.

—Mierda. ¿Puede ponerse más difícil?

—En una palabra, sí.

Eso llamó su atención, porque Grady no había estado bromeando.

—¿Por qué? ¿Qué más es lo que tienes?

—Una sinergia antigua ha entrado en la ciudad.

Ella inmediatamente pensó en Vyan, el kujoo que había visto la noche pasada cerca del Iron Casket. Y se había olvidado de hablarles de él a Tzader y a Quinn. ¡Mierda! Eso no habría ocurrido si Tzader no hubiera recibido una llamada urgente de los cuarteles y se hubiera llevado a Quinn con él... y si ella no hubiera necesitado recuperar el sueño perdido durante dos días para poder trabajar esta noche.

Tendría que empezar a emitir boletines a cada hora para mantener informados a los chicos.

Evalle tiró de la coleta mojada atada en la nuca.

—¿Sabes cuál es el origen de esa sinergia?

—Me hago una idea. —Él hizo una pausa para dar otro trago y luego continuó—. ¿Recuerdas esa época unos años atrás cuando tú y esos otros dos veladores matones tuvisteis un combate en el parque Piedmont con un kujoo?

—Sí. —Ni siquiera lo riñó por llamar matones a Tzader y a Quinn. Grady estaba confirmando sus peores temores.

—Es la misma energía esta vez, pero mucho más fuerte.

La única razón para que la energía pudiera ser más fuerte era que Vyan hubiera encontrado una manera de traer a más de sus hombres a través del tiempo.

—Creo que estás en lo cierto. Probablemente ellos y los kujoo han venido por alguna razón.

—Dudo de que VIPER esté contento con los veladores o los kujoo si vuelven a tener un combate en la ciudad sin ningún motivo.

Ella quería hablarle a Grady de la piedra Ngak, pero había límites en lo que podía compartir aunque le hubiera contado confidencias en el pasado. Se puso elusiva.

—No creo que los kujoo vayan en busca de los veladores, ya que eso no los puso en buena disposición con Shiva la última vez. Pero están aquí para algo. Si averiguas qué es, necesito saberlo.

Eso era lo más que podía decir sin llegar a contarle a Grady lo de la piedra.

—Te diré algo importante sobre esa sinergia —dijo Grady en una voz tranquila—. ¿Algo que tal vez merezca una hora de tiempo sólido?

Ella gruñó por lo bajo.

—¿Qué se te ha metido en la cabeza? Sabes que no puedo concederte una hora.

—Solo por una vez.

—¿Por qué?

Grady apretó los labios en una línea firme.

Ella no era la única con problemas de confianza.

—Si me has dado tu palabra de que ibas a contarlo todo, tienes que contarlo todo. Hemos hecho un trato.

—Veamos. —Su rostro adoptó una expresión exageradamente seria—. Hay un hada de Chattahoochee robando baratijas a los vendedores callejeros, los gemelos bárbaros están tratando de hacer que las palomas roben las propinas de las mesas de las cafeterías, he oído que un trol y un fantasma se disputaban un tramo de tierra debajo de un cruce enmarañado de autopistas.

—No importa, déjalo. —Ella no tenía tiempo para riñas acerca del hecho de vivir bajo el más infame cruce interestatal de Atlanta—. Ya lo capto.

Cuando se alejó un paso, Grady la presionó.

—Quiero esa hora el miércoles por la noche, Evalle.

Eso la hizo mirarle otra vez. Conseguir una hora de forma humana era importante para Grady, así que no lo humilló con una ocurrencia.

—Si pudiera hacerlo, sabes que lo haría, Grady. Soy la última persona que puede hacer ahora algo como eso. Y aun si pudiera, no tengo ni idea de qué consecuencias tendría para ti. —No podía mirar sus ojos tristes sin que le doliera el corazón, pero tampoco podía darle lo que quería sin ponerlo en una situación de riesgo con VIPER. O transformarlo en una especie de monstruo.

Si ella lo intentaba y Sen lo descubría, su reacción sería en el mejor de los casos impredecible.

Apoyó su mano en el antebrazo de Grady para evitar que bebiera de la botella de nuevo.

—No haré algo que podría dañarte más ni te empujaré a mezclarte en mis líos, que es lo que ocurriría si me descubrieran dándote una hora. Te ayudaré a resolver lo que sea que estés intentando resolver una vez esto se acabe, ¿de acuerdo?

Él la miró fijamente durante un largo momento, luego hizo un gesto con la mano, señalando haber comprendido.

—Está bien. Esperaré.

Ella le soltó el brazo de mala gana y se alejó caminando.

Grady acababa de mentirle.

Fuera cual fuese la razón por la que quería recuperar su forma humana durante una hora, no podía esperar. Pero ella lo ayudaría en cuanto estuviera libre de problemas, lo que no pasaría a menos que encontrara a Isak. Primero tendría que hacer sus rondas con Storm en el parque Piedmont.

Qué pérdida de tiempo. ¿De verdad VIPER creía que la piedra Ngak simplemente se quedaría allí quieta esperándolos?

¿Y qué haría renunciar a Grady a su intento de conseguir una hora en forma humana?

Veintidós

Storm estaba apoyado en la puerta de piedra de Piedmont Park. Miraba a través del aire neblinoso en busca de alguien con pinta de gamberro en una moto, que dispondría de apenas tres minutos para llegar a las nueve en punto, si es que ella pretendía ser puntual.

Unos faros dibujaron una franja de luz a través de la noche que cobijaba las calles cargadas de tráfico del centro de Atlanta. Había neumáticos desechados cubiertos de lluvia en las cunetas, pero la tormenta había sometido temporalmente el calor de agosto.

A él, mojarse no le importaba lo más mínimo, pero sería una ventaja llevar un poncho.

Y era una prenda buena para cubrir las armas.

—Una noche lluviosa en Georgia, ¿verdad? —Evalle apareció a su derecha, caminando hacia él desde el parque en lugar de venir del lado de la calle donde él la esperaba. En principio.

No la había oído acercarse, pero al menos debería de haberla olido con sus sentidos, tan afinados a esa hora de la noche. No tan agudos como cuando adoptaba la forma de un jaguar, pero más afinados que los humanos.

—¿Estaba planeado que llegaras más de media hora tarde esta noche, o has vuelto a pasar el rato de nuevo con Sen?

—Eso es muy duro. Ser teletransportada o pasarme la tarde jugando contigo a verdad o prenda.

Storm retorció los labios.

—Yo no he tenido la culpa de tu desastre.

—Ahí está. Es triste reconocer que hubiera preferido estar en el parque contigo anoche. —Con la cremallera de su chaqueta desabrochada se veía el brillo metálico del arma que llevaba y el original anillo plateado de su ombligo brilló al ser alcanzado por la luz de una farola.

—Sabía que al final verías el lado bueno de trabajar conmigo —dijo ocurrente.

—Sí, es cierto. —Ella se limpió el agua del esbelto cuello y metió los cabellos sueltos debajo de la gorra. Cada movimiento pretendía reforzar su actitud dura y su habilidad para cuidar de sí misma, igual que las gafas de sol a medianoche eran una manera de mantener el mundo a distancia.

A él no le gustó la manera en que lo apartaba.

¿Tenía que ver con su masculinidad el hecho de que advirtiera que ella estaba irritable como un gato mojado? Notaba cada pequeño movimiento que ella hacía, así como el hecho de que a la vez tratara de ocultarle su estado de nervios. Quizás fuera puro instinto, el caso es que él tenía la fuerte corazonada de que aquello no tenía que ver con sus poderes ni su asociación con Sen, sino solo con el hecho de que él era un hombre que le estaba haciendo manipular nerviosa su cremallera y evitar su mirada.

Eso la volvía todavía más fascinante.

Había algo de antinatural en el hecho de desearla, pero la deseaba.

Ella lo sorprendió mirándola y apartó la vista mirando alrededor como si contemplar el parque bajo la luz nocturna fuera interesante.

—¿Qué sabes del equipo?

—Lucien y Adrianna estaban aquí cuando llegué. Las únicas palabras que pude sonsacarle a él fueron breves y groseras. —Storm hizo una pausa mientras una pareja salía por la verja protegida bajo un paraguas, sosteniendo una tensa correa a la que iba atado un bulldog—. Adrianna dice que se está practicando magia Noirre en la ciudad.

—Eso ya lo sabía.

En lugar de preguntar a Evalle por qué no había compartido su conocimiento acerca de la actividad Noirre, se limitó a alzar una ceja ante su postura y tono desafiante antes de continuar.

—También dijo que el demonio Birrn estaba controlado por Noirre... —Levantó la mano cuando vio que Evalle estaba a punto de decir que también lo sabía—. Y que se trata de magia Noirre de origen celta.

Evalle abrió los ojos con asombro.

Toma ya. Storm añadió:

—Anoche no tuviste ocasión de verlo, pero el arroyo bajo el puente al extremo sur del parque estaba removido. El equipo que cuida del jardín terminó de limpiar hoy el arroyo y el trabajo está casi completo. Creemos que la piedra ya ha sido encontrada.

—Mierda. Puede que ya ni siquiera esté en la ciudad.

—Sen habló con Shiva, quien confirmó que la piedra Ngak estaba todavía aquí y cerca del parque.

—Si es que podemos creer a Shiva —dijo ella en voz baja.

—A pesar de que los dioses y diosas son capaces de mentir impunemente, Sen indicó que Shiva parecía preocupado por algo que tenía que ver con la piedra, aunque ofreció poco más.

—¿Qué es lo que dijo Shiva como para que Sen tuviera la impresión de que el dios estaba preocupado?

—Dijo que tal vez la piedra no había acabado en las manos que pretendía.

—¿Y por qué no dice simplemente quién la tiene? ¿Hay alguna cláusula de sanción por la que los dioses no pueden dar una respuesta directa? —Evalle se golpeó un lado de la cadera, cubierta por unos tejanos que se amoldaban a sus bien proporcionadas curvas.

Él hubiera preferido que ella no guiara con ese gesto la atención hacia esa zona. Forzando sus ojos para volver a mirarla a la cara, dijo:

—No tengo ni idea. Hasta que nos digan algo distinto, seguimos buscando a una mujer poderosa, así que ¿estás preparada?

—¿Tú vas a ser capaz de ver en las zonas oscuras sin un monocular? —Ella se volvió para caminar a grandes zancadas, siempre queriendo llevar la delantera.

Él se lo permitió esta vez.

—Sí puedo ver. —De hecho, podía ver el balanceo de sus caderas excepcionalmente bien y podía recorrer las zonas del parque sin problema, pero su vista, al igual que su sentido del olfato, era más agudo cuando asumía su forma de jaguar. La energía animal hormigueaba bajo su piel, deseando salir y cobrar forma para que él pudiera deslizarse por el parque como un depredador prácticamente invisible. No era la inminencia de la luna llena lo que le hacía sentir la presión por cambiar. Él era en parte espíritu errante ashanink y en parte *skin-walker*navajo, con la capacidad sobrenatural de convertirse en el animal que deseara, pero no era un licántropo.

No, la urgencia aparecía con la oscuridad. Luchaba contra la presión del cambio cada día en el momento en que se ponía el sol, pero tenía control sobre esa urgencia, incluso cuando su cuerpo quería disputárselo, como ahora.

No había encontrado ninguna dificultad real durante los últimos siete meses, o de lo contrario no habría dejado la zona agreste de Chile para venir a la civilización.

Ahora la urgencia de convertirse lo estaba carcomiendo, y él apostaba a que era por esa zorra que caminaba de esa forma delante de él. No se trataba de cualquier mujer, sino de esa precisamente. Algo tan simple como el aroma de una mujer podía colarse bajo la piel de un hombre para hacerle desear a una mujer en particular, y nada que Storm hiciera impediría que su cuerpo reaccionara de esa forma cada vez que ella estuviera cerca.

El animal que había en su interior la deseaba o la necesitaba lejos.

No podía permitirse que se le escapara el control. Ni siquiera por una mujer como aquella. Ella solo tenía una presencia en su misión de encontrar y recuperar el alma de su padre y la suya propia.

—¿Qué averiguaste del Birrn? —preguntó Evalle, lanzando una mirada en su dirección por encima del hombro mientras se dirigía al extremo norte del parque.

—¿Te refieres a qué descubrí aparte del hecho de que tú estabas allí y el Cresyl estaba involucrado?

Ella hizo una pausa y miró fijamente la oscuridad por unos segundos.

—Sen no lo sabe.

No era una pregunta, sino una afirmación.

Él no podía retener la información, pero no la haría penar por eso.

—No, no se lo dije.

Ella continuó, tejiendo su camino alrededor de la base de un viejo roble que se cernía sobre el parque de forma protectora. Después de otro hueco en la conversación preguntó:

—¿No sabrás algo acerca del cuerpo de una mujer desaparecido en la morgue, verdad?

—La mujer víctima que maltrataron había desaparecido cuando yo acudí allí. ¿Hay algo que quieras contarme acerca de eso en particular?

—Creo que no. —Ella seleccionaba el camino con el mismo cuidado con que escogía las palabras. Se puso un mechón de cabello detrás de la oreja. Un movimiento nervioso—. ¿Seguiste el rastro del Birrn y encontraste algo o a alguien... más?

—Hallé el lugar donde fueron asesinados los Cresyls. Los rastros de dolor y miedo. Un tercer demonio entró en la ciudad. No estoy seguro de qué tipo, solo sé que es de origen hindú. Cuando encontré ese demonio, había sido torturado y cortado en pedazos.

Ella se detuvo a unos cincuenta metros del puente en el extremo sur del parque y se volvió hacia él.

—He oído hablar de un demonio Rak que fue cortado en pedazos y metido en una maleta.

—No tengo familiaridad con los Raks, pero suena como aquel que encontré.

—¿Averiguaste algo sobre el asesino del Rak?

—Le seguí el rastro durante más de un kilómetro, y ese rastro desapareció en la estación de metro de MARTA. En ese punto debe de haberse teletransportado y por eso le perdí el rastro.

Ella se cruzó de brazos, se detuvo de nuevo y miró fijamente al infinito. En sus ojos podía verse que le estaba dando vueltas. Alzó la vista hacia él y él pudo ver su dilema.

Compartir o no compartir información.

Él esperó a que ella tomara una decisión.

Sus dedos daban golpecitos sobre el impermeable. Escudriñó en la distancia.

—De acuerdo, esto es lo que yo tengo. Esta noche he hablado con un merodeador que cree que los demonios están controlados por una fuente o por dos fuentes que están trabajando juntas.

Storm ocultó cuánto le sorprendía que Evalle se hubiera decidido a compartir algo.

—Lamentablemente, eso no estrecha mucho el campo.

—Excepto si añades la magia Noirre. —La punta de su capucha giró hacia él, dejando sus gafas oscuras casi al mismo nivel de sus ojos. A él le gustaba que fuera una mujer con sustancia. Evalle era alta y resistente. Combinaban bien físicamente, y advertir ese pequeño detalle incrementó el filo de su frustración.

¿De qué estaban hablando? Magia Noirre.

—¿Eso es celta?

Ella negó con la cabeza, y gotas de agua cayeron de su capucha.

—No siempre, pero la mayor fuente de magia Noirre sí es celta.

—Yo no sé mucho acerca de la historia celta.

—Hay una historia celta que es conocida, y hay otra historia celta que solo conocen los veladores —comenzó ella—. Te contaré lo que no es de conocimiento común sino solo conocido por los veladores. En el siglo XIII había una bruja conocida como Medb, aunque era también conocida por otros nombres. Tenía una hija que se llamaba Findabair, que fue enviada a un hombre, y luego fue ofrecida a otro grupo de hombres. Supuestamente setecientos hombres perdieron sus vidas cuando estalló una guerra porque perdió su virginidad en la cama equivocada, y Findabair murió de remordimiento y de vergüenza justo después de eso.

—¿Otra guerra por causa de una mujer?

—No sería la primera vez que los hombres usan su cerebro pequeño para tomar grandes decisiones. ¿Quieres esta lección de historia o no, Storm?

—Ya que haces que aprender sea un auténtico deleite, continúa.

Ella tensó sus labios finos.

—Volviendo a la cuestión, hay dos versiones de la historia. Circula otra historia acerca de Findabair que dice que mientras estaba muriendo de remordimiento, un druida llamado Cathbad la encontró y le preguntó si quería vivir. Pero Cathbad era ladino. De hecho había sido enviado por la madre de Findabair, la bruja Medb, para que le hiciera concebir un hijo que ella pudiera criar en secreto.

—Creí que Medb era un aquelarre de brujas.

—¿Me estás escuchando? ¿Tuviste que tomar lecciones sobre medicinas de chamán?

Storm no podía contenerse. Cuando enojaba a Evalle veía cómo se ruborizaban sus mejillas.

—Había una poderosa bruja llamada Medb de donde proviene el aquelarre llamado Medb. —Evalle recobró la compostura al volver a tomar aliento—. ¿Ahora lo pillas?

—Lo pillo. Pero el druida rompió el trato dejando morir a Findabair.

—No, Findabair no preguntó cuánto tiempo viviría. Al igual que las brujas y cualquier otra criatura, los druidas no son todos buenos ni todos malos. Él le llevó el bebé a Medb, que quería crear un aquelarre de brujas y hechiceros con el único propósito de destruir a los veladores.

—¿Por qué?

—Es una larga historia, pero el aquelarre de Medb considera que la isla donde habita nuestra reina guerrera Brina les pertenece por derecho.

—¿Dónde está esa isla?

—No puedo decírtelo exactamente.

Storm quería que ella siguiera hablando.

—Basándome en los veladores que he conocido, no me parece que el aquelarre Medb haya cumplido plenamente con su tarea de eliminar a los veladores.

—Estuvieron muy cerca de conseguir su objetivo cuando la familia de Brina fue destruida. Se supone que ella era la última descendiente de la familia Treoir, que han sido siempre los guardianes del poder de los veladores en la tierra. Los veladores extraen su poder de la isla de Treoir, que permanece oculta en alguna parte en medio de la niebla del mar de Irlanda, pero solo mientras una familia Treoir resida en la isla. Es por eso que Brina no puede salir y solo muestra su rostro en forma de holograma. Si el aquelarre Medb descubre alguna vez un modo de llegar a esa isla, o de matar a Brina antes de que tenga descendencia, tendrán el dominio sobre nuestro poder.

—Entonces, ¿crees que la magia Noirre de Atlanta está vinculada con los Medb?

—Quizás. Es la única forma de magia Noirre que según he oído tiene origen celta, pero no soy tan experta como otros veladores.

Él pensó en el último demonio que había encontrado muerto.

—¿Tú crees que el asesino del Rak estaba conectado a los Medb?

—No lo sé. Quienquiera que matase al demonio Rak es capaz de teletransportarse, pero yo no creía que los Medb pudieran desaparecer sin dejar un poderoso rastro.

No podía entender a esa mujer. Guardaba con celo sus pensamientos más que un banquero su cartera… hasta ahora.

—¿Por qué finalmente me estás contando algo de esto?

—¿No te resulta evidente después de que Sen me sacara de aquí la otra noche?

¿Sería esa una pregunta tramposa?

—No.

—Dijiste que no estabas aquí solo para ayudar a Sen a apartarme. Creo que o bien sí lo estás y ya sabías algo de esto o no estás trabajando con él, en cuyo caso necesito que sepas lo suficiente como para ser capaz de ayudar…

—¿Ayudar a qué?

Ella no debería haberlo mirado al susurrarle:

—A mí.

Incluso después de un par de años aislado de la mayor parte del mundo, Storm sabía cuándo le estaban entregando la rama de olivo de la confianza. Esa mujer no ofrecía su fe fácilmente ni con frecuencia, así que cuando ofrecía alguna cosa un hombre debería prestar atención.

El problema era que él no podía permitirse hacerse responsable de esa confianza, y tampoco podía explicarle a ella por qué.

Permitirle pensar que podía apostar por él era un error. Lo mejor que podía hacer era ayudarla a ella y al equipo de VIPER a encontrar esa condenada roca, y luego revisar su trato con Sen, lo cual fastidiaría a Sen.

¿Fastidiar a Sen o a Evalle?

Sen lo fulminaría.

Pero Evalle perdería su guerra con Sen.

Storm no podía encontrar a la persona que había venido a buscar allí si le daba a Sen una razón para expulsarlo del equipo del sudeste. Tampoco podría hacer nada por Evalle si eso ocurría. Acercarse a ella más de lo que debería un compañero de equipo tampoco le haría ningún favor respecto a Sen.

Manteniendo su tono enérgico, Storm preguntó:

—¿Por qué necesitas ayuda?

Ella volvió esas gafas negras hacia él, e incluso con esa separación él podía sentir el poder de su atención. La fuerza que yacía detrás de ese escudo de plástico. Su aroma emanaba de ella cuando generaba algún poder como estaba haciendo ahora, mientras trataba de decidir qué era lo que podía decir sin mostrar más vulnerabilidad de la que ya había mostrado.

La urgencia de alcanzarla con su propio poder y reconfortarla se alzó dentro de él, pero ella se retiraría si él hacía eso de nuevo. Era demasiado orgullosa como para permitir que alguien la protegiera. Si ella no hacía retroceder el poder que giraba a su alrededor él tendría que hacer algo pronto. Como rodearla con sus brazos. Necesitaba algo como un golpe en la cabeza, que lo metiera en vereda.

—Mira, Evalle, no puedo ayudarte si no sé lo que estoy buscando.

Ella bajó la cabeza y el poder se disipó.

Gracias a los dioses. Storm tomó aliento, inconsciente de que había estado conteniendo la respiración.

—Sen me quiere fuera del equipo.

—Entonces vete.

Ella sonrió con ironía.

—No es tan fácil. Mi existencia depende de que permanezca con VIPER. ¿No te informó sobre los mutantes?

—He oído hablar de esos que se transformaron y asesinaron. Sé que él cree que le ocultas algo. —Storm quería sonreír pero sus labios se separaron en una expresión de sorpresa. Ella tenía una boca condenadamente bonita—. Sé que él cree que a veces le mientes, lo cual, según establecimos la otra noche, era creíble.

Eso aplanó sus labios al hacerla apretar los dientes. ¿Cómo sería ver sus ojos encendidos de pasión por una vez?

—¿Qué más necesito saber, Evalle? —Tenía que seguir moviéndose, lejos de ella preferiblemente, o no podría mantener sus manos quietas con ella lanzando oleadas de ansiedad como un animal acorralado. No tenía más alternativa que presionarla un poco más—. Eres tú la que ha pedido ayuda. ¿En qué consiste ser un mutante? ¿Qué es lo que te convierte en especial?

Eso empujó un último tramo por encima del borde el rencor que ella sentía.

—Que te jodan, olvida que he dicho nada. —Comenzó a adelantarlo.

Él la cogió del brazo.

Ella se giró y se quitó las gafas con la mano que tenía libre. Sus ojos refulgían con un verde brillante. No tenían nada que ver con los que él había visto en la camioneta cuando viajaban desde Atlanta a los cuarteles de VIPER.

—Míralo bien. La situación está tan solo un poco jodida. Lo realmente asqueroso vendrá si yo me transformo, cosa que para Sen ya estoy haciendo y de algún modo mantengo oculto. En cuanto él tenga la menor prueba de que represento una amenaza para los humanos, un Tribunal me encerrará en una jaula donde nadie podrá encontrarme. Para eso te ha traído. Sácame la mano de encima antes de que te haga perderla.

El cuerpo de ella se agitaba bajo sus dedos.

Él comprendió aquella ira cruda y dolorosa. Venía de lo más adentro, allí donde las palabras están más allá de tu control. El jaguar de Storm quería salir fuera y matar lo que fuera que la amenazaba, quería rugir a esa angustia que ella tenía enterrada dentro de cada una de sus respiraciones cortantes y obligar al mundo a que dejara de hacerle daño.

Cuando se quedó sin más elección, la besó.

Veintitrés

Evalle se había preparado para cualquier reacción de Storm cuando le gritó y le mostró sus brillantes ojos verdes de bestia, pero su beso no había sido ninguna de esas reacciones. La conmoción le robó la habilidad de pensar o reaccionar. Lo único que podía hacer era preguntarse cómo podían ser tan suaves los labios de alguien con músculos duros como cables bajo la piel donde ella le apretaba el brazo.

Él no la tocaba con nada más que los labios.

Ella, por su parte, mantenía los dedos aferrados alrededor de su brazo. Sujetarlo le estaría enviando el mensaje equivocado.

Permitiéndole que continuara besándola estaba enviando un mensaje equivocado. Lo soltó.

Él apartó la boca de la suya.

Ella se acordó de volver a respirar. Notó que seguía lloviznando. Recordó que estaban en Piedmont Park, donde afortunadamente había pocas visitas de humanos los lunes por la noche. Cuando se encontró con su mirada, ella esperaba una expresión de disculpa, pero no distinguió ni una pizca de arrepentimiento. Antes de poder contenerse, Evalle se relamió los labios.

Él se apartó bruscamente y soltó una risa lúgubre que sonó un poco a suspiro.

—No hagas eso a menos que quieras que siga besándote.

Su risa fue un jarro de agua fría y la llevó a preguntarse qué lapsus cerebral la había hecho quedarse allí parada como una idiota y permitir que la besara a su antojo. No había permitido que nadie se acercara tanto a su cara desde la noche en que el doctor la había herido.

¿Por qué sí que se lo había permitido a Storm?

Porque la había sorprendido antes de que fuese capaz de pensar en detenerlo. Porque no le había puesto las manos encima. Y en cuanto su boca había tocado la suya no había querido que dejara de besarla.

Estaba hollando en aguas peligrosas con aquel hombre.

Las hormonas serían capaces de acabar con ella antes de que las mentiras que le quedaban por decir cavaran su tumba.

Evalle retrocedió, apartándose de la suave manta de su oído, que había herido sus sentidos.

—¿Por qué me has besado?

Él inclinó la cabeza pensativamente.

—Podría decirte que porque eres hermosa, que sí lo eres, o porque te deseaba, lo cual también es cierto. Pero la verdad es que lo he hecho porque no me gusta verte angustiada.

¿Que la deseaba? Como si... Ni siquiera iba a tocar esa parte. De hecho, se le había ido tanto la cabeza en esa conversación que necesitaba un flotador si quería salir de aquello.

—Estaba enfadada, no angustiada.

La sonrisa que asomó al rostro de él la estaba llamando mentirosa.

Se enojó con él.

—Por mucho que percibieras mi estado emocional, eso no te da permiso para besarme cuando te dé la gana.

Él dio un paso, acortando un centímetro la distancia entre los dos.

Evalle permaneció en su sitio a pesar de que los pies tenían ganas de retroceder... una parte de su cuerpo más inteligente que sus manos ansiaba ser tocado. Bueno, demonios, puede que necesitara una armada entera de flotadores para salvarse en este punto.

Storm se metió las manos en los bolsillos de los tejanos y dejó caer la cabeza cerca de la de ella.

—No volveré a hacerlo si eres capaz de convencerme de que no lo has disfrutado y, además, logras que me lo crea.

¿Cómo se había metido en un problema como aquel? Decirle a él la verdad —que nunca la habían besado, o no de esa manera tan dulce como la suya— la metería en un apuro tan grande como tratar de convencerlo de que no le había gustado.

—Yo no tengo que decirte nada, y necesitamos volver al trabajo.

Hubo esa risita de nuevo, pero esta vez un humor genuino asomó al rostro de él y alcanzó los hermosos ojos de ella durante varios segundos antes de que volviera a adoptar una actitud totalmente profesional.

—Volvamos al trabajo entonces. Tú querías mi ayuda, así que háblame de los mutantes.

Ella hubiera deseado poder leer su mente y saber qué debía creer sobre él. Saber si era de confianza.

Como ella no le respondía, Storm le dijo:

—¿Y si te digo que tenemos más en común de lo que tú crees?

La adrenalina que había colapsado su cuerpo por aquel beso comenzó a menguar, de manera que pudo pensar con más claridad. Pudo permitirse respirar otra vez.

—No veo cómo tú y yo podríamos tener algo en común.

—Míralo de forma simple y deja de irte por las ramas. Tú tienes tus secretos y yo también. Te he dicho que no soy la marioneta de Sen, pero eso es lo único que puedo decirte en relación a por qué estoy aquí. Te corresponde a ti decidir si estoy mintiendo o no. Si quieres mi ayuda, pídela. Si yo digo que haré algo lo haré, pero eso no significa prometerte que diré que sí a todo lo que me pidas, o que nuestras ideas sobre lo que significa ayudar vayan a coincidir siempre. Es lo más que puedo hacer.

—¿Estableciste el mismo acuerdo con Sen?

—Sí, lo hice.

Si él se hubiera tomado tiempo para responder o para tratar de convencerla de lo contrario, ella no lo hubiera creído. Que aceptara compartir su situación con él no significaba que confiara en él completamente, pero necesitaba a alguien que pudiera ayudarla más allá de Tzader y de Quinn. Ella no quería ponerlos en riesgo.

—Puedo aceptarlo.

—Entonces explícame cuál es el problema o qué es lo que necesitas de mí.

Ella apretó los dientes ante la idea de entregarle a él todas las pruebas que Sen necesitaría para entregarla al Tribunal.

¿Storm usaría en su contra lo que le contara, o realmente la ayudaría? Se estaba quedando sin tiempo y había solo una forma de descubrirlo.

—Alguien envió tres demonios a Atlanta en busca de un mutante, y yo soy la única mutante aquí. Necesito averiguar quién está detrás del Birrn que me atacó y si está conectado de algún modo con la piedra Ngak.

—¿Estás segura de que los demonios iban en busca de un mutante?

—No, no tengo suficiente capacidad real. Hago que los ataques de los demonios giren a mi alrededor. —Estaría encantada de entregarle el relevo a cualquier otro.

—¿Qué te hizo pensar que los demonios que se mostraron en Atlanta están conectados con la aparición de la piedra Ngak en el parque? —preguntó Storm.

—Demasiadas coincidencias añadidas a una posible conexión. Por algo me tropecé con un kujoo la otra noche, ese llamado Vyan del que habló Trey en la reunión de VIPER.

—¿Por qué no me hablas acerca de ese Vyan mientras hacemos nuestro camino por el parque? —Storm inició la marcha a través de la oscuridad.

Él se movía con la grácil agilidad de un gran felino, como si su hogar fuera la noche. ¿También tendría una visión extraordinaria?

Evalle se puso de nuevo las gafas de sol antes de que llegaran a uno de los caminos pavimentados y con hileras de farolas que iluminaban el parque. Mantenía un ojo alerta para asegurarse de que no hubiera nadie cerca de ellos.

—Vyan estaba tratando de atrapar a dos adolescentes la otra noche y yo intervine.

—¿Cómo te viste involucrada?

—Uno de los adolescentes tras los que iba es un chico de la calle, un hechicero que no quiero ver convertido en un demonio. La otra era la hermana de un semidiós. Pero aquí viene lo raro. Cuando detuve a Vyan por llevárselos, tuve la extraña sensación de que lo aliviaba que le arrebatara a los chicos de las manos. —La habilidad empática con la que ella había estado percibiendo, la habría llevado a tener esa percepción ahora que lo pensaba.

Caminando a un paso cómodo, Storm negó con la cabeza.

—Eso no tiene sentido.

—Dímelo a mí. Y Vyan de hecho me pidió que les leyera el cuento de hadas de *Hansel y Gretel*. Como si estuviera tratando de hacerme saber que una bruja planeaba usarlos para un sacrificio de sangre, lo cual encaja con la magia Noirre. Y hay otra cosa sorprendente: ni siquiera trató de luchar conmigo.

—Creí que Trey había dicho que a ese tal Vyan se le permitía caminar en libertad si no luchaba contra un velador.

—Pocas personas me consideran un verdadero velador, así que eso no debería haberlo detenido. Dudo que Shiva lo forzara a respetar ese acuerdo en caso de tratarse de un mutante.

Storm había llegado a los escalones que conducían unos metros más abajo hacia el extremo sur del parque cuando se detuvo y la estudió. Sus ojos registraron algún pensamiento que no compartió antes de darse la vuelta y bajar las escaleras de dos en dos.

Ella deseó haber tenido la habilidad excepcional de Trey para leer los pensamientos de cualquiera. Era uno de los telépatas más poderosos entre los veladores. Storm probablemente la pescaría husmeando en su mente si ella cometía la osadía de entrometerse. Le encantaría saber qué había debajo de todo ese pelo negro, qué es lo que daba a esos ojos negros como el carbón ese aspecto a la vez contemplativo y hambriento.

La lluvia pasó de ser apenas detectada a convertirse en una ligera llovizna persistente que ahuyentó del parque incluso a los dueños de perros más renuentes. Evalle comenzó a reprender a Storm por no llevar un sombrero para proteger sus ojos de la lluvia cuando captó un movimiento varios metros a su izquierda.

—¿Qué demonios es eso? —murmuró para sí.

Storm se volvió para seguir su línea de visión.

La silueta de un viejo deforme apareció renqueando a través de un ancho espacio vacío que había entre dos altos pinos. El cuerpo del hombre surgía a la vista y desaparecía parpadeante como si no pudiera retener ningún tipo de forma.

Evalle dio un par de pasos. El sonido de sus botas debió de espantar a la criatura. Esta se elevó del suelo, flotando a su alrededor con su cabeza y sus hombros visiblemente sólidos.

Sus ojos eran diabólicamente rojos. Y unos dientes afilados surgieron a la vista cuando separó los labios para proferir un rugido imprevisto.

Ella le habló en voz baja a Storm.

—Se parece a un merodeador con el que tengo un asunto. —Afortunadamente no era Grady.

—Creía que todos eran espíritus malignos pero inofensivos.

—Lo son. Pero a ese le ha pasado algo.

El espíritu voló en dirección a ellos.

Evalle levantó sus manos abiertas a la altura de los hombros y empujó hacia afuera, lanzando un pequeño estallido de poder que golpeó al espíritu y lo hizo retroceder.

La criatura aulló, pero el sonido no tenía volumen. Se sacudió conmocionado, mirando a su alrededor con ojos enloquecidos. Cuando su cuerpo cayó al suelo todavía semiformado, se dio la vuelta y salió corriendo más rápido de lo que ella hubiera esperado.

Observó cómo el espíritu se adentraba en el bosque.

—Tengo que averiguar qué es lo que le ha ocurrido. Alguien ha estrechado la mano de ese espíritu durante demasiado tiempo o le ha lanzado un hechizo al estrechársela o... No tengo ni idea de lo que le habrán hecho, pero no puede andar por ahí suelto. Parece peligroso. Voy a explorar.

—No.

—Uno de nosotros tiene que atraparlo antes de que hiera a algún ser humano, y ambos sabemos que Sen no quiere que tú me dejes sola con la piedra Ngak.

Storm le dedicó una de sus miradas estudiadas.

—¿Recogerías la piedra si la encontraras?

—No. Llamaría a Tzader.

—Te creo. Tú has visto la piedra y yo no, lo cual significa que tiene más sentido que seas tú quien camine hacia el extremo sur del parque a ver qué encuentras. Yo seguiré el rastro del espíritu. Si hallas la piedra antes de mi regreso saldremos pronto de aquí. —Lanzó una mirada rápida alrededor y luego sus ojos volvieron a dirigirse a ella—. Y cierra la boca a menos que estés tratando de atrapar agua de lluvia.

Ella se había quedado sin palabras. ¿De verdad iba a dejarla sola para atrapar esa roca? No le vino a la cabeza ninguna réplica ingeniosa, lo cual no importaba en tanto que se hallaba mirando fijamente su espalda mientras él se desvanecía en los espesos bosques. Se giró y se encaminó a través de la enorme extensión de césped donde la gente se instalaba y jugaba durante el día.

Pero no ahora, una noche de entre semana con esa persistente lluvia removiendo la densa humedad.

Giró en dirección al arroyo donde se había perdido la piedra Ngak dos años atrás. A la derecha del puente que cruzaba el arroyo había otro tramo de espacio abierto que conducía a la calle Décima. No había ni un alma a la vista, ni humana ni de ningún otro tipo.

Un perro ladró.

Evalle se detuvo y buscó a través de la llovizna, allí donde las luces de las farolas no alcanzaban a iluminar.

Una mujer joven con un poncho se hallaba sentada en cuclillas cerca del puente, buscando algo en la orilla. Se levantó y dio un pequeño tirón a la correa del chucho, que danzaba a sus pies.

—Te veo *Brutus*, sí, te veo.

Era una humana. No había de qué preocuparse.

Evalle había decidido ignorar a la joven cuando una ráfaga de energía se extendió en el aire por encima de su rostro. Miró alrededor en busca del culpable y lo encontró.

Vyan, el kujoo, emergió de la oscuridad y se acercó a la mujer. Le preguntó:

—¿Puedo hablar contigo?

La joven se quedó helada, mientras con una mano tensaba la correa del perro y metía la otra en el bolsillo de su parka... ¿tendría algún aerosol de defensa?

—No. Por favor, no te acerques.

Evalle mantuvo su poder contenido para evitar que Vyan percibiera su presencia. Entendía que Vyan viera en medio de aquella oscuridad, ya que tenía algún tipo de visión sobrenatural, ¿pero cómo era posible que esa mujer anduviera por allí sin una linterna?

—No pretendo hacerte daño —dijo Vyan.

—¿Qué es lo que quieres? —preguntó la mujer.

—Quiero hacerte una advertencia. Vendrá alguien que es peligroso para ti.

Evalle estudió a la mujer con más detenimiento esta vez. No irradiaba nada de su cuerpo que indicara que no fuera humana, así que aquello no podía tener nada que ver con la piedra Ngak.

¿Iría Vyan de nuevo a la caza de cuerpos como la otra noche en los alrededores del Iron Casket? ¿Alguien le estaba obligando a hacerlo en contra de su voluntad y por eso intentaba advertir a la gente por anticipado?

Esa posibilidad se hizo patente en sus pensamientos, pero no podía permitirle que hiciera daño a un ser humano, ni intencionalmente ni de ninguna otra manera.

Y aquello podía ser una pista que condujese a la piedra Ngak.

—¿Quién eres tú? No te conozco. —La mujer sacó la mano libre del bolsillo cuando el perro se puso a correr alrededor de sus piernas. Se inclinó para cogerlo del collar y falló dos veces.

¿Era ciega? Eso explicaría que fuese sin linterna.

—Soy un extranjero. Mi nombre es Vyan, pero no quiero herirte.

—Con eso seguimos en el mismo sitio. —La mujer consiguió desenredar al perro de sus piernas y se enderezó.

—Debes salir del parque ahora mismo.

—¿Me estás amenazando?

Vyan continuó en un tono que no era amenazante.

—No, eso es lo que te estoy tratando de explicar. Tienes que…

Un latigazo de audaz energía corrió a través del parque, golpeando la piel expuesta de Evalle. Ella se volvió hacia la calle Décima, localizando fácilmente la fuerza. Un hombre imponente se acercaba a grandes pasos hacia Vyan y la mujer, con un rostro espléndido y el cabello claro. Llevaba tejanos y una camisa abotonada.

¿Quién era aquel tipo?

También llevaba gafas de sol, que ocultaban algo de sus ojos. El aire literalmente zumbaba mientras él se aproximaba.

Considerando cómo le iban las cosas últimamente, Evalle se imaginó que habría unos ojos rojos de demonio ocultos tras esas gafas.

Vyan se colocó entre la mujer y aquel tipo recién llegado.

—No te acerques más, Tristan.

—Apártate de mi camino, kujoo.

Ah, mierda. Aquellos dos se conocían. Evalle soltó la respiración y comenzó a dirigirse hacia ellos desde un lado. No harían daño a un ser humano en su presencia.

Tristan agitó una mano hacia Vyan y un golpe de poder le azotó los hombros. Gritó de dolor.

La chica chilló. Su perro ladró salvajemente y luego ella se quedó muda. El miedo habría hecho eso.

Vyan recobró su punto de apoyo y extrajo una diabólica espada de dentro de su abrigo.

—Tendrás que matarme para llevártela.

—Puesto que soy un hombre generoso, garantizo tu deseo —respondió el llamado Tristan, riendo.

¿De qué iba todo aquello? Evalle lanzó una pared de poder a ese Tristan y este se tambaleó hacia un lado.

Entonces sacudió la cabeza en dirección a Evalle.

Vyan la descubrió también.

—¿Ves lo que has hecho? —le dijo a Tristan.

—¿De qué va esto, Vyan? —preguntó Evalle.

—Vete de aquí, mutante —dijo Vyan—. No tengo por qué pelear contigo.

—¿Mutante? —Tristan dijo esa palabra como si hubiera encontrado algo que llevaba mucho tiempo buscando. Algo que deseaba por encima de todo.

Evalle abrió su canal a los veladores.

«Trey, Tzader, Quinn, venid al parque Piedmont. Ahora.»

Y a Tristan le dijo:

—Ríndete o tendré que hacerte daño.

El bastardo se rio como si no hubiera oído nada más divertido en décadas.

—Primero voy a matar a Vyan, después tendré tiempo de jugar contigo. Y yo que pensaba que iba a ser una noche aburrida. —A continuación la ignoró y dirigió su atención a Vyan—. Muévete o muere. Ahora.

Vyan se volvió hacia la mujer, que estaba allí de pie todavía muy conmocionada, y le dijo:

—Corre y deshazte de esa piedra.

«¿Piedra?»

La mujer no se movió.

Tristan arrojó otro estallido a Vyan que lo golpeó y lo hizo retroceder hasta la mujer.

Evalle se precipitó para interponerse frente a Vyan, bloqueando el siguiente ataque de Tristan con una pared de energía. Se volvió para ver cómo la mujer sacaba una piedra brillante del bolsillo de su abrigo.

La piedra Ngak. Maldita sea.

Vyan había caído a los pies de la mujer y sobre la correa del perro, de modo que todos quedaron clavados en el sitio. Gimió. La sangre corría por su hombro y por su pierna.

Tristan rugió y atacó el campo energético de Evalle con otro golpe de energía ardiente, obligándola a balancearse hacia atrás. Había que sacar a esa mujer y a la piedra de allí inmediatamente.

Solo podía esperar a que Storm estuviera de camino e interceptara a la mujer si ella se la enviaba. Evalle le dijo a la mujer:

—Deja la piedra y corre hacia las escaleras que hay allí.

La mujer la miraba con unos ojos brillantes que no eran ciegos. Murmuró:

—Solo quiero ir a casa.

Y de pronto... puf. Ni rastro de la mujer. Ni rastro de Vyan. Ni rastro de la piedra.

Solo quedaba Evalle a solas con esa maldita criatura llamada Tristan.

Veinticuatro

Evalle no podía creer lo que acababa de ocurrir. Estaba segura de que la mujer que se hallaba en el parque un minuto antes con la piedra Ngak era humana.

¿Cómo era posible?

El rugido de furia que vino hacia ella significaba que alguien más estaba igual de sorprendido y no le gustaban las sorpresas.

El hombre que Vyan había llamado Tristan caminó a grandes pasos con arrogancia a través del césped en dirección a ella, pisando charcos de lluvia. Lanzaba rayos de caliente energía azul contra el campo de poder que ella luchaba por mantener en su sitio contra el violento ataque de él.

¿Quién era ese tipo? ¿Y por qué sentía ella un zumbido en el aire? Si fuera un hechicero habría tratado con Vyan y hubiera logrado conseguir a la mujer para sí, así que Tristan no tenía habilidades mágicas.

Quizás. No había absolutos en su mundo, no cuando la criatura estaba sin identificar.

Evalle esperaba tener una oportunidad mejor para luchar con aquel tipo cuerpo a cuerpo en lugar de limitarse a sostener un campo de energía. Con la lluvia que ahora se deslizaba en capas y capas a través del parque debería de haber tenido una ventaja en velocidad y agilidad.

Empujó la pared de poder hacia Tristan y eso lo hizo retroceder y le dio a ella la oportunidad de adoptar una postura de lucha.

—¿Qué tipo de criatura eres, Tristan?

—Esto es lo último que verás con vida —le dijo él con una voz que prometía dolor como antesala de la muerte. A continuación la atacó, corriendo hacia ella con los brazos levantados para golpearla.

Ella enganchó de manera kinésica sus manos alrededor de él y se dejó caer hacia atrás, usando el impulso para lanzarlo por encima de su cabeza, alto en el aire y arrojándolo hacia el extremo del puente.

Sen tendría que ocuparse del puente destrozado.

Tristan rodó para ponerse en pie, impávido. La llamó.

—Ven aquí.

—¿Eso te funciona con otras mujeres? —bromeó Evalle—. No te servirá conmigo.

—No estaba hablando contigo. —Él levantó la barbilla y ella se dio cuenta de que estaba hablando con alguien más, a quien dijo—: Traedla.

Evalle se dio la vuelta justo cuando dos horribles formas mitad humanas mitad fantasmas volaron hacia ella. Eran criaturas parecidas al espíritu maligno y enloquecido tras el cual había ido Storm.

Ella golpeó el tacón de su bota contra el suelo y salieron cuchillas a cada uno de los lados. Esperó hasta que los fantasmas estuvieran lo bastante cerca para poder alcanzarlos y movió su brazo ampliamente de lado a lado. La ola de energía kinésica que arrastró a los fantasmas los hizo chocar el uno contra el otro, haciéndolos caer y revolcarse en una pila de brazos y piernas retorcidos.

Una parte de ella registró que esos dos debían de ser viejos merodeadores con los que probablemente habría hablado en el pasado, así que no empleó las cuchillas para cortarles el pescuezo. Una vez se ocupara de Tristan tendría que llamar a Sen antes de que los dos espíritus revivieran.

Se dispuso a enfrentarse a Tristan otra vez y lo halló sentado tranquilamente en la barandilla del puente, con un pie apoyado en una viga transversal, como si esperara a alguien que fuera a servirle una cerveza.

—¿Qué les has hecho a esos merodeadores?

Él no dijo ni una palabra.

Ella avanzó un paso hacia él y sintió una punzada de dolor en la pantorrilla. Evalle cayó de rodillas. Miró por encima del hombro y vio que uno de los espíritus se arrastraba hacia ella con una larguísima uña pegada a su dedo tan afilada como un cuchillo.

Su simpatía por aquellos medio muertos enloquecidos desapareció de un plumazo.

—No debiste haber hecho eso. —Se puso en pie, dio dos pasos y le cortó la cabeza con una patada de sus botas. Volviéndose hacia el otro, le advirtió—. Si te mueves te hago pedazos.

La otra pobre criatura tembló y retrocedió hecha una bola de miedo y acurrucándose bajo el chaparrón.

Cuando ella se volvió hacia Tristan esta vez, quería sangre.

—Eres mío.

—Nunca decepcionaría a una dama. —Saltó desde donde estaba, sosteniendo las manos como si sujetara un bate invisible y se balanceó hacia ella.

A ella le palpitaba la pierna, pero esperó hasta el último momento para caer hacia un lado y rodar.

El estallido de poder que él lanzó desintegró al fantasma que quedaba en diminutas partes microscópicas que la lluvia dispersó.

Evalle corrió hacia él antes de que hiciera un segundo balanceo para golpear.

Tristan giró, usando su poder kinésico para bloquearla, pero ella no era un típico velador que él pudiera derribar con su fuerza kinésica. Al menos no cuando estaba al ciento por ciento de sus posibilidades. Haría que él pagara por el corte que le había hecho el fantasma.

Cuando estuvo cerca de él, giró sobre su pierna sana y usó la que tenía herida para perforar la pared de poder que él había levantado.

Pero eso no ocurrió.

¿Quién demonios era aquel tipo? Evalle succionó aire y levantó la cabeza para retroceder.

El cuerpo de él le golpeó la espalda contra el barro y la retuvo allí. Lo tenía a pocos centímetros de ella, y era puro músculo.

Evalle estaba de espaldas, mirándolo fijamente. Un grito enterrado en lo hondo de su mente se abrió paso. Apretó los dientes para no dejarlo salir. La memoria de haber sido sujetada y tratada de manera brutal se abrió paso junto con el creciente grito amenazando con cegarla de pánico.

El bastardo que había encima de ella respiraba con dificultad.

—Ahora podemos hablar.

—Sal… de aquí…. Ahora. —Solo podía hablar en pequeños estallidos o el terror se desataría.

Nunca muestres al enemigo tu debilidad.

Nunca permitiría que un hombre volviera a hacerle ningún daño.

Nunca dejaría con vida a alguno que se lo hiciera.

Ese pesaba tanto como su sofá, pero ella se había transformado y había aterrorizado a aquel que la violó con quince años y ahora podía hacer algo mucho peor.

Se sacudió con la necesidad de transformarse en un ser más fuerte y protegerse a sí misma. La sangre golpeaba contra las paredes de su piel. Su cerebro trataba de advertirle de que se calmara, pero la muchacha de quince años que gritaba de dolor explotó desde ese agujero negro donde había estado ocultándose durante todos estos años.

—Última oportunidad —dijo jadeante, luchando por cada respiración.

—¿Qué es lo que vas a hacer? —Él apretó sus caderas contra las de ella y entonces Evalle perdió la capacidad para desarrollar cualquier pensamiento consciente.

—¡Bastardo! —El cartílago se quebró en sus brazos y su cuello hizo un chasquido con las primeras señales de transformación.

—¿Qué demonios eres…?

Eso la hizo volver desde su confusión por el pico de adrenalina y la ola de terror y mirarse las manos, para comprobar que sus muñecas habían roto los puños de su chaqueta. Oh, Dios. Tenía que lograr poner bajo control a su bestia.

De repente, se le cayeron las gafas.

Evalle alzó la vista y sin pensarlo dos veces le arrancó a él las gafas de la cara.

Unos brillantes ojos verdes giraron en círculo como piedras derretidas.

Unos ojos que no se parecían a ningunos otros que hubiera visto jamás… excepto a los suyos propios en el espejo.

—¿Una mutante? —Él pronunció la palabra con incredulidad total y una letal desconfianza.

Veinticinco

—¿Una mutante? —Evalle se hizo eco de las palabras de ese hombre llamado Tristan, igualmente conmocionado.

Allí había un hombre con la inusual fuerza física y los luminosos ojos verdes de un mutante.

—¿De dónde sales tú? —preguntó Tristan, alejándose del puente dañado que daba al parque Piedmont el aspecto de una pequeña zona de guerra.

—¿Por qué? ¿Estás pensando en una página web para reunir a los mutantes? —Evalle no iba a decirle nada sobre sí misma a nadie con los poderes que él tenía, pero tenía que lograr que siguiera hablando. Averiguar todo lo que pudiera acerca del primer mutante que conocía en su vida.

—Vyan dijo que tú eras un velador. ¿Por qué creía eso? —Tristan avanzó unos pasos.

—Detente ahí. —Sorprendentemente así lo cree—. Y es que soy un velador.

—Ellos no admiten mutantes en su tribu.

Apenas habían pasado unos pocos minutos, pero cada segundo se hacía más difícil retener su atención. ¿Dónde estaba Storm? ¿Y por qué no lograba comunicarse telepáticamente ni con Tzader ni con nadie? ¿Tendría que ver con ese extraño zumbido cuyo hechizo oculto casi podía oír? ¿Alguien habría hecho un conjuro sobre el parque que le impedía comunicarse con nadie?

Eso significaba que él tenía habilidades mágicas, ¿o que trataba con una bruja?

—Yo soy la prueba de que los veladores sí admiten mutantes en su tribu. Les preguntaré si están recibiendo solicitudes.

—Brina me echó un vistazo hace cinco años y decidió meterme en la jungla, enjaulándome con un hechizo.

Cinco años. Casi tantos como los que ella llevaba con los veladores.

—¿Te escapaste? ¿Cuándo?

—Ayer.

—¿Cómo?

—¿Voy a decírtelo para que puedas contárselo al resto de los veladores? —Sus ojos brillaron con una idea—. Espera un momento. Tú eres Evalle.

La preocupación se extendió a lo largo de todos sus nervios. ¿Cómo sabía él eso? Por un momento, la conmoción la dejó sin voz. Prefería no confirmarlo ni negarlo.

—He oído hablar de un mutante cuyo nombre es Evalle. Una hembra mutante. No creí que fuera cierto.

Pocos en el mundo extraño y sobrenatural oculto en Atlanta lo creerían. Ella captó en sus palabras un tono de especulación, un suave sonido que albergaba oscuros pensamientos.

—Eso lo cambia todo —murmuró él.

A ella no le gustó tampoco cómo sonaba eso, ya que ese cambio que mencionaba probablemente no sería bueno en su caso.

—¿Qué les hiciste a esos dos merodeadores?

—Les di lo que querían.

Ella debería haberlo clavado en el suelo de un martillazo.

—Si sabías hacer tratos estrechando las manos con ellos tenías que saber también lo que ocurriría si les dabas la mano durante demasiado tiempo. Esos viejos espíritus nunca han hecho daño a nadie. ¿Cómo has podido convertirlos en seres malvados y peligrosos? ¿En esas criaturas horribles y contrahechas?

—Tengo mis razones, pero no voy a decírselas a una chivata que habla con veladores.

No permitiría que aquel perro despreciable la insultara.

—Yo soy una velador.

—¿Una mutante? Vives en un mundo de sueños. Dejan que estés a su alrededor porque te usan para hacer el trabajo sucio, pero no creen que seas uno de ellos.

Ella mantuvo una máscara de indiferencia para no permitir que viera hasta qué punto la habían afectado sus palabras. Seguía pensando que era un velador, aunque la mayoría de los de su tribu no lo creyeran. Pero aquella era la primera vez que se encontraba con otro mutante. La primera oportunidad que tenía para hacer a alguien algunas preguntas y tal vez atisbar alguna luz acerca del lugar de dónde provenían. Pero para eso tenía que darle a Tristan alguna razón para hablar con ella. Además, cuanto más averiguara acerca de él, mayores oportunidades tendría de encontrar la piedra Ngak que había desaparecido junto con Vyan y la mujer.

Era evidente que Tristan iba detrás de la misma cosa que Vyan, pero tal vez no por la misma razón.

Emplearía la táctica del «vamos a trabajar juntos para mayor provecho de los dos».

—Estoy tratando de ayudar a los mutantes para que no tengamos que ser destruidos ni encerrados, pero no he conseguido encontrar información acerca de ellos, y sé poco acerca de mis propios antecedentes. ¿Quiénes eran tus padres? ¿Dónde estabas cuando te atraparon?

Tristan se dirigió de nuevo hacia ella, hablando mientras avanzaba, pero ella esta vez permaneció en su sitio. Ya que él no estaba actuando de manera agresiva.

—Eres libre de moverte por donde quieras. ¿Por qué ibas a tener interés en ayudar a otros mutantes? No tienes ninguna preocupación.

Si fuera así de simple...

—No quiero ver más mutantes enjaulados.

—No podrás impedir que Brina los enjaule.

Eso seguro. Debería discutir con él, pero Evalle no podía honestamente defender a Brina cuando ella misma albergaba serias dudas acerca de la reina guerrera. Presionaría a Tristan para ver cuánto soltaba.

—Llevo mucho tiempo trabajando para averiguar cosas acerca de los mutantes. No quiero verlos enjaulados. Si tú tampoco quieres, responde a mis preguntas.

Él se cruzó de brazos, reflexionando acerca de algo.

—Encontrarte ha convertido todo esto en un juego completamente nuevo. Te diré lo que voy a hacer. Si de verdad quieres ayudar a los mutantes y quieres que yo te diga lo que sé de los otros…

—¿Sabes algo acerca de los otros tres? —«Ahora estamos hablando».

—Por supuesto. Por ejemplo, sé dónde se encuentran enjaulados.

¿Cómo era posible que Tristan tuviera información que Brina no había compartido con ella?

Él continuó:

—Si quieres ayudar a los tuyos, tráeme la piedra Ngak antes de las cuatro de la mañana del miércoles.

«Pensemos un poco. ¿Acaso este tonto tiene más poder? No.»

—¿Qué piensas hacer con la piedra Ngak si la consigues?

—No existe ese *si* condicional. Te lo explicaré cuando aparezcas con la piedra, a menos que yo la encuentre primero, en cuyo caso seguiré adelante con mis planes. Pero si traes la piedra y te unes a mí, garantizaré tu seguridad mientras vivas y serás reverenciada por tus poderes, en lugar de ser tratada como un perro que suplica por las sobras.

En apariencia aquello sonaba bastante tentador, pero ella tenía un juramento que respetar. No era su semana de tratos decentes.

—No creo que andes suelto mucho tiempo como para ofrecer protección una vez Brina descubra que has escapado. Yo voy a estar ocupada en encontrar a esa mujer con la piedra y protegerla.

—Te refieres a coger la piedra y llevarla a la cámara acorazada de VIPER, ¿no es así?

A ella le sorprendía que supiera tanto habiendo estado encerrado durante cinco años.

—No puedo tratar sobre los asuntos de VIPER.

—Si pretendes guardar bajo llave la piedra, entonces no finjas que te importa lo que me ocurra a mí o a los otros tres mutantes. —Se encogió de hombros con desprecio—. Y tú nunca descubrirás la verdad sobre nuestra especie, porque yo soy el único con las respuestas a tus preguntas.

—Puedo encontrar mis propias respuestas sin poner en riesgo a todos los veladores. —Tal vez en un par de eternidades.

La sonrisa de Tristan se ensanchó como si la viera pensar su farol.

—Dudo que descubras qué criatura debe reproducirse con un velador para formar un mutante. No sin mi ayuda. Conozco la historia de mi familia y lo que tú, yo y los otros tres mutantes tenemos en común. ¿Son esas algunas de tus preguntas?

Había dado en el clavo. La sangre palpitaba en ella ante la posibilidad de hallar realmente las respuestas. No tenía nada que ofrecer a Tristan, pues él ya había sido quemado una vez por Brina, si es que decía la verdad, y creía que la piedra Ngak era su pasaje hacia la libertad. Pero él no era el único que iba tras esa piedra.

—¿Qué ocurre entre tú y Vyan?

—Lo mataré si vuelve a interponerse en mi camino, y seré yo quien encuentre a esa mujer.

—¿Cómo encontraste a Vyan?

—¿Cómo sabes que no fue él quien me encontró a mí? —bromeó Tristan pasando a su lado—. Haz planes para venir conmigo, Evalle. Pronto tendré la llave a la libertad sin persecuciones.

Ella dio un paso a un lado para tenerlo a la vista, y su pierna palpitó con el movimiento.

—Si tocas la piedra Ngak, esta podría matarte, o matarla a ella, y si eso no ocurre los kujoo podrían hacerse con la piedra y comenzar una guerra con los veladores que podría convertirse en una versión moderna del apocalipsis.

Él dejó de caminar de un lado a otro.

—No me confundas con alguien a quien le importa una mierda algo de eso.

Aquel era el comentario más sincero al que había llegado. Realmente no importaba quién vivía o quién moría, lo cual únicamente lo hacía más peligroso. Vyan tenía mucho de eso cuando ella lo había conocido dos años antes en aquel mismo parque. Lo había perdido todo por los veladores ochocientos años atrás, incluyendo su deseo de sobrevivir.

¿Por qué se arriesgaría Vyan a llamar la atención de los veladores?

Grady le había dicho que una sinergia antigua había entrado en la ciudad.

Ella encajó las piezas en su cabeza y aventuró una suposición.

—¿De verdad crees que los guerreros kujoo son tus amigos?

Él le dedicó una sonrisa.

—Tenemos el síndrome del enemigo común.

—Tenemos... —Tenía que localizar a Tzader pronto y hacerle saber lo que ya se imaginaba. Vyan no era el único kujoo en la ciudad—. ¿Cuántos kujoo hay aquí ahora?

—Suficientes.

—Ya no vas a tener un mundo donde vivir una vez ellos empiecen una guerra.

Tristan se cruzó de brazos.

—Ellos no serán un problema. Los kujoo no andarán merodeando por aquí una vez yo tenga la roca. Quieren ser enviados ochocientos años atrás de forma inmediata. Así que no tendrás que preocuparte por luchar con ellos en Atlanta. —Su mirada se movió de un lado a otro, vigilándolo todo a su alrededor—. Me encantaría quedarme aquí charlando, pero hay una piedra que tengo que encontrar y tú tienes que ir a adular a los veladores.

Simplemente estupendo. Un mutante suelto a la caza de una mujer que había puesto las manos en la piedra Ngak.

—Si haces daño a esa mujer, tendrás muchos más problemas de los que ocuparte que los veladores. Incluso Macha podría llegar a involucrarse.

—Macha no se va a involucrar a menos que haya una batalla entre los kujoo y los veladores. Y te estoy diciendo que no va a existir un conflicto en nuestro mundo.

—Oh, claro, quieres que crea que los kujoo volverán a su época hace ochocientos años sin antes luchar contra los veladores para vengarse.

—Tienen un plan mejor.

Ella reparó en su aire relajado y su tono práctico. Su lenguaje corporal transmitía confianza. Le estaba diciendo la verdad.

—¿Y tú no quieres vengarte por lo que te hizo Brina?

—Oh, tendré mi día de ajuste de cuentas en el mismo minuto en que me haga con esa piedra. Pero la venganza no vendrá de mi mano, y Macha no actuará hasta que tenga una razón. En el momento en que eso pase, los veladores ya no serán un problema para mí. Hay una bruja que ya está haciendo planes para trasladarse al castillo de Brina tan pronto como ella se vaya.

—¿Por qué vas a creer a una bruja Medb? —Ahora las cosas comenzaban a cobrar sentido, pero de un modo que le ponía la piel de gallina. El aquelarre Medb estaba detrás de la magia Noirre y debía venir de allí el poder que abrió un portal para traer a los kujoo. Por consiguiente, los Medb estaban orquestando el síndrome del enemigo común y habían logrado unir a los kujoo y a Tristan contra los veladores.

—¿Que por qué debería creer a la bruja Medb? Ella trajo aquí a los kujoo y los ayudó a liberarme del encierro al que Brina me había sometido sin ninguna razón.

Evalle realmente odiaba defender a Brina en esto, pero lo justo era lo justo.

—No puedes culpar a Brina por apartarte después de que te transformaras en una bestia y mataras gente.

Los ojos de él se afinaron con furia.

—Yo jamás me transformé en una bestia ni maté a nadie antes de ser apartado y recluido. Incluso entonces maté únicamente para sobrevivir.

—Eso no puede ser cierto. Yo he oído que…

—Solo has oído lo que Brina quería que oyeras. Así que antes de hacer una poderosa defensa en nombre de Brina, entérate bien de los hechos, cariño. Eso te hace preguntarte qué otras mentiras habrás oído, ¿verdad?

Si él estaba diciendo la verdad, Evalle no tenía más remedio que sorprenderse.

Tristan la miró fijamente a los ojos. Dejó de gruñir y le dijo con voz calmada:

—Probablemente sería exactamente como tú si yo fuera el único que quedara libre en este momento, pero reconocería la verdad si la oyera. Pregúntale a Brina si no me crees. Su honor la obligará a decirte la verdad.

—Tengo la intención de preguntárselo, pero no ayudarás a la causa de los mutantes por el hecho de robar la piedra Ngak.

—Yo estoy haciendo más por los mutantes al ir detrás de

esa piedra que tú durante todo el tiempo que has estado en libertad. Cuando te canses de ser una inadaptada monitorizada por los veladores, ven a mi lado. Yo podría usar a alguien con tus habilidades, y tú estarías a salvo de todos conmigo. —Su voz se suavizó al añadir—: Te trataría como la joya que realmente eres.

Mentiría si no reconociera que la idea de estar a salvo para siempre tenía cierto atractivo, pero no con aquel lunático. Había hecho un voto a los veladores y no se lo tomaba a la ligera. Pero era evidente que Tristan le permitía seguir con vida porque creía que ella lo ayudaría a conseguir esa piedra, y su oferta le abría una puerta que le descubría cómo llegar a él.

—Si reconsidero la idea de ir contigo, ¿cómo te encontraré?

—Di a los merodeadores que me estás buscando. Yo te encontraré. Y si no te interesa unirte conmigo apártate de mi camino y no permanezcas demasiado cerca de ningún velador cuando yo tenga la piedra. Te encontraré cuando ellos se hayan ido.

—Creí que habías dicho que no buscarías venganza. Los kujoo tendrían cuidado con eso. —Ella no albergaba sentimientos muy positivos hacia Brina, pero protegería a su reina guerrera tal como lo haría cualquier otro velador, y daría su vida por Tzader o por Quinn sin vacilar. La confianza de Tristan en que los kujoo harían el trabajo sucio la turbaba.

—No derrocho ninguna energía en la venganza. Los kujoo lo harán mucho mejor que yo —dijo Tristan.

—Será un poco difícil si se marchan a casa en cuanto consigas esa roca, ¿no?

La sonrisa de él estaba llena de secretos.

—Los kujoo tienen un plan para destruir a los veladores, y no tiene nada que ver con que ellos toquen la piedra ni con que yo luche contra los veladores, lo cual deja a Macha y a Brina fuera de juego. Han creado una estrategia brillante con los Medb que eliminará a todos los veladores de la tierra, incluyendo a sus ancestros.

¿Estaba tratando de aturdirla convenciéndola de que él era todopoderoso, o realmente le decía la verdad? Ella veía un defecto en la proclamación de la victoria.

—No puedes permitir que maten a los veladores. Tú también tienes sangre de velador. Morirás también.

—Ese es el lado positivo de ser híbridos. Lo peor que puede pasarnos es que nuestros poderes se debiliten durante un breve período de tiempo, pero los mutantes sobreviviremos. Una vez tenga la piedra Ngak, compartiré mi fuerza con nuestro nuevo clan de mutantes. Sobreviviremos y prosperaremos.

¿Por qué le estaba contando todo eso? Tenía que saber que ella lo explicaría a los veladores tan pronto como estuviera libre. ¿Acaso quería que ella lo contara a los veladores para que estos atacaran a los kujoo?

¿Realmente pensaba que porque él era un mutante ella se pondría de su lado aunque formara parte de una aniquilación que planeaba terminar con todo lo que a ella le importaba?

—Brina no se quedará tranquilamente sentada mientras haces todo esto.

—Por supuesto que puedes contárselo. Cuéntaselo a los veladores. Más divertido será. Los Medb los estarán esperando.

Aquello definitivamente sonaba como una trampa.

—¿Qué quieres decir?

—Esto es todo lo que compartiré. Demuestra inteligencia y ven conmigo.

—¿En qué momento empezaste a pensar que yo era una Barbie y tú eras Ken? ¿Qué me estás ofreciendo para que me vaya contigo? Llevaré un descapotable de cualquier color menos rosado.

—Podrías salvar a los veladores.

Ella no creía que él fuera a ayudarla a hacer eso.

—¿Cómo?

—Dame lo que quiero y yo te diré cómo.

—Oh, seguro. Te entrego la piedra y confío en que no mates a nadie con ella.

Tristan ladeó la cabeza a un lado, examinándola.

—Aquí tienes un regalo que puedes usar como quieras. Si le cuentas a Brina que me he escapado y voy a luchar con los Medb irá directamente por mí y morirá la primera, lo cual me conviene.

—Ella solo viaja como holograma. —Eso era de conocimiento común para cualquiera que supiera algo acerca de Brina.

Él se encogió de hombros.

—Los Medb han compartido mucha información conmigo, incluyendo la historia de Brina y Tzader. Esta vez podrán matarla si se dirige a ellos de cualquier forma.

¿A qué se refería con la historia de Brina y Tzader? Lo había dicho como refiriéndose a los dos juntos. Y sabía que Brina se presentaba en forma de holograma.

Los Medb habían hecho un buen trabajo adoctrinando a Tristan.

Él no había terminado sus confidencias.

—Si Brina se presenta ante mí, también lo harán Tzader y su secuaz, Quinn, que llamarán a un ejército de veladores. Entrarán a formar parte de los planes de los Medb y de los kujoo y luego todos morirán antes de que los kujoo lleguen al momento de exterminar la raza entera de los veladores. Tú decides si quieres contárselo a Brina, porque ella puede encontrarme en el mismo minuto en que sepa que he escapado. Es cosa tuya contarlo o no.

—Si haces algún daño a Tzader o a Quinn, te aseguro que desearás estar de nuevo en esa jaula —le prometió ella.

—Si yo fuera solo un mutante, puede que me ganaras, pero no vencerás si tengo el poder de los Medb detrás de mí, y seré todavía más poderoso una vez encuentre la piedra Ngak. —La confianza de Tristan le heló la sangre en las venas—. ¿Quieres mantener a salvo tu tribu? Encuentra esa piedra y tráemela tú misma el miércoles por la mañana, y yo te diré cómo proteger a los veladores.

El dolor de la pierna le impedía pensar con claridad.

—Digamos que te creo, lo cual no es cierto. ¿Qué ocurrirá si yo no soy la primera en encontrar la roca?

—Si soy yo quien encuentra la piedra primero te daré otra oportunidad de salvar a los veladores.

¿Acaso creía que estaban jugando al juego de «Vamos a hacer un trato»?

—¿Y qué es lo que tú querrías conseguir a cambio de dejar con vida a los veladores?

—A ti.

Ambas ofertas eran injustas, no realistas e indeseables. ¿Estar con él? Estaba loco además de ser un monstruo.

Tristan guardó silencio durante un momento.

—Necesito a una mujer mutante para propagar nuestra especie.

Ah, una mujer de consuelo para el grupo. Él había perdido la cabeza.

—Y si escogiera aceptar alguna de esas increíblemente atractivas ofertas tuyas, ¿cómo te encontraría si los merodeadores no lo saben?

Él sonrió ante su sarcasmo como si encontrara entretenida su compañía.

—Primero planeo tener en mis manos esa roca. En cuanto lo consiga, te llamaré.

Nada de aquello tenía sentido, y él estaba más loco que una cabra si creía que ella iba a tragarse todo ese montón de chorradas. Pero le seguiría el juego mientras eso le permitiera continuar con vida.

—Tendré que pensarlo. No he entendido bien nada de esto.

Tristan le tocó la barbilla con los dedos y ella se quedó quieta solo para demostrarle que no le tenía miedo. Podía mentir con su cuerpo tan bien como con su boca.

—Finalmente lo entenderás, pero por ahora ya te he dicho lo suficiente. Toma la decisión correcta cuando llegue el momento. Yo me encargaré de lo que es mío.

Ella se burló.

—Yo no soy tuya.

—No todavía. —Levantó los dedos y los pasó por su grueso cabello rubio—. No malgastes tu tiempo tratando de seguirme. No puedes.

Evalle sacudió la cabeza con rabia ante la arrogancia que le permitía pensar que ella consideraría la idea de abandonar a los veladores por él. Por supuesto que una parte de ella quería estar a salvo y liberarse de la amenaza del Tribunal. Pero no con aquel tipo, que había estado tratando de matarla hasta que se dio cuenta de quién era.

¿Y qué sería de todo lo demás que le había contado?

¿Podría ser asesinada Brina si solo aparecía como holograma? ¿Tendrían los Medb la posibilidad de llegar a ella en forma de holograma si poseían la piedra Ngak? Y si ella no creía que aquello fuera una trampa de los Medb y lo contaba a los veladores, ¿estaría encaminando a su tribu a la muerte? ¿Haciendo eso precipitaría la destrucción de Tzader y de Quinn? Era un riesgo que no quería correr. ¿Y acaso ellos la creerían si todo aquello viniera de un mutante degenerado?

Tristan caminó tranquilamente hacia la calle y desapareció. Tan pronto como abandonó el parque, el zumbido que ella sentía en los oídos se desvaneció.

¿Habría estado dentro de una zona custodiada o bajo algún tipo de hechizo? No creía que los mutantes pudieran hacer ese tipo de magia ni desaparición, pero tampoco sabía tanto como Tristan acerca de los mutantes, de Brina ni de los veladores, porque Brina la había mantenido en la oscuridad durante mucho tiempo.

Y tampoco sabía qué parte de las habilidades de Tristan eran atribuidas a la magia Noirre.

Envió un mensaje telepático: «Tzader, tenemos que encontrarnos. Tengo noticias acerca de la piedra Ngak y no son buenas».

Al cabo de un minuto, Tzader le contestó: «Nos encontraremos en casa de Trey. Yo contactaré con el resto del equipo. Tú trae a Storm».

Ella se había olvidado de Storm. Comenzó a caminar con dificultad por los alrededores, girando en círculo mientras registraba el parque en su búsqueda. Empleando su habilidad kinésica, levantó las gafas del suelo y se las puso.

El músculo de la pantorrilla le ardía, como si algo tratara de masticarle el lugar donde el espíritu maligno la había acuchillado. Le parecía que su piel estaba ardiendo desde el interior.

La lluvia había amainado y ahora era apenas una llovizna. Vio venir a Storm por la zona que había bajo los escalones de cemento en medio del parque. Él trotó hacia ella y su cara se llenó de preocupación al tocarle la mejilla.

Evalle se estremeció cuando sus dedos rozaron su rostro magullado.

—¿Qué te ha ocurrido? Puedo sentir pinchazos de dolor viniendo de ti.

—Me dieron una puñalada en la pierna. Fue una criatura parecida al espíritu maligno que te fuiste a perseguir. ¿Lo atrapaste?

—No. Y no es el único que hay. Me topé con tres más en el parque. Tuve que quedarme vigilando a una pareja humana hasta que los espíritus se marcharon. —Storm se colocó detrás de ella y se arrodilló, examinándole con cuidado la pierna.

Pero ante el menor roce ella sentía espasmos de dolor subiéndole por la pantorrilla hasta el muslo.

—¡Mierda!

—No me gusta el color del líquido que rezuma de esta herida.

—¿A qué te refieres? Es sangre roja como la de cualquiera.

—Hay un líquido púrpura mezclado con la sangre. Puede que estés infectada por algún tipo de magia. Huele a naranjas podridas.

Ese era el color y el olor de la magia Medb. ¿Qué le habían hecho?

—Tenemos que encontrarnos con el resto del equipo en casa de Trey.

—No irás muy lejos con eso. —Storm se puso en pie y se inclinó para cogerla en brazos.

—Ni se te ocurra la idea de levantarme si quieres volver a respirar una próxima vez —le advirtió ella.

—Eres tan testaruda. —Él no trató de ocultar el tono de irritación en su voz—. Sea lo que sea esto que hay en tu sistema podría obligarte a transformarte de modo involuntario o podría matarte si permanece el tiempo suficiente.

—Si me encuentro mal te lo haré saber. —Sonaba como una bruja arrogante, pero en realidad estaba esforzándose mucho por no vomitar.

—Eso es alentador —dijo él con voz tensa—. ¿A qué distancia queda la casa de Trey?

—Alrededor de un kilómetro y medio.

—Llegaremos más rápido y no sentirás tanto dolor si dejas que te ayude.

—Puedo manejar el dolor. —Apenas—. Vamos. —Avanzó cojeando, tratando de no pensar en lo enferma que se sentía. ¿Con qué la habría infectado ese fantasma?

—¿De que tratará la reunión? —preguntó Storm.

—He encontrado la piedra Ngak.

—¿Dónde está?

—En el peor lugar posible. La piedra y la mujer que la tiene están junto a un guerrero kujoo. —Y no podía existir nadie peor para hacerse con el control de la piedra en caso de que Tristan tuviera éxito. ¿Le habría dicho Tristan la verdad al contarle que había sido enjaulado antes de transformarse?

Si era así, podía significar que Brina le mentía a ella acerca de los otros mutantes.

¿Y respecto a Vyan? ¿Cómo encajaba en todo aquello?

Ella no sabía por qué Vyan había tratado de proteger a la mujer de Tristan, pero constatar que lo había hecho le hacía preguntarse si no habría algunos disidentes entre los kujoo.

En cualquier caso, Vyan estaría encantado de eliminar a todos los veladores, tanto como el resto de los kujoo y como Tristan.

El calor le subía por la pierna, devolviendo su conciencia a la amenaza más incipiente. ¿La magia Medb podría matar a un mutante?

Su maldita suerte la había convertido en el ejemplo que serviría para comprobarlo.

Veintiséis

Laurette estaba esperando a que el hombre que yacía tendido en su salón se levantara y la matara.

Podía hacerlo. Gracias a su piedra mágica, ella tenía suficiente visión como para haberlo visto desenvainar una espada ante el otro tipo que lanzaba rayos luminosos con sus dedos, en el parque Piedmont.

Una espada. Rayos luminosos saliendo de dedos humanos.

Todo eso había ocurrido antes de que viajara de manera mágica desde el parque hasta su pequeña cabaña, a un par de manzanas de distancia.

Miró la brillante piedra que sostenía en la mano. Mágica. Nunca había creído en la magia, ¿pero qué otra cosa podría explicar que un minuto antes se hallara en un lugar y al siguiente se encontrara de repente en otro?

Brutus entró corriendo en el salón, con la boca todavía chorreando agua porque había estado bebiendo del cuenco en la cocina. Ella había liberado su correa del cuerpo inerte del tipo en cuanto entraron allí, pero ese cuerpo empapado de agua seguía todavía desparramado en medio del suelo. Empapando toda la alfombra tejida que había conocido mejores años.

El abuelo Barrett se reiría a carcajadas de todo eso si aún estuviera vivo. Él solía decirle que la vida estaba llena de magia.

Aquel milagro era simplemente magia pura.

Ella podía entender que cien voces elevadas en una oración trajeran como resultado un milagro.

¿Pero una piedra?

Brutus olfateó alrededor del brazo del hombre que se hallaba inconsciente en el suelo. Luego olfateó el pelo largo y mojado del tipo, que también se pegaba a la alfombra.

—Cuidado, *Brutus*. Puede que se despierte —susurró la joven. Ella deseaba que se despertase para poder preguntarle quién era y cómo sabía lo de la roca. Y cómo habían vuelto a su casa.

Aquel tipo le había dicho «Huye y deshazte de esa roca».

Después de lo que había visto esa noche, no estaba dispuesta a deshacerse de esa roca. Era lo único que la había salvado en el parque. ¿Y quién sería esa mujer que había aparecido y el otro tipo que intentaba matarla?

Esa mujer alta había llamado Vyan al tipo que ahora estaba ahí.

Ella también le había dicho que se deshiciera de la roca.

El hombre tumbado en el salón de Laurette gimió, pero ella apenas alcanzó a oírlo.

Brutus corrió y saltó al sofá junto a ella; era allí donde normalmente se sentaban a ver la televisión.

La culpa comenzó a carcomerla a pesar de que había colocado una toalla alrededor del hombro de Vyan. Esos rayos le habían hecho cortes en el hombro y acuchillado el pecho. Todavía seguía sangrando.

Si ella no detenía la hemorragia, podría morir.

Entonces, ¿qué haría? ¿Cómo explicaría todo esto a la policía?

¿Y la roca? Si la piedra era mágica, podría usarla para curarlo. Levantó la piedra y dijo:

—Cúrale las heridas. —No ocurrió nada—. Haz que se ponga bien. —Nada todavía—. Haz que se marche.

Su cuerpo no se movió ni un centímetro.

¡Maldita sea, maldita sea! Tendría que ser ella quien hiciera algo con esa herida que no dejaba de sangrar o el hombre moriría.

Se puso en pie y se movió con mucho cuidado hasta colocarse junto a él, luego se arrodilló con *Brutus* a su lado.

—No tengo ni idea de qué se hace con las heridas de rayos luminosos. Necesito vendas y desinfectante.

Un kit de primeros auxilios apareció súbitamente a su lado.

—¿Ahora quieres ayudarme? —le preguntó a la roca, exasperada.

Dentro del kit, lo encontró todo debidamente etiquetado. Empleando unas tijeras con manos temblorosas, cortó con cuidado la camiseta hasta dejar su pecho enteramente a la vista. La piel alrededor de la herida del hombre y uno de los lados del pecho estaba roja e inflamada. Trató de ser cuidadosa y de no hacerle daño al limpiarle las heridas.

Cuando hubo acabado, tenía sudor en la frente, pero las manos habían dejado de temblarle. Limpió el desastre y depositó todas las cosas en la cocina, luego fue en busca de una manta para taparlo. No es que la vieja casa fuera fría en pleno agosto, pero cualquiera que ha sufrido heridas graves se enfriaría por reacción a la conmoción.

Así ocurría en los humanos. ¿Sería humano aquel tipo?

Su fiel *Brutus* se mantenía cerca todo el tiempo, procurándole una sensación de protección. Ella mantuvo también cerca la roca, pero al entrar en el salón con la manta plegada sobre un brazo, se detuvo para colocar la piedra en el bolsillo de sus pantalones holgados para poder mirar con atención a ese tal Vyan desde su posición de pie por encima de él.

Las dos trenzas, una a cada lado de su rostro angular, le daban un aspecto de bribón misterioso. Su piel color marrón nuez, el pelo negro a la altura del hombro y su acento extranjero le daban un aire mediterráneo, pero la forma de sus ojos y espesas pestañas hacían pensar en ancestros chinos. Estaba claro que no era un tipo del montón, de esos que te encuentras cada día.

Pero ese hermoso pecho masculino bien podría pertenecer a un bombero o a un soldado o a un tipo que disfrutara entrenando en el gimnasio.

Ella jamás había visto nada tan cercano a la perfección en un cuerpo masculino, ni había visto demasiados hombres tampoco.

Pero el tipo llevaba una espada, parecía venir de un tiempo antiguo y luchaba con rayos luminosos.

Deslizó la piedra en su bolsillo, sacudió la manta y lo cubrió hasta el cuello. Cuando se inclinó para coger un cojín del sofá, su mirada reparó en la espada que había en el suelo. Colocó el cojín bajo su cabeza, luego caminó alrededor de la habitación y cerró las cortinas por si acaso se asomaba alguien.

La espada estaba demasiado cerca de él aunque siguiese inconsciente.

Se movió de puntillas y se inclinó para ver si era capaz de levantar esa cosa enorme. Entonces un chisporroteo de energía recorrió la empuñadura como una advertencia.

Ella retiró la mano, se apartó rápidamente de ese cuerpo en posición supina y se dirigió a su dormitorio, con la intención de encerrarse en su interior.

Un sonido que surgía del suelo la detuvo.

Se quedó mortalmente inmóvil, con el corazón latiendo a toda velocidad, luego miró a su paciente por encima del hombro.

Su pecho se movía con suaves respiraciones, menos incómodas que antes del vendaje. Debía de ser el cansancio lo que la había llevado a creer que él había hecho ese sonido. Estaba demasiado agotado para poder moverse.

—Vamos, *Brutus*.

Vyan se quedó totalmente quieto hasta que la joven salió de la habitación. Cuando una puerta del pasillo se cerró, abrió los ojos.

Había mantenido los ojos cerrados al despertarse y oírla cerca, diciéndole al perro que se moviera con cuidado. Casi se echa a reír cuando ella pidió a la piedra que lo curara, por mucho que lo hubiera agradecido en ese momento, pues los cortes que tenía en el cuerpo le ardían.

Eso había sido antes de que aquel ángel hubiera ignorado su miedo para colocar sus suaves manos sobre él. Trató de recordar la última vez que una mujer lo había tratado con delicadeza. Algo en lo profundo de su pecho se había desatado, un anhelo de aquello que había tenido una vez hacía tantos años.

¿Por qué aquel ángel se había visto atrapado en ese peligroso círculo de problemas?

Levantó la cabeza y miró alrededor hasta que vio su espada tendida en el suelo a un par de palmos de distancia. Lo bastante cerca como para alcanzarla.

Él protegería a ese ángel, y el mejor modo de hacerlo pasaba probablemente por quitarle esa piedra de las manos.

Veintisiete

Cuando la casa de Trey apareció ante la vista, a media manzana de distancia, el sudor brillaba en el rostro de Evalle y la parte superior de su cuerpo, y no solamente por el calor que todavía se hacía sentir en la medianoche de Atlanta. Su piel se estremecía con escalofríos febriles.

La parte posterior de la pierna le quemaba. Los músculos del cuerpo se retorcían.

Luchó contra la urgencia de transformarse en bestia. Cada uno de sus instintos le decía que se curaría de la herida si lo hiciera, pero cometer ese error a la vista del equipo sellaría su destino ante el Tribunal.

Continuó cojeando por la acera y se arriesgó a lanzar una mirada rápida a Storm. Él no había dicho ni una palabra más cuando ella le había prohibido usar la magia para ayudarla. Tenía los largos dedos cerrados en un puño.

Él debió de advertir su mirada, porque al momento la estaba mirando también.

—No tienes por qué estar sufriendo este dolor. Puedo aliviarte antes de llegar junto al equipo.

—Gracias, pero no. —No le merecía confianza que nadie tomara el control de sus emociones ni habilidades sensoriales. Ni siquiera alguien a quien había permitido besarla.

«¿Acaso eso me hace un monstruo del control? Maldita sea.»

Los hombres que se ofrecían a cuidar de ella eran peligrosos.

El médico para el que había trabajado su tía había visitado a Evalle en el sótano desde que tenía ocho años hasta que tuvo quince. Él había sido su único amigo. Había prometido no hacerle daño cuando le hizo su primer examen médico femenino.

Había dicho que estaba allí para cuidar de ella.

Y no le había hecho daño. Su manera de tocarla había sido clínica y sus palabras habían calmado su ansiedad.

Evalle no había descubierto que le mentía hasta la siguiente visita a su casa, una semana más tarde, cuando él quiso hablar sobre los resultados del examen. Su tía le había dado las llaves de la casa al que era el médico de la familia desde hacía treinta y cuatro años, y también las llaves de la habitación de Evalle en el sótano, para que pudiera hacer una parada en la casa mientras ella se hallaba trabajando en su centro médico.

Él había aprovechado esa oportunidad para darle a Evalle una lección práctica acerca de sus retorcidas fantasías.

—Hay que sacarte de la pierna el veneno Noirre antes de que pierdas el control —dijo Storm, liberándola de tener que revivir esa pesadilla de nuevo—. Te veo luchar.

La piel de ella estaba sudada y fría a pesar de la transpiración. Tensó los músculos del estómago, cualquier cosa para retener aquello que luchaba por desatarse. Notaba los huesos en los antebrazos y las ondas que se formaban por debajo de su piel. Apretó los dientes y cerró los puños hasta que las crestas que se formaban a lo largo de sus brazos descendieron y su piel y sus músculos recobraron la normalidad. Diría que los desgarrones de las mangas habían tenido lugar durante la pelea, lo cual era cierto.

—Puedo controlarme —dijo apretando los dientes—. Tzader sabrá qué hacer.

Tzader y Quinn eran los únicos en los que confiaba. Confiaba en que no dirían ni una palabra a Sen. Este podría usar la infección de magia Noirre como pretexto para ponerla en cuarentena.

Cuando llegó al sendero del jardín de la vieja casa victoriana de la esposa de Trey y su cuñada, Evalle distinguió a un grupo de gente apiñada en el porche.

Tzader debió de percibir que venía, porque él y Quinn interrumpieron su conversación con Trey y bajaron precipitadamente los escalones del porche para encontrarse con Evalle en la acera.

—¿Qué ha ocurrido? —Tzader la miraba fijamente, pero la pregunta iba dirigida a Storm.

—No gran cosa... —comenzó a decir ella, pero Storm la interrumpió.

—Fue atacada por un fantasma poseído que la apuñaló. Tiene un líquido púrpura supurando de la pierna que huele a naranjas podridas. Puede tratarse de magia Noirre. Necesitamos curar la infección ahora mismo.

—¿Dónde estabas tú? —preguntó Quinn a Storm con una voz que albergaba un trasfondo violento.

—Fui a la caza de otros tres fantasmas. Cuando me di cuenta de que podían haber sido enviados solo para dividirnos, traté de regresar donde estaba Evalle, pero algo me impedía llegar al extremo sur del parque. Alguien había lanzado un hechizo sobre la zona para evitar que nadie interfiriera. Traté de llamaros por el móvil, pero no funcionaba. No sé con quién más luchó ella junto al fantasma. No me lo ha dicho ni deja que le toque la pierna.

Ella no tenía que decirle ninguna maldita cosa.

—Mi pierna está bien, y le daré mi informe a Trey, no a ti.

Storm le dirigió una mirada tan rabiosa que debía de haberle tostado la cara.

—Antes de hacer nada te sacarás ese veneno de la pierna, aunque tenga que sacártelo yo a la fuerza.

Ella se le acercó un paso y lo pagó con un agudo pinchazo de dolor en la pierna. Soltó un graznido.

—Inténtalo y morirás.

—Ahora mismo no puedes dar una patada ni a un muñeco de nieve.

Quinn intervino.

—Tiene razón.

El tono de amonestación de su voz acabó de sacarla de sus casillas.

—No te pongas de su lado.

—No se trata de bandos —dijo Tzader, pero antes de que ella pudiera sentirse aliviada por eso, continuó—, pero él tiene tazón. Vamos a sacarte ese veneno de la pierna.

Ella tomó aliento y bajó la voz.

—No quiero que los demás sepan que estoy infectada de

magia Noirre. Puede que crean que no podré conservar mi forma humana.

Storm podría haberla arrestado entonces, pero no lo hizo. Evalle alzó sus ojos hacia él, esperando más discusión, pero de hecho parecía... preocupado. ¿Cuánto de aquello era verdad y cuánto podría ser un mero simulacro?

Lucien estaba de pie en el porche de espaldas a ellos.

—Lo hemos oído todo, Evalle. La única persona en el equipo sin oído excepcional es Casper cuando no se encuentra bajo su forma de guerrero de las tierras altas, pero ahora ni siquiera está aquí.

Ella se inclinó por encima de Tzader para ver al resto del equipo y a la cuñada de Trey, Rowan, observándola desde el porche.

Oh, estupendo, una vez más tendremos la noche entretenida.

—Nadie va a delatarte ante Sen —le aseguró Tzader.

—No hasta que sepan lo que he averiguado sobre la piedra —dijo ella, sintiendo el rechazo que colgaba en el aire allí donde la estaban esperando.

—No subestimes lo poco que Sen gusta al resto del equipo —intervino Quinn.

—Ella cree que es la única que tiene problemas con Sen —añadió Storm—. Que todo el mundo es su enemigo excepto vosotros dos y que tiene que luchar cada batalla sola para demostrar que es tan competente como cabezota.

Su pulla sarcástica volvió a sacarla de sus casillas. Se volvió hacia él, pero Tzader la agarró del brazo.

—Vamos al porche, testaruda, y veamos qué podemos hacer con esa pierna.

—No me obligues a tener que usar mi magia —le advirtió Storm—. Has pasado los límites de mi control obligándome a verte cojear y sufrir durante más de un kilómetro. Sube allí o te llevaré yo. —Caminó delante de ella hacia el porche.

Ella se quedó boquiabierta. ¿Realmente estaría Storm preocupado por su herida?

—Esto empieza a resultar interesante... —La voz de Quinn adoptó un tono de apacible curiosidad. Colocó el brazo en torno a su cintura—. Apóyate en mí, cariño.

Cuando llegaron al descansillo de las escaleras, Quinn la hizo girar hacia la izquierda del porche y la colocó en un columpio de madera lo bastante amplio como para tres personas.

Rowan se acercó y se acuclilló junto a la pierna herida de Evalle.

—No te veía desde hacía mucho tiempo. Siento que el reencuentro sea en estas circunstancias.

—Yo también. ¿Cómo está Sasha?

—Durmiendo. Preparada para tener el bebé. Trey no quiere que se meta en nada de esto.

La última vez que Evalle había estado con Rowan fue antes de que Trey se hubiera casado con su hermana. De las dos hermanas, Rowan era la más poderosa, pero ambas eran brujas blancas.

—¿Puedes extraerme de la pierna la magia Noirre, Rowan?

—No lo sé. Se supone que no podemos estar cerca de ningún tipo de magia negra, pero puede que eso no signifique que no podamos atender una herida. Deja que primero intente tocarla. —Rowan esperó a que Tzader levantara suavemente la pierna de Evalle, luego puso la mano con la palma hacia arriba por debajo del tajo de los tejanos. Movió la mano hasta que los dedos estuvieron a un centímetro de la piel, luego retiró la mano con un gemido—. La magia Noirre me quema la piel.

Trey había estado observando.

—¿Y tú, Lucien? ¿Puedes sacar el veneno como sacaste la locura de Rowan aquella vez que fue poseída?

Rowan había sido poseída por un espíritu maligno dos años atrás cuando Trey había luchado contra Vyan.

Lucien respondió:

—No, no puedo. Aquella posesión se había originado con magia kujoo. No puedo anular el hechizo de una bruja.

A Evalle no le pasó inadvertida la mirada íntima que intercambiaron por un segundo Rowan y Lucien. Se decía que a él no le gustaban las brujas, ni blancas, ni negras ni de ningún otro tipo. Pero había en Rowan algo que sí le gustaba.

Storm dedicó a Lucien una mirada evaluadora.

—¿Cómo sabes que el hechizo es de una bruja?

El rostro de Lucien apenas cambió cuando sus labios esbozaron una sonrisa arrogante.

—Simplemente lo sé.

La sorpresa iluminaba varios de los rostros del porche, incluido el de Evalle. Había oído decir que Lucien se había enfrentado con Rowan cuando había sido poseída y había saltado por el aire para atacarlo. Pero entonces él la detuvo solo con poner la mano sobre su pecho, y luego retiró de ella esa energía negra para que lograra recuperar el control.

Rowan levantó los ojos hacia Evalle, llenos de decepción.

—Lo siento, pero no puedo ayudarte, tal vez… —Miró por encima del hombro, más allá de los hombres que estaban a su lado, hacia el extremo más lejano del porche.

—Déjame echar un vistazo. —Adrianna salió de una sombra negra. Allí había estado todo el tiempo, de pie en un rincón apartada del resto.

Evalle habló con Tzader a través de la mente.

«No quiero que ella me toque.»

«Yo tampoco quiero pero no tenemos más opciones a menos que se te ocurra alguna idea.»

«Todavía no he tenido una reacción. Podemos esperar.»

«¿Y qué ocurrirá si tienes una reacción y empiezas a transformarte? No podré detener a Trey ni a ningún otro si llegados a ese punto contactan con Sen.»

El miedo a ser tocada por una bruja superior hizo que Evalle bajara la vigilancia sobre el cambio que todavía luchaba dentro de su cuerpo. Los brazos se le llenaron de ondas de energía.

Rowan no lo advirtió al ponerse de pie y alejarse de ella, pero Adrianna se detuvo, mirando la piel que se movía a lo largo de los brazos de Evalle por debajo de las mangas raídas. La mirada de la bruja se alzó para encontrarse con la de Evalle, a la espera de que decidiera lo que quería hacer.

Evalle se lamió los labios secos y tomó una decisión.

—Está bien. Échale un vistazo.

Sus afiladas cejas bajaron en picado sobre la suave frente de Adrianna, pero no respondió a la voz mordaz.

—Ponte de pie.

Tzader ayudó a Evalle a levantarse.

—Muévete hacia aquí —dijo Adrianna, dirigiéndose a Evalle para que se apartase del columpio y fuera hacia el centro del porche, donde todos retrocedieron formando un círculo a su alrededor—. Aparta el rostro de mí.

Tomándose un momento para aceptar lo que no podía cambiar, Evalle se movió sobre su pierna, que parecía que tuviera dos veces su tamaño, aunque ella sabía que en realidad no estaba tan hinchada.

Adrianna se arrodilló detrás de ella.

La parte trasera de los tejanos de Evalle se desgarró. Adrianna no había tocado la tela ni usado ningún objeto cortante para romperla. Solo magia.

Los dedos de Adrianna se extendieron sobre la pantorrilla de Evalle, y comenzó a cantar:

—*Señora de la oscuridad y señora del infierno, presta atención a este hechizo de bruja...*

La sensación de quemarse se triplicó. Las respiraciones de Evalle se convirtieron en rápidos jadeos. Los pulmones se le cerraban.

Empezó a ver puntos.

Cuando miró hacia los demás en busca de ayuda, todos los ojos estaban puestos en Adrianna salvo los de Storm.

Él vibraba con el esfuerzo que le estaba costando quedarse en su sitio.

El dolor estalló a través del cuerpo de Evalle. Sus brazos se rompieron con la explosión de los huesos y su transformación en bestia. No pudo impedirlo.

Tzader avanzó hacia ella, pero Storm le dijo:

—La tengo.

Se colocó frente a Evalle poniendo las manos a cada lado de su rostro.

—Concéntrate en mí. No te transformarás. Respira despacio.

Sus palabras se mezclaron con el canto de Adrianna hasta que el sonido fue un mantra constante que formó una pared contra el monstruo que se agitaba en su interior, a la espera de ser liberado.

La energía se movía en oleadas a través de ella, haciéndole chirriar los dientes al agitarse. Perdió el contacto con todo. Los colores se derramaban ante sus ojos. Púrpura. Rojo. Naranja. Verde.

¿Se había transformado y la locura se apoderaba de ella?

Los colores se aquietaron hasta que el blanco cubrió su mente. Unos dedos cálidos le tocaron la piel, enviando suaves olas de blanco para alejar el calor y el dolor.

Cuando recuperó la conciencia, se hallaba aferrando la camisa de alguien. Los brazos de él estaban en torno a su cuerpo, sujetando su peso para compensar la debilidad de sus rodillas. Tomó aire, tratando de calmar su cuerpo tembloroso.

Storm la sujetaba. Conocía su aroma. Cálido, natural, terrenal.

Abrió los ojos y lo miró.

Él bajó la barbilla.

—¿Estás bien ahora?

—¿Me he transformado?

La falta de una respuesta rápida y el verlo tragar saliva le indicaron que algo había ocurrido.

—¿Por qué no te sientas?

Ella dejó que él la llevara hasta el columpio. La pierna ya no le palpitaba. Adrianna se hallaba de pie a un lado, con las manos juntas frente a ella. Tzader y Quinn intercambiaron miradas de preocupación que le hicieron pensar que habían hablado telepáticamente. Pero no con ella.

—¿Qué ha ocurrido? —Evalle había aprendido a una edad temprana que evitar la verdad solo retrasaba las consecuencias.

Rowan habló.

—Adrianna retiró de ti el veneno Noirre.

Evalle no quería deberle nada a nadie, y especialmente a una bruja superior, pero le debía un reconocimiento a esa mujer por lo que había hecho.

—Gracias.

Adrianna se limitó a hacer un ligero movimiento con la cabeza.

—¿Y qué más? —preguntó Evalle, dirigiendo la pregunta a Tzader.

Él soltó un pesado suspiro y miró al equipo a su alrededor antes de responder.

—El veneno provocó que te transformaras en bestia. Nada más.

¿Por qué había vacilado? Si alguno contaba una historia diferente, Evalle estaría fuera de plazo ante el Tribunal y Tzader tendría que ser sometido a juicio al igual que ella por haber intentado suprimir pruebas contra una mutante.

El pulso de Evalle se aceleró. Reparó en cada una de las expresiones de los que estaban en el porche, cada gesto calmado y comprensivo encajaba con la compasión que sentía emanar hacia ella en oleadas. Hasta que vio el rostro de Adrianna, que se limitó a levantar una sola ceja burlona.

Adrianna era la única persona que no endulzaría la verdad.

Veintiocho

Evalle no pediría el apoyo de nadie, pero no quería que Tzader se viera en un aprieto por defenderla.

Storm fue el primero en hablar.

—Eso es lo que yo vi… vi a Evalle en forma de batalla.

Ella giró alrededor, sin saber qué decir. Storm acababa de apoyar la declaración de Tzader, según la cual ella no se había transformado pasando al estado bestia mutante. Storm la miró con una expresión que parecía preguntarle: «¿sorprendida?». Luego dirigió una mirada desafiante al resto del equipo. Quinn se encogió de hombros.

—Eso nunca ha sido cuestionado.

Evalle le sonrió, haciéndole notar que sabía lo que él votaría en cualquier caso.

—A mí también me pareció simplemente forma de batalla —coincidió Trey.

Lucien dirigió su atención a la bruja superior.

—Estamos todos de acuerdo, ¿verdad, Adrianna?

Por segunda vez aquella noche, el destino de Evalle se hallaba en manos de la misma bruja cuyos labios color cereza se curvaron en una sonrisa de burlona inocencia.

—Yo no estoy familiarizada con la forma de batalla.

Hubo una tensión general.

Los delicados hombros de Adrianna se encogieron con un gesto sensual.

—Yo solo vi una reacción al veneno de la magia Noirre y Evalle ahora está curada. No veo una amenaza. Que se diga en voz alta, que se sepa.

La sonrisa de superioridad de Adrianna normalmente habría sacado a Evalle de sus casillas, pero no podía ponerle objeciones ahora que acababa de curarle la pierna y la había salvado de aquella situación.

Una cosa que Evalle había oído de las brujas de nivel superior era que una vez decían «Que se diga en voz alta, que se sepa», no podían retractarse o negar sus palabras.

¿Había un código de honor entre las brujas que practicaban magia negra? Quién sabe... pero esta había demostrado un gesto de consideración que Evalle no esperaba.

—Gracias —le dijo de nuevo Evalle, esta vez con verdadera sinceridad. Ya que no disfrutaba siendo el centro de atención, cambió de tema—. Hablemos de la piedra Ngak.

Trey fue el primero.

—Recibí una llamada de Sen. Dijo que Shiva le había contado que la piedra había sido localizada y se amarrará con su nuevo dueño el miércoles por la mañana cuando los rayos de sol alcancen el lugar donde fue encontrada. Pero Shiva todavía no ha dicho quién es la mujer que la posee.

Evalle se movió para apoyarse en la barandilla y quedar a la misma altura que los demás en el porche. Se le habían caído pedazos del pantalón tejano allí donde Adrianna había cortado la tela, pero su pierna estaba mucho mejor, ahora simplemente parecía un poco amoratada.

—No sé dónde está exactamente la piedra en este momento, pero creo que todavía se encuentra en esta zona. Encontré a la mujer que la tiene. Ella estaba en el parque con la piedra, y el kujoo Vyan apareció.

Quinn preguntó:

—¿Quién es esa mujer?

Evalle soltó un suspiro cansado.

—No lo sé y dudo que alguien de aquí la conozca, porque ella... es humana.

—¿Qué? —Esa única palabra circuló alrededor de la barandilla.

Evalle sacudió la cabeza.

—No tengo ni idea de por qué tiene la piedra, pero es humana.

—¿Vyan estaba solo? —preguntó Lucien.

—No, pero actuaba por su cuenta. Se interpuso entre la mujer y otro tipo para protegerla.

—Entonces, ¿él no estaba tratando de conseguir la piedra para sí? —Trey frunció el ceño, probablemente recordando al guerrero solitario que había viajado ochocientos años hacia delante en busca de venganza. Trey sentía compasión por todo lo que ese hombre había perdido, y por eso había permitido que Vyan se marchara en libertad.

—No en ese momento —le aclaró Evalle—. Vyan le dijo a la mujer que soltara la piedra y huyera mientras él se enfrentaba con el otro tipo.

—¿Quién era el otro tipo?

Responder a eso iba a ser complicado.

—Alguien que Vyan conocía, pero nadie que yo conociera antes.

Storm había estado apoyado contra una columna de madera del porche, mirando fijamente el suelo. Levantó la cabeza apenas lo suficiente para atraer la atención de Evalle, y sus ojos le indicaron que él sabía que estaba coloreando la verdad.

—¿Ese otro tipo iba tras la roca? —preguntó Trey.

—Sí. —Evalle dio la bienvenida a la pregunta para evitar el silencio censurador de Storm—. Pero no era un kujoo.

—¿Qué tipo de poder tenía?

—Diferente a cualquier otro al que me hubiera enfrentado antes. —Si ella hablaba a los veladores del porche acerca de Tristan convocarían una liga de veladores para ir tras él, que era exactamente lo que ella creía que los Medb querían, especialmente si esa liga incluía a Tzader y a Brina. Brina podría encontrar a Tristan inmediatamente.

O eso es lo que Tristan había dicho.

Evalle no podía arriesgarse a que ninguno de ellos cayera en una trampa. Si le decía a Brina que Tristan era un mutante que había escapado de su jaula y que debería mantenerse apartada de él, Brina pensaría que ella estaba protegiendo a un mutante. Evalle no sabía si alguien podía realmente matar a Brina, pero no quería arriesgar el futuro de los veladores para descubrirlo.

Si les decía a Tzader y a Quinn que Tristan la quería para sí, no le permitirían ni acercarse a él.

Pero Tristan había dado a Evalle una oportunidad de proteger a su tribu, y si esa era su última opción, estaría dispuesta a trocar su propia vida si esa era la única forma de salvar a Tzader y a Quinn. Sin embargo, no entregaría a Tristan la piedra bajo ninguna circunstancia.

El equipo debía saber que había espíritus malignos hechizados.

—Creo que el tipo que me encontré en el parque está convirtiendo a los merodeadores en una especie de criaturas zombis medio locas —explicó Evalle al grupo—. No pueden conservar su forma y se muestran agresivos. Así es como uno de ellos me apuñaló en la pierna con una larguísima uña. Ese tipo extraño posee energía kinésica y puede lanzar rayos luminosos que pinchan. Luego desapareció como si se hubiera teletransportado.

—¿Ejerce la magia Noirre? —preguntó Adrianna—. ¿Es un brujo?

Evalle recapacitó sobre lo ocurrido.

—No es un brujo, y no creo que controle la magia. Tuve la sensación de que estaba infectado con magia Noirre y había pasado esa infección a los merodeadores al darles un apretón de manos.

Tzader se pasó la mano por la cabeza y caminó en círculos durante un momento.

—Una mujer humana tiene la roca. ¿Cómo puede haber ocurrido eso?

—No lo sé, pero no creo que ella se diera cuenta de lo que tiene —dijo Evalle al grupo—. Cuando el otro tipo atacó a Vyan y este cayó, yo intervine. Levanté un escudo para la mujer y le dije que soltara la piedra y huyera. Ella estaba agitada hasta el punto de que creo que no sabía ni lo que estaba haciendo y dijo que quería ir a casa. Entonces, repentinamente, desapareció junto con Vyan.

Como era habitual en él, Quinn hizo un resumen de todo.

—Una humana tiene la piedra Ngak, hay mezclado un jugador desconocido y el guerrero kujoo Vyan está con la mujer que tiene la piedra. Supongo que podría ser peor, pero no sé cómo.

Evalle realmente odiaba ser la portadora de noticias tan funestas.

—Te diré cómo. Mi merodeador me dijo que hay una antigua sinergia en la ciudad, y durante nuestra breve conversación confirmé que el extraño con quien luché en el parque está trabajando con los kujoo. Alguien ha traído a más guerreros kujoo a través del tiempo. Vyan no trabaja solo, pero tengo la sensación de que está en conflicto con su señor de la guerra.

—Estaremos preparados para ellos esta vez —dijo Trey.

Evalle levantó la mano.

—Espera. Este tipo se mostró arrogante y fanfarrón acerca de los Medb, diciendo que estos tenían un plan para desarmar a los veladores. Por lo que pude imaginarme, los Medb han dispuesto una trampa y no es que se preparen para la batalla. Si lo que dijo es cierto, están planeando un genocidio de los veladores. Tenemos que descubrir primero qué es lo que traman si no queremos que los veladores perezcan en una carnicería.

—Eso tiene sentido —dijo Quinn—. Parece que seguimos teniendo que encontrar esa roca, que podría responder muchas de esas preguntas. Shiva nos aconsejará cuando lo considere necesario, pero no podemos acudir a él ni a Macha hasta que los kujoo instiguen un conflicto.

—El extraño dijo que los kujoo no instigarían un conflicto —continuó Evalle—. No sé qué tienen en mente, pero este tipo confiaba en lo que sea que los Medb estén cociendo en contra de los veladores. Quieren que aparezcamos en masa.

Storm la observaba cada vez que hablaba, y sus ojos se afilaban cuando ella se saltaba parte de la verdad. Mala suerte. Evalle tenía la seguridad de los veladores como prioridad en su corazón.

Tzader giró alrededor y se dirigió a todos.

—Lucien y Adrianna…, descubrid a quien sea que ha abierto ese portal para los kujoo. Storm y Evalle comenzarán a estrechar la mano a los merodeadores para descubrir si alguno de ellos tiene alguna pista sobre la mujer humana con una fuente consciente de poder. Además, averiguaréis cuántos merodeadores han desaparecido y pueden haber sido transformados por los kujoo o por ese tipo contra el que Evalle luchó. Si los merodeadores están siendo transformados, los que aún queden aquí podrían conducirnos hacia ese hombre o hacia los kujoo.

Adrianna soltó un suspiro que atrajo la atención de todos.

—¿Dónde está Casper?

Tzader se dirigió de nuevo a todos.

—Está sacudiendo a los troles para descubrir si alguno de ellos sabe algo acerca de una nueva mujer poderosa en la ciudad. Quinn y yo continuaremos siguiendo el rastro de la magia Noirre y trataremos de descubrir la fuente Medb. Trey, ¿tú continúas vigilando la llegada del bebé?

Trey asintió.

—Sasha se encuentra bien ahora, pero el bebé puede llegar en cualquier momento a partir de ahora y no quiero dejarlas solas ni a ella ni a Rowan si los kujoo están aquí. Especialmente si hay alguna posibilidad de que hayan venido con Ekkbar.

—¿Quién es Ekkbar? —preguntó Adrianna.

—El mago kujoo. —El grueso pecho de Quinn se tensó al cruzarse de brazos—. Empleó los sueños para poseer a Rowan hace dos años. No creo que pueda hacerlo otra vez, pero no voy a correr ese riesgo con su vida, ni con la vida de mi mujer ni la de mi bebé.

Tzader asintió y dijo al equipo:

—Continuad informando a Trey. Él podrá alertar al equipo si la situación cambia. Pongámonos en marcha.

Evalle puso a prueba su pierna, bajando las escaleras. Todo su sistema funcionaba. Se encaminó por la acera a lo largo de la calle y Storm se puso a su lado. No dijo una palabra hasta que estuvieron fuera de la vista y de los oídos de cualquiera en la casa.

—¿Por qué no se lo has contado todo al equipo? —preguntó.

—Por la misma razón que no voy a responder a tus preguntas. —Ella continuó caminando sin mirarlo—. Cuanto menos sepas más seguro será para ti.

Él le puso la mano en el brazo, pero esta vez ella no le gruñó. ¿Por qué cada vez que la tocaba sentía que se aflojaba por dentro?

—No me presiones, Storm.

—¿Por qué te parece tan espantoso pedirme ayuda?

Ella sopesó su respuesta mientras escuchaba los sonidos de Atlanta.

—Pedir ayuda puede ser peligroso a veces.

—Yo no te haré daño.

—Yo no te lo permitiría.

Él respiró tranquilamente por un momento, repasando en silencio sus pensamientos.

—Si no quieres pedir ayuda para ti, al menos piensa en el equipo y la piedra que buscan. Tenemos que encontrarla.

Evalle se volvió hacia él.

—Estoy pensando en el equipo y en esa roca. ¿Tú puedes seguir a alguien que ha sido teletransportado?

—No.

—¿Sentiste un rastro de algún tipo cuando me encontraste a mí? —Pensaba en el rastro de Tristan.

—Solo hacia la calle y allí desapareció.

—Entonces no creo que haya nada que puedas hacer más de lo que ya estás haciendo. —No le habló con hostilidad porque sentía que era sincero.

—Dime quién era ese tipo al que impediste que matara a Vyan.

Ella no respondió.

—Creo que tienes miedo de decírmelo porque piensas que eso va a cambiar tu estatus ante el Tribunal, pero te equivocas. Yo no voy a entregarte ni a Sen ni a ellos.

Storm decía la verdad. Ella sentía lo importante que era para él el hecho de que creyera que realmente no quería hacerle daño. Su habilidad empática asomaba a su cabeza en los momento más extraños. Él la había apoyado aquella noche y no había vacilado a la hora de responder por Tzader.

¿Tanto le costaría darle un poco de crédito?

Evalle levantó la mano pero se detuvo antes de tocarle la mejilla. Tal vez era la misma madura habilidad empática la que aguijoneaba sus hormonas.

—Te creo, pero sigo sin poder contarte nada más.

—Por ti merece la pena afrontar todos los problemas que tengo por delante. —Sujetó su mano antes de que ella la dejara caer a un lado y luego le besó los nudillos raspados.

El roce de sus labios golpeó su corazón haciéndole cobrar un ritmo desbocado. No quería retirar la mano cuando sentía que el hecho de tocarlo la llenaba de una felicidad desconocida.

Pero él la soltó, así que ella dobló los brazos sobre el pecho.

Storm seguía absorbiendo su espacio personal, pero no tenía nada que ver con un médico libidinoso.

Ella trató de recordarlo.

—¿Dónde vas ahora? —preguntó él.

—A coger la moto y pasarme por la morgue para ver si el cuerpo ha vuelto a aparecer por su cuenta, ya que tal vez podríamos usarlo para seguir el rastro de la magia negra. Luego pretendo ir a la caza de algunos merodeadores. De uno en particular.

—Entonces vamos a movernos.

Ella siguió caminando junto a él todo el camino hacia la moto. Storm no se mostró contento cuando Evalle dijo que necesitaba trabajar con los merodeadores por su cuenta, pero no discutió con ella y aceptó que esta vez era mejor que tratara de ver si podía descubrir algún rastro. Ella aceptó encontrarse después en la misma entrada del parque al anochecer, luego se montó en la moto y cruzó hacia la interestatal cuando quedaban pocas horas antes del amanecer.

La morgue estaba hecha un caos. Una pelea de bandas había acabado con un balance de cuatro fiambres, y dos más que estaban por llegar. Por otra parte no había sido devuelto ningún cuerpo de mujer destrozado.

Evalle se esfumó antes de que nadie pudiera solicitarle algún servicio. Salió por la zona de Edgewood hacia el conector interestatal del centro, pasó junto al hospital de Grady y aparcó en su lugar habitual a un lado de la calle. Se quitó el casco y se estaba poniendo las gafas de sol cuando emergieron de las sombras seis hombres con uniforme de trabajo negro y monóculos de visión nocturna que sostenían armas que apuntaban hacia ella.

¿Y ahora qué?

Cuando la tenían rodeada, el más alto de ellos habló con acento del sur.

—Vendrás con nosotros, doña.

«¿Doña?»

—¿Quién demonios eres tú? —Ella tenía una sospecha.

—Soy Laredo Jones. Mi jefe quiere hablar contigo.

—¿Es aquí donde tengo que telefonear a un amigo? —Hizo un movimiento sutil para colocar los pies en posición de lucha.

Pero no debió de ser tan sutil, porque la mirada del líder se deslizó hasta sus pies y luego regresó a su rostro, sin preocupación.

Ella no podía usar sus poderes contra un ser humano, y este tenía el tamaño de Texas. Pensó en llamar a Tzader, pero no podría acudir allí lo bastante rápido. Y no estaba segura de lo que esas armas podrían hacer a Tzader y a Quinn.

Su mirada se detuvo en un arma para leer la palabra grabada a un lado. NYGHT.

Isak la estaba secuestrando.

Veintinueve

—Shhh, *Brutus* —susurró Laurette cuando se deslizó de puntillas por el pasillo para echar un vistazo al hombre que dormía en el salón. La luz nocturna que había dejado encendida daba a la habitación un brillo rosado, apartando la oscuridad de la madrugada de su rostro angular.

Sosteniendo la piedra en su mano, pudo mirar la hora en el reloj de la repisa que había pertenecido a su abuelo. Todavía no eran ni las tres de la madrugada.

Vyan estaba todavía allí y parecía más peligroso ahora con esa barba incipente que enmarcaba su rostro. El brillo rosado resultaba extrañamente hermoso sobre su piel oscura mediterránea, que Laurette no habría sido capaz de ver si no fuera por esa piedra que aferraba entre los dedos. Le parecía que había transcurrido un siglo desde que la había encontrado el domingo, pero en realidad apenas era martes.

Dos días desde que había recuperado la visión.

Pero ahora tenía allí a ese hombre que de hecho sabía algo acerca de la piedra.

Y él se había puesto delante de ella para protegerla de aquel hombre que lanzaba rayos luminosos. ¿Por qué arriesgaría su vida por ella de esa manera?

Siendo el perro valiente que era, *Brutus* caminó hacia el hombre tendido en el suelo y dio una vuelta en torno a él para olisquearle el hombro.

Ella se puso en cuclillas y agitó la mano para que Brutus regresara junto a ella, pero el perro decidió ignorarla. Cuando le silbó para llamarlo, los ojos del hombre se abrieron y volvió la cara hacia ella.

Dios bendito. Tenía dos pupilas en cada ojo.

A ella le resultaba imposible respirar. Debería haberse quedado encerrada en su habitación con el sofá bloqueando el acceso por la puerta.

—Hola. —Su voz seca tenía un acento curioso. En el parque ella había pensado que quizá sería de Oriente Medio, pero su voz ahora tenía una nota cálida y amistosa.

Laurette trató de levantar la voz.

—Hola.

Brutus se había tendido junto al hombre y ahora estaba frotándose contra su espalda.

El hombre continuó mirándola fijamente hasta que ella sintió la presión de decir algo.

—¿Quién eres tú?

—Soy Vyan, de los kujoo.

Vigilando en él cualquier signo de agresión, le preguntó:

—¿Cómo has venido a parar aquí?

Sus ojos sonrieron, como si le hubiera hecho una pregunta fácil que ella tendría que ser capaz de responder.

—Tú me trajiste aquí.

—No, no lo hice.

—Entonces la piedra que tienes me trajo aquí contigo.

Ese podía ser el caso. Laurette había estado de pie en el parque Piedmont con aquel tipo tendido sobre la correa de Brutus, correa que ella estaba sujetando cuando dijo que quería volver a casa. Todo era confuso. Se sintió como si algo la absorbiera por un túnel de viento, luego todo ese movimiento cesó y ella estaba allí sentada con *Brutus* y aquel tipo.

Con Vyan herido. Se pasó la lengua por los labios secos.

—¿Quién era ese hombre que te hizo daño?

—Se llama Tristan.

—¿Por qué luchaste con él?

—Él quería la piedra que tú tienes y te habría hecho daño para conseguirla.

Los latidos de su pecho debían de ser lo bastante fuertes como para despertar a los vecinos. Ella estaba registrando la orilla del parque para ver si encontraba más rocas brillantes cuando aparecieron Vyan, Tristan y esa extraña mujer. Ninguno de ellos le pareció amigable.

—¿Por qué quiere esta piedra?

—Tú sabes la respuesta.

De acuerdo, ella entendía que cualquiera pudiera querer una piedra mágica, pero ella no iba a entregarla y perder su visión. Estaba contenta de tener a alguien con quien poder hablar sobre la piedra.

—¿Para qué quiere usar la piedra?

—Para razones malvadas que no podrías ni creer.

Ella hizo un sonido tosco en lo profundo de su garganta.

—Si esto hubiera ocurrido hace dos días, puede que aceptara entregar la piedra, pero esta piedra me proporciona una visión perfecta y me ha transportado a casa. Eso fue después de que blandieras tu espada ante Tristan, que tenía la capacidad de lanzarte rayos luminosos. Y una mujer se interpuso para detenerlo con algún poder invisible que debió de formar un escudo de algún tipo. Y tus ojos no son exactamente normales. ¿Qué te hace pensar que voy a creer cualquier cosa que me cuentes?

Él se rio, y la habitación se llenó con el placer de su felicidad.

—Estás en lo cierto. No había considerado tu experiencia con la piedra Ngak.

—¿Piedra Ngak?

—Sí, la piedra Ngak. —Estudió sus ojos—. Entonces,¿eres ciega?

Ella se sonrojó por la vergüenza que la cohibía.

—Todavía no, pero estoy perdiendo mucha vista.

—Debes encontrar otra manera de recuperar tu vista. Es peligroso conservar esta piedra. Yo te protegeré todo el tiempo que pueda, pero tenemos un tiempo muy limitado y pronto seremos sobrepasados en número.

¿Cuántos otros como Vyan estarían circulando alrededor de Atlanta? Debería haberse dado cuenta de que encontrar la piedra mágica suponía un contrato que venía con letra pequeña. De pie, tomó una decisión.

—Supongo que no vas a violarme ni asesinarme si no lo has hecho ya. —Ella casi se rio ante la expresión de horror en su rostro, hasta que la expresión se transformó en ira.

—Jamás he hecho daño a una mujer ni he forzado tampoco a ninguna.

—No quería ofenderte. —Ella dejó de sonreír—. Solo estaba pensando en voz alta. No es inteligente para una mujer soltera traer hombres extraños a casa.

Él arrugó la frente pensando.

—A veces no entiendo tu lenguaje. Estabas bromeando, ¿es eso?

—Sí, estaba bromeando... siempre y cuando no vayas a hacerme daño.

—No te haré daño.

La sinceridad de sus palabras la conmovió. Él la había protegido, y *Brutus* le tenía simpatía. Ante eso no se veía capaz de juzgar su carácter.

—Si vamos a hablar, me gustaría tomar una taza de té. ¿Tú quieres tomar algo? No tengo nada más fuerte, como alcohol.

—El té estará bien, pero primero debo encontrar un sitio donde lavarme la cara.

—Oh, sí. —Señaló hacia el pasillo—. La última puerta a la derecha.

Se incorporó sobre los codos y apretó los dientes. El bonito tono de su piel se volvió ceniciento.

Ella se apresuró a ayudarle antes de que el sentido común saltara para advertirle que no debía acercarse mucho.

—Tómatelo con calma. Yo no soy médico. No tengo coche ni puedo llevarte al hospital.

—Nada de médicos ni hospitales. Me pondré bien. —Se puso en pie, permaneció un momento recuperando el equilibrio y luego se encaminó lentamente por el pasillo. Los tejanos desgastados le sentaban de maravilla.

Laurette llevaba mucho tiempo sin fijarse en un hombre. Chuck, el ladrón, no le había interesado en un sentido romántico, pero cualquier mujer repararía en ese Vyan entre una multitud de hombres.

Especialmente con el pecho desnudo. Por más que ella odiara tapar ese cuerpo hermoso, le dijo que esperara un minuto y fue a buscarle una de las viejas camisetas de su abuelo.

—Aquí tienes.

—Gracias por tu amabilidad. —Aceptó el simple regalo como si ella le hubiera entregado algo de gran valor. Luego le dedicó una sonrisa que quedaría para siempre enmarcada en el interior de su mente.

Si al menos pudiera impedir que su corazón latiera como si estuviera todavía en la adolescencia.

Cuando se cerró la puerta del baño, ella se apresuró hacia la cocina para preparar el té. El agua de la olla ya estaba hirviendo cuando él entró y se dejó caer en una de las cuatro sillas llenas de marcas que había alrededor de la pequeña mesa. Laurette había planeado hacer algo más con esa casa al mudarse hacía unos pocos años, cuando empezaba a aumentar la venta de artesanía. La casa no lucía mucho ahora mismo, pero tenía su potencial.

Un verdadero potencial si la piedra le permitía seguir pintando sus tiestos gigantes y promocionarlos por su cuenta. Desde que había encontrado la piedra, había logrado pintar las últimas piezas de cerámica que tenía, pero necesitaba hacer más y necesitaba emplear las dos manos para manejar los tiestos gigantes. El proyecto de hoy era averiguar cómo hacerlo mientras sostenía la piedra.

No contaba con el entretenimiento de un hombre con poderes mágicos.

Pero él había arriesgado la vida por ella... y todavía seguía intentando protegerla.

Caminó hasta la mesa y se inclinó para servir el té en la taza que había junto a él. Vyan olía a aire libre, como si hubiera pasado la noche durmiendo bajo las estrellas.

Esperó en silencio mientras ella colocaba un plato de galletas de avena sobre la mesa. ¿De qué se alimenta un hombre que emplea una espada para luchar contra rayos luminosos?

—¿Quieres tomar algo con el té?

—No. Tienes una casa bonita.

Ella miró a su alrededor para comprobar si le había pasado inadvertido algo en su hogar. Tal vez él le veía el mismo potencial.

—Gracias. Ahora háblame sobre Tristan, sus razones malvadas para conseguir la piedra Ngak y cómo encajas tú en todo eso. Tal vez necesite contárselo a la policía.

Sus ojos volvieron a parpadear.

—Tu policía no puede hacer nada para ayudarte.

A ella eso le daba miedo, pero tomó un sorbo de té y esperó a que él continuara.

—Tal vez el mejor modo de explicártelo sea contarte de dónde vengo.

—No pensaba que fueras de aquí, pero tenemos una extensa comunidad étnica, así que tampoco estaba segura.

—Soy del Tibet.

—Yo imaginaba que de Oriente Medio —dijo ella, sin tener ni una pista de dónde se hallaba el Tíbet.

—No conozco eso de Oriente Medio, ¿pero tú eras capaz de imaginarte que vengo de ochocientos años atrás?

Ella dejó la taza de té. La cabeza le daba vueltas, así que se agarró a la mesa.

—¿Estás mareada?

—Todavía no, pero probablemente será lo próximo que me pase. ¿Ochocientos años? ¿Como si hubieras viajado en el tiempo?

—Algo así. He estado viviendo una existencia inmortal bajo el monte Meru durante todos esos años.

Laurette creía que estaba preparada para aceptar cualquier cosa que le dijera aquel hombre, ¿pero que había vivido bajo una montaña durante ochocientos años? ¿Cómo había venido a parar aquí?

—¿Y Tristan viene de allí también?

El rostro de Vyan se tensó cuando frunció el ceño.

—No, ese perro es de esta zona.

—¿Cómo os conocisteis?

—Mi señor de la guerra escapó del monte Meru hace dos días junto a ocho soldados más, luego fuimos a Sudamérica para liberar a Tristan de un conjuro que lo mantenía enjaulado.

Ella tragó saliva, tratando de digerir la historia que él estaba compartiendo y hacer las preguntas correctas.

—¿Por qué estaba enjaulado?

—Porque se transforma en una bestia que mata seres humanos.

El té le quemaba en el estómago.

—¿Por qué liberasteis a alguien como él?

—Porque mi señor de la guerra creía que Tristan podía conseguir la piedra Ngak que necesitábamos para enviar a nuestra tribu ochocientos años atrás y poder vivir en nuestra época de nuevo.

—¿Pero por qué viajasteis hacia delante en el tiempo si lo que queríais es volver atrás?

Vyan sonrió.

—Suena extraño. Te lo explicaré. Nuestra tribu entera fue condenada a vivir bajo el monte Meru como inmortales hace ochocientos años, después de una batalla con los veladores. Nosotros queremos volver a casa, a nuestras tierras, y vivir como hombres normales otra vez, y la piedra Ngak es nuestra única esperanza.

—¿Veladores? ¿Qué es eso?

—La mujer que viste esta noche es uno de ellos. Son nuestros enemigos. En mis tiempos, los veladores asesinaron a nuestras familias. Nuestro dios Shiva nos ha prohibido luchar contra ellos, so pena de padecer una maldición mayor.

—De acuerdo, espera. —Se frotó las sienes para controlar el dolor de cabeza que iba en aumento—. Tú y tu señor de la guerra y algunos de sus hombres habéis viajado a mi época para encontrar esta piedra, pero necesitáis que Tristan os la entregue porque eso os permitirá volver atrás en el tiempo. ¿Es eso correcto?

—Sí, así es.

—Pero los veladores están aquí y son vuestros enemigos. No podéis luchar contra ellos pero Tristan sí puede. ¿Los veladores que están en esta zona son mala gente?

Vyan dejó de mirarla a los ojos, dejando que su mirada recorriera la habitación antes de volver a centrarse en su rostro.

—Son mis enemigos.

Ella dejó pasar eso para concentrarse en la pregunta que le importaba más.

—¿Cuál es el plan de Tristan para conseguir la piedra?

—Tú podrías entregársela.

—¿O de lo contrario...?

—Él podría matarte para quitártela.

La letra pequeña nunca había sido tan funesta en el pasado. ¿Qué es lo que podía hacer? De pronto una idea la asaltó.

—¿Y qué ocurriría si fuera yo la que me encarguase de enviar a vuestra tribu ochocientos años atrás?

—No creo que poseas el poder para controlar la piedra hasta ese punto si no pudiste deshacerte de mí antes. —Le sonrió.

—¿Eso crees?

Su sonrisa se ensanchó, tan atractiva y deliciosa que a ella se le derritió la mente.

Pronto necesitaría abanicarse si él continuaba así.

—Lo siento, pero no sabía qué hacer contigo.

Los ojos preocupados de Vyan se encontraron con los de ella.

—Tristan no es el mayor peligro para ti.

—¿No crees que ser asesinada por alguien que se transforma en una bestia es lo suficientemente malo?

—Tienes hasta mañana al amanecer para darle la piedra o esta se vinculará contigo de manera permanente como si fueses su dueña.

—Eso no suena tan mal. Tal vez yo quiera ser la dueña de esta piedra.

—No es tan fácil como parece. Esta piedra es tan antigua como la tierra misma. Ha pasado por las manos de muchos amos, todos ellos ahora muertos. La piedra ha escogido siempre a una criatura poderosa que pudiera controlar los poderes de la piedra. El miércoles por la mañana, cuando el sol alcance el lugar donde encontraste la roca, la energía te llenará. Esta piedra escoge su propio destino y puede haberte escogido porque tú eres humana.

Aquello era tan malo como escuchar las noticias del telediario, llenas de muertes y desastres, excepto que en este caso se trataba de su muerte y su desastre.

—¿A qué te refieres? ¿Por qué ser humana no es una buena cosa?

Vyan respiró con dificultad y se tomó su tiempo antes de responder.

—Si es que la energía de la piedra no te mata cuando el poder golpee tu cuerpo, la piedra podría tomar el control de tu mente y convertirte en su esclava para cometer cualquiera que sean las acciones que decida. Podría escogerte para hacer el bien en el mundo… o para destruirlo todo y a todos.

Ella soltó la piedra que había estado apretando desde el interior del bolsillo de su pantalón y enseguida sufrió una pérdida de visión.

¿Vivir para siempre en un mundo de oscuridad o arriesgar el futuro de la humanidad y su salud mental?

Treinta

El interior sin ventanas de la parte trasera de la furgoneta rebotaba con cada sacudida, y olía a sudor masculino. Evalle dudaba de que si pudiera hablar con Laredo Jones, el líder de esos hombres, del tamaño de una montaña, cambiara su idea de entregarla a Isak.

¿Y qué pasaba con Isak desde que había visto que su aura no era humana? Mantuvo sus manos sudadas apretadas delante de ella para evitar moverse.

Había visto lo que su arma megaexplosiva aniquiladora de demonios podía hacer.

¿Aquellos hombres tendrían idea de que ella era una mutante?

Al menos esos tipos no le habían puesto un saco por encima de la cabeza, pero no tenía ni idea de dónde iba.

La camioneta se detuvo. Luego se oyó un crujido metálico de algo que se movía en el exterior. Podía tratarse de la puerta metálica del garaje de un edificio. Una realmente grande, a juzgar por lo que tardaba en abrirse. Cuando el ruido cesó, la furgoneta avanzó unos metros y se detuvo.

Nadie se movió hasta que se abrió la puerta trasera. Ella esperó a que le tocara salir y luego puso los pies en un hangar que tenía la altura de tres pisos en su centro.

No había oído aviones en su camino hasta allí, así que aquello podía ser o no ser un aeropuerto. El viaje les había llevado media hora. Eso significaba que serían alrededor de las tres de la mañana, pero no iba a mover su reloj para comprobarlo.

Nada de movimientos repentinos junto a hombres que llevaban semejantes armas.

Laredo inclinó la cabeza hacia un lado.

—Sígueme.

Ella hizo lo que se le ordenaba, adentrándose en un edificio que podría albergar un 747, pero que ahora únicamente contenía la furgoneta en la que habían llegado, dos Hummers color verde oscuro y una camioneta dorada Dodge Ram 250 diésel. En el extremo más lejano de la estructura, habían construido oficinas. Laredo abrió una puerta y avanzó, dándole instrucciones simples.

—Continúa pasillo abajo hasta la puerta que hay al final, doña.

Evalle dudaba de que escapar fuera una alternativa realista llegados a aquel punto, y la puerta estaba solo a tres zancadas de distancia. Llegó hasta ella y rodeó el pomo con los dedos, empujando para abrirla, cuando su sentido del olfato le dijo«lasaña».

Bueno, al menos a Rambo le gustaba la comida italiana.

Al otro lado de la puerta había una amplia oficina. A su derecha había sido colocada una mesa con dos juegos de cubiertos y dos sillas. Ella caminó hacia el interior del espacio hasta que vio un aparador con comida.

Isak estaba de pie frente al aparador, preparando dos platos.

—No puedo creer lo que cuesta llegar a tener una comida contigo.

Ella trató de clasificar sus propias reacciones, de la inquietud a la ira y luego del fastidio a la sorpresa y finalmente a seguirle la corriente. Al fin y al cabo lo había dejado plantado dos veces. Y él no parecía picado con ella ni amenazador. Pero la había secuestrado en plena calle.

—El secuestro a punta de pistola me pone de un humor entretenido. ¿Qué tal una película para después?

Él miró en su dirección, al principio sonriendo, y luego la miró de nuevo, examinándola de la cabeza a los pies. Su mirada se volvió asesina y se dirigió hacia la puerta.

—Jones es hombre muerto.

—¿Jones? —Evalle se dio cuenta entonces de que Isak había dado por supuesto que había sido su hombre el culpable del aspecto que ella tenía después de la pelea infernal—. No, no, no. —Se señaló a sí misma—. Él no me ha hecho esto.

Isak se detuvo en mitad de un paso y se volvió para detenerse justo frente a ella. Le tocó la cara con los dedos de manera tan suave que ella pensó en el viento nocturno acariciándole las mejillas.

—¿Has destrozado la moto?

—Claro que no. —Ella se enfrentaría a cualquiera que hiciera un rasguño a su pequeña—. Digamos que tuve un mal día en la oficina.

Los ojos de él albergaban mil preguntas, y ella no podía responder a ninguna. Especialmente estando tan cerca y acariciando con la yema de los dedos su mejilla amoratada. Sus dedos se deslizaron bajo su barbilla y la levantaron ligeramente.

—¿No vas a decirme quién te ha hecho esto?

—¿Qué harías si te lo dijera?

—Al culpable le pasaría algo mucho peor que lo que le pasó a ese demonio Birrn.

Tenía que ser el secuestrador más encantador del planeta.

—No, no puedo decírtelo. El olor a comida me está matando. Me gustaría lavarme primero.

—El cuarto de baño está allí. —Señaló una puerta al otro lado de la habitación.

Ella se apartó de sus dedos y fue al cuarto de baño, que era limpio y sencillo. Un espejo enorme le dijo hasta qué punto habían sido malas las últimas veinticuatro horas, mostrándole sus ojos hundidos, la piel amoratada y el pelo desastrado a modo de indicios. Se frotó la cara, los brazos y la piel expuesta del pecho, sacando el barro que se había secado, de cuando Tristan la tiró al suelo en el parque. Volvió a hacerse la trenza. No había mucho que hacer con la camisa andrajosa.

Volvió a entrar en la cocina-comedor y sintió de nuevo el aroma de la lasaña calentándose. Debería negarse a comer, hablar o ser hospedada por alguien que la había capturado, pero llevaba tanto tiempo sin comer que empezaba a temblar por falta de azúcar en la sangre.

«Que no se te caiga la baba.»

Había una música suave sonando de fondo. Apenas el sonido justo para suavizar el silencio de la habitación.

—Buen menú. ¿Has estado usando la guía de recetas para un secuestro de Martha Stewart?

El asomo de una sonrisa a los labios de él fue la única señal de que la había oído.

Tal vez debería bajar su grado de sarcasmo. Mejor no despertar su lado asesino de demonios.

—¿Una copa de vino? —Isak colocó un plato a cada lado de la mesa.

—Agua, por favor. —Ella estaba espantosamente mal vestida con su camisa ahora sucia que había sido nueva hacía veinte años, la parte de arriba todavía estaba llena de barro y los tejanos tenían un tajo en una pierna.

La camisa negra de manga corta y los tejanos negros y limpios que llevaba Isak le sentaban de muerte. Tampoco se había equivocado sobre sus ojos. Eran azules como el océano y encajaban en ese rostro que hacía pensar en antepasados noruegos. Eso explicaría la genética de un cuerpo construido como un tanque. Hacía que a una se le cayera la baba tanto como la comida.

Esos ojos rápidos no se perdían nada, y advirtieron la admiración que debería haber guardado en secreto.

¿Cuántas clases de estupideces cometería delante de aquel tipo?

«Vuelve a concentrar la cabeza en salvarte el culo.»

Dirigió su atención hacia un tema seguro.

—Huele delicioso.

La sonrisa que elevó una comisura de sus labios debería haberla preocupado, en lugar de servir para acelerarle el corazón.

—Pruébalo.

Ella levantó el tenedor para apuñalar la ensalada del cuenco de cristal que había junto a su plato. Debería dirigirse a él por segunda vez.

—No pude evitar perderme nuestra reunión de nuevo.

—Asuntos de trabajo, ¿verdad?

—Sí, efectivamente. ¿Cómo me encontraste? —Puede que tuviera que continuar reuniéndose con él si la alimentaba de esa forma.

—¿No lo recuerdas? Tengo amigos en los suburbios.

—Entonces… ¿qué? ¿Te has descargado un archivo completo sobre mí?

—Tengo suficiente información. —Él comía como un hombre normal, sin necesidad de contenerse, pero ella continuaba captando algo en sus movimientos que no encajaba con su personalidad terrena. Ahí. Al levantar la copa de agua. Se amoldaba a su mano como si estuviera acostumbrado al cristal fino tanto como a las comidas preparadas en el campo.

—En ese caso, ¿qué hay en mi archivo? —Ella se llevó a la boca otro bocado de esa delicia italiana.

—Sé que tu nombre es E. Valerie Kincaid, pero no sé cuál es el que empieza por E.

—Yo tampoco. Si lo averiguas házmelo saber. —La tía que la había criado nunca le explicó por qué Evalle solo tenía la inicial E y no el nombre de pila completo. ¿Isak habría descubierto quiénes eran su madre y su padre? Su tía tampoco había compartido nunca el nombre de ellos. Únicamente le había dicho a Evalle que su madre era una basura y que su padre no la quería.

—¿Cómo es que no lo sabes?

Ella se encogió de hombros.

—Siempre he sido solo E, y por eso mi nombre de pila acabó siendo Evalle. La mujer que me crio me llamaba E. Valerie durante un tiempo, y luego eso se transformó en E-val. ¿Conseguiste averiguar quién era mi padre mientras estabas investigando?

Inclinó el rostro hacia un lado con expresión de sorpresa.

—No. Los informes solo muestran a la mujer catalogada como tu madre adoptiva.

¿Entonces él no sabía que esa mujer era su tía?

—¿Qué más sabes de mí?

—Sé que tu aura no es humana.

Evalle hizo una pausa con el tenedor lleno de lasaña junto a los labios. Continuar con la ofensa cuando no tienes defensa.

—Eso no tuvo gracia cuando lo dijiste la otra noche y no tiene gracia ahora, Isak.

Isak acabó de masticar y tragar su último bocado, luego se limpió los labios con una servilleta de lino.

—Los humanos tienen un aura color aguamarina y a veces rosácea. La tuya es plateada.

Ella sintió la pesadez de cada latido del corazón en el espacio que hubo entre sus últimas palabras. Dejó el tenedor y lo miró de frente, tensando los músculos de su cuerpo para enfrentarse a una posible amenaza, a pesar de que el tono de Isak había sonado más a curiosidad que a desafío.

—¿De qué me estás acusando? ¿Crees que soy algo parecido al demonio Birrn?

Él la miró a los ojos —o al menos lo que le parecía ver a través de sus gafas— y luego apartó la mirada para estudiar su cabeza y sus hombros.

—No te estoy acusando de nada. Tengo curiosidad por saber por qué tu aura es diferente.

¿Cómo responder a esa pregunta?

—No lo sé. Yo no puedo ver auras. ¿Estás seguro de lo que estás viendo?

¿O acaso habría malinterpretado su encanto y estaría jugando con ella?

—Sí, estoy seguro. Soy bueno leyendo auras.

A ella nadie le había dicho que tuviera un aura plateada, pero vivía alrededor de seres no humanos todo el tiempo y no era capaz de ver las auras ella misma. Era posible que todos tuvieran auras extrañas y no pensaran nada acerca de la suya. Tenía que convencerlo de que no representaba ninguna amenaza o salir de allí a toda prisa.

Pero necesitaba la información que él tuviera acerca del demonio Birrn y posiblemente cualquier otra cosa que él supiera. Preguntarle por eso ahora mismo no refrenaría sus sospechas. Volvió a desviar el tema de la conversación hacia él.

—Siempre he creído que solo las personas con habilidades psíquicas podían ver auras. ¿Eres psíquico o algo parecido?

—Algo parecido.

—¿Humano?

—Desde luego que sí.

Ella golpeteó con los dedos sobre la mesa.

—Esta situación es bastante desigual. Tú me traes aquí como cautiva y quieres que responda a tus preguntas, pero no estás compartiendo ninguna información. ¿Quieres saber algo de mí? Entonces, ¿quién eres tú? ¿De dónde vienes? ¿Para quién trabajas? ¿De dónde sacaste esa arma tremenda? ¿Cómo es posible que seas humano y puedas seguir el rastro de seres no humanos?

Él inspiró profundamente y se reclinó hacia atrás mientras espiraba. Apoyó un codo sobre la mesa y descansó la barbilla sobre los dedos doblados, pensando.

—Crecí en una familia de militares, así que viví en todas partes antes de unirme al ejército. Dejé el ejército el año pasado. Todos mis hombres son antiguos militares o algo parecido. Todos trabajan para Nyght. No puedo hablar sobre lo que hacemos, pero sí decir que salvamos vidas amenazadas. Yo mismo diseñé el arma que viste la otra noche. Y supongo que puede decirse que tengo un don natural para encontrar seres no humanos.

¿Dónde estaba Storm ahora que ella necesitaba su detector de mentiras? Apartó su plato.

—No puedo evitar pensar que me has traído aquí porque crees que no soy humana.

Él se levantó y comenzó a despejar la mesa colocando los platos en el aparador. Luego se sentó de nuevo frente a ella.

—Yo no te he acusado de eso. Solo quería saber algo más de ti. Como dónde creciste.

Si él tenía sus archivos de nacimientos debía de saber lo básico, ¿pero cuánto habría de falso en sus archivos si su tía figuraba como madre adoptiva? Ella no le diría nada que él no supiera ya.

Ya que Isak se estaba mostrando razonable y ella seguía queriendo información, dijo:

—Crecí en un pequeño pueblo en Indiana occidental.

—No estás registrada en ningún colegio.

—Porque no fui al colegio.

—Tu nombre debería figurar en alguna parte aunque hayas sido escolarizada en tu propia casa.

—No fui escolarizada en mi propia casa.

Eso lo sorprendió por un momento.

Evalle sabía tan poco acerca de sus propios orígenes que le hubiera gustado ver el informe que él tenía, pero esa no era su principal preocupación en aquel momento.

—¿Por qué te importan tanto mis antecedentes?

Isak volvió a sentarse, con un brazo sobre la mesa, tan relajado como un tigre preparado para atacar en cualquier momento.

—Seré honesto contigo. Tú estabas en el mismo lugar que ese demonio Birrn. Ha habido dos demonios más en la ciudad además de ese. Estoy siguiendo la pista de cualquier cosa inusual. Tú eres inusual.

—¿Inusual? ¿En qué sentido?

—Nadie te ha visto durante el día.

—¿A quién te refieres cuando dices «nadie»?

Él levantó las manos y enumeró contando con los dedos.

—La morgue donde trabajas solo te tiene registrada por las noches, sin excepciones. Tu moto solo ha sido registrada por cámaras nocturnas.

Ella captó su expresión de «¿es necesario que continúe?».

—¿Y en qué crees que me convierte exactamente eso?

—Yo diría que tu aura no es la de un vampiro. Los muertos no tienen aura. —Lo dijo de una manera juguetona, pero ella no creía que bromeara con cosas así.

Si no le daba una razón que pudiera justificar su comportamiento nocturno, él iba a convertirse en un problema para ella.

—Nací con una rara enfermedad en la piel. La vitamina D es un veneno para mi cuerpo. Es tan simple como eso.

—¿Y qué pasa con el aura plateada?

—No tengo una respuesta para eso. ¿Has encontrado alguna criatura que tenga un aura plateada?

—Ninguna.

Aleluya. Ella permitió que el aire atrapado saliera de sus pulmones, pero mantuvo su fachada de despreocupación.

—Tal vez el aura extraña tenga que ver con esa alergia al sol.

—Tal vez.

Él no iba a dejarlo pasar, no en el interior de esa mente de hierro. Sonrió a pesar de su recelo y dijo en un tono desenfadado:

—¿Vas a arrestarme bajo sospecha por ser inusual?

—Yo no arresto a nadie.

Aquella conversación estaba cobrando un giro serio.

—Eso es cierto. Tú disparas a matar y envías a tu escuadrón de matones en sus limusinas. —A veces la actitud airada era la mejor arma que había a mano—. La cena ha sido maravillosa. Realmente la valoro, junto con el servicio de transporte.

—Todavía tengo una pregunta.

—Y yo sigo teniendo una agenda apretada. Guárdate la pregunta para nuestra próxima cena clandestina.

—¿Cuánto tiempo llevas hablando con los merodeadores? Ninguno de ellos te ha visto tampoco durante el día.

Mierda. Si se marchaba ahora él iba a interpretarlo como una señal de miedo, y eso no debía pasar. Se sentó.

—Ya te he dicho por qué no puedo salir al exterior con luz del día. ¿Qué es lo que quieres, Isak?

—La verdad.

Eso no iba a pasar. Tzader le había advertido de que Isak iba tras los mutantes y que debía mantenerse alejada de él. Acudir allí no había sido idea de ella. ¿Qué verdad podía contarle a Isak que le sirviera para acabar con sus sospechas y le abriera las puertas para averiguar la información que tenía él?

—Una vez más. La verdad es que nací con una alergia severa al sol. Me mataría. No soy ningún demonio ni monstruo. —Al menos no la mayor parte de los días—. Mis padres eran humanos. Mi madre murió al dar a luz. La mujer que me crio era una tía, si en tu definición de criar encaja la idea de ser retenida y alimentada en un sótano las veinticuatro horas de los siete días de la semana durante dieciocho años.

Él frunció el ceño al oír eso, pero no la interrumpió.

—Ella no me enseñó a leer, escribir ni hablar, de manera que no requería muchos cuidados. Odiaba a mi madre y me dijo que mi padre no quería a ningún monstruo como hija. Yo veo espíritus y a veces puedo hablar con ellos. Trabajo en la morgue y no hago daño a los humanos, animales ni extraterrestres que no me hacen daño a mí. ¿Qué más?

—¿Puedes quitarte las gafas?

Si él sabía cómo eran los ojos de un mutante —lo cual era probable, ya que había matado a uno— toda posibilidad de engañarle acabaría en cuanto viera sus ojos verde pálido.

Desde que escapó de casa de su tía había sido expuesta y observada desde todas las direcciones. Él podía matarla si quería, pero ella no se quedaría allí sentada ni se humillaría.

—Me has reducido a un espécimen bajo un microscopio y ahora quieres que arriesgue mi vista solo para satisfacer tu curiosidad. He respondido a tus preguntas y me he comprometido a una comida contigo. ¿Qué es lo que va a pasar, Isak? ¿Vas a hacerme explotar en pedazos para proteger al mundo de un monstruo de la naturaleza o vas a dejarme marchar?

Al ver que él no respondía, Evalle se levantó de la mesa y se alejó hacia la puerta.

—Voy a salir a menos que me dispares.

El crujido de ropa llegó a sus oídos antes de que él dijera:

—Espera, Evalle.

Y su voz sonó diferente. Más ronca.

Ella se detuvo a un paso de la puerta y se dio la vuelta para hallar a Isak cerca. Muy cerca. Podía oler su cuerpo recién duchado. Esperaba ver la mirada dura de un hombre dedicado a proteger el mundo de monstruos como ella.

Pero cuando alzó su rostro para verle, se sorprendió al ver una mirada incómoda. Estando cerca bajo esa luz tan tenue, él podía ver la forma y el movimiento de sus ojos a través de las lentes que los protegían, pero no el color.

Isak levantó la mano lentamente, como si tuviera cuidado de no hacer un movimiento equivocado.

«No toques mis gafas», se dijo. El corazón le latía salvajemente.

Uno de sus dedos le tocó una mejilla, luego le apartó un pequeño mechón de pelo de la cara.

—Tengo la responsabilidad de proteger a los humanos cada minuto del día, pero no creo que tú seas un demonio ni un monstruo. Creo que eres inusual. Una de las mujeres más extraordinarias que he conocido nunca.

Se inclinó hacia delante y le besó la frente, luego la mejilla.

Ella no habría podido moverse aunque el edificio hubiera estado en llamas.

Sosteniendo su rostro con su enorme mano, él se inclinó y la besó. El corazón de ella latió fuera de control todo el tiempo que sus labios hicieron magia con los de ella. Tenía una boca persuasiva que la convenció de devolverle el beso.

Isak tenía el sabor del último trago de vino que había tomado.

Cuando terminó de besarla, ella tenía la mano agarrada a su muñeca, apoyándose en ella.

¿En qué había estado pensando para besarlo? Le soltó la muñeca y dejó caer su mano a un lado.

No había estado pensando. Su lado empático había abierto la puerta a emociones que nunca antes se habían permitido salir a la superficie. Aquello era peligroso. Primero Storm, que era espectacular besando, y ahora Isak.

Él le pasó un dedo a lo largo del cuello.

—Eres diferente y preciosa.

Si no fuera que Evalle creía realmente que Isak era humano, pensaría que en aquel mismo momento estaba bajo el efecto de un conjuro. ¿Acaso emitía feromonas que influían en los hombres esos días? ¿Las feromonas de mutante funcionaban en los humanos?

¿O estaba padeciendo una sobrecarga de hormonas que la hacía chisporrotear por estar tan cerca de un hombre que un minuto antes amenazaba todo su mundo? Tenía que ser su desarrollado sentido empático.

Necesitaba tenerlo bajo control.

Él la miró largamente.

—Quiero volver a verte.

Cuando estaba nerviosa, afloraba su lado sarcástico.

—Lo dejaste muy claro cuando me raptaste en medio de una acera. ¿Conciertas todas tus citas de esa manera?

—De hecho no he tenido citas en mucho tiempo. Sabía que eras demasiado dura para tener miedo, así que esperaba que accedieras a ir con Jones movida por la curiosidad.

El hecho de que admitiera no tener citas la sorprendió. Tenía que reconocer que él había dado en el clavo con eso de que era curiosa, pero debía encontrar la piedra Ngak, y podría desaparecer cualquier día si las cosas no iban bien con el Tribunal.

—Seré honesta contigo, Isak. Tengo muchas cosas de las que ocuparme ahora mismo y alguna gente difícil a mis espaldas. Puede que me aleje durante un tiempo, y te estoy diciendo esto ahora mismo para que no pienses que te estoy evitando si ocurre.

El rostro de él se tensó con preocupación.

—Yo puedo ayudarte con esa gente difícil.

—Lo dudo.

Los labios de él se curvaron en una sonrisa.

—No solo cazo demonios, cariño. Soy bueno haciendo desaparecer gente. Si alguien te molesta, házmelo saber.

Ella no sabía si había sido la palabra «cariño» o la promesa de protegerla lo que aumentó su atractivo, pero se le estremeció el corazón ante su preocupación.

—Lo tendré en mente.

Y lo haría. Pero por ahora su mejor plan de acción consistía en ver si él compartiría información acerca del Birrn y si sería capaz de salir de allí con las gafas todavía puestas y con Isak pensando que ella era una simple anomalía de la naturaleza.

—Si estamos bien, me gustaría saber algo más acerca de ese Birrn que fulminaste la otra noche.

—Tal vez la próxima vez. Por mucho que quisiera retenerte aquí más tiempo, tienes que coger tu moto antes de que amanezca, y yo voy a buscar a un merodeador para hacerle algunas preguntas.

Si Isak era humano no podría hacer un trato con un merodeador estrechándole la mano, lo cual significaba que no podría conseguir ninguna información sólida. Ella se rio para vender sus siguientes palabras.

—Haces que suene como si los merodeadores fueran informantes.

—Lo son si estrechan la mano de alguien que tenga poder.

Volvió a examinar a Isak.

—Tú dijiste que eras humano.

—Y lo soy, pero tengo recursos.

Ah, mierda.

—Yo en tu caso tendría cuidado con eso para empezar. La mayoría de los merodeadores están medio locos.

—No el que yo busco.

—¿Quién es?

—Se llama Grady. Voy a encontrarlo para que me dé algunas respuestas.

Ella luchó por mantener los hombros relajados. Grady no le diría a Isak nada sobre ella, ¿verdad? Pero de repente la asaltó el recuerdo de que Grady necesitaba recuperar su forma humana durante una hora el miércoles por la noche para algo.

¿Sería capaz de intercambiar información sobre ella para conseguirlo?

Treinta y uno

Evalle viajaba en silencio en la furgoneta con los cuatro asaltantes Nyght y comprobó que el cielo se hacía más claro a cada minuto mientras se aproximaban al centro de Atlanta. Le quedaba menos de una hora hasta que llegara la luz del día solo porque había convencido a Isak de que eran los merodeadores quienes la encontraban a ella en ocasiones, y no al revés.

Y él no había querido que ella se viese expuesta al sol.

Se había mostrado muy complaciente después de ese beso.

Ella no podía pensar en eso justo ahora, con una preocupación mucho mayor avecinándose. Grady. Tenía que encontrar a ese viejo fantasma y asegurarse de que no le contara nada a Isak.

¿Cómo iba a conseguir eso si no aceptaba concederle a Grady la hora que él quería para la siguiente noche?

Solo por una vez le gustaría tener algún problema simple por resolver.

La furgoneta se detuvo cerca del sitio donde la habían recogido. El calor húmedo golpeó su piel con el desagradable aumento de temperatura después del viaje con el aire acondicionado.

—¿Necesitas algo antes de que nos vayamos? —dijo Laredo.

—Claro. ¿Qué tal una de esas armas para hacer explotar demonios? —Lanzó una mirada rápida a su GSX-R, pero si alguien hubiera tocado su moto lo habría sabido inmediatamente.

El hombre de Isak no mostró ni un amago de sonrisa.

Que la salvaran de los hombres sin sentido del humor.

—Sois libres de volver a Yoda.

Él se subió a la furgoneta y el vehículo se puso en marcha.

Isak no había vuelto a pedirle que le dejara ver sus ojos, pero finalmente volvería a ese asunto. Si se quedaba sin tiempo ante el Tribunal, ¿seguiría él ofreciéndole ayuda si descubría que era una mutante? ¿O simplemente liberaría al mundo de una amenaza más?

Demasiado «síes» condicionales y poco tiempo para reflexionar sobre ninguno de ellos.

Grady a estas alturas debería tener información, pero después de un buen rato en busca del viejo fantasma, tenía la sensación de que algo iba muy pero que muy mal. ¿Dónde estaba?

Esa hora que quería el miércoles por la noche le daba vueltas en la cabeza. ¿Qué sería capaz de hacer para conseguirla?

Tendría que llegar pronto a casa o ponerse su traje protector ignorando el calor que ya superaba con creces los treinta grados.

Los merodeadores normalmente se presentaban en cuestión de minutos cuando alguien con habilidades sobrenaturales se colocaba en un lugar e irradiaba un campo de poder. Ella había estado haciendo eso durante casi una hora. Finalmente apareció una figura desdibujada, cuando Evalle normalmente era engullida por una multitud de ellas si Grady no estaba alrededor.

Como esta vez no tenía más ofertas, Evalle hizo un trato rápido y estrechó la mano a una mujer que debía de tener más de ochenta años. Fue directa al grano.

—¿Dónde están los otros merodeadores?

La anciana levantó una mano de piel tan blanca como el papel que transparentaba todas las venas y usó sus dedos esqueléticos para apartarse de la cara un delicado mechón de cabello blanco.

—Se llevaron a los otros.

—¿Quién se llevó a los otros y cuándo?

—Los kujoo. No actuaron con normalidad. Ofrecieron a los merodeadores un trato para recuperar su forma durante más de diez minutos. —Gimió cuando una lágrima cayó a lo largo de su rostro arrugado.

—¿Qué ocurre? —Evalle puso su brazo en torno a la mujer. Daría caza a Tristan y haría que su grupo lo lamentara mucho si habían hecho daño a aquella mujer.

—Yo fui demasiado lenta —murmuró de nuevo—. Juraron que podríamos recuperar nuestra forma humana para siempre.

Evalle odiaba tener que extinguir la esperanza en la voz de la mujer, pero tenía que impedir que los merodeadores siguieran acudiendo a los kujoo.

—Eso es mentira. Los kujoo están transformando a los merodeadores en criaturas que no pueden mantener la forma humana ni la forma de un fantasma. En algo diabólico. Corre la voz y diles que se escondan de ellos.

Las lágrimas se deslizaban por el rostro de la mujer y resbalaban de su barbilla ante la dura decepción de perder la esperanza de recuperar su vida anterior. Evalle se sintió como si le hubiera quitado los lápices de colores a un niño, pero no permitiría que los kujoo siguieran engañando a esas pobres almas.

Grady era un viejo astuto que comprendía la maldad. Tal vez no se había presentado allí porque se estaba escondiendo de los chicos malos.

O tal vez se estaba convenciendo a sí misma de que ese era el caso cuando la verdad era que tenía la desagradable sensación de que había sido capturado por Tristan y los kujoo.

La luz del día se hallaba muy cerca cuando Evalle logró asegurarse de que la mujer se encontrara a salvo bajo su forma de merodeadora y llegó a su garaje subterráneo.

Luchó por permanecer despierta todo el camino hasta su apartamento. *Feenix* avanzó a trompicones por el pasillo, corriendo a su encuentro. Pero se abstuvo de volar hacia ella.

Debió de notar la desolación en sus ojos, que la calaba hasta los huesos. Forzó una sonrisa y luego la hizo real para él.

—Hola, cariño.

Golpeando los lados de su cuerpo con sus pequeñas manos regordetas, anduvo como un pato, gruñendo palabras indescifrables, y luego se le abrazó a una pierna. Ella le dio golpecitos en la cabeza.

—Déjame darme una ducha y escribir una carta, y luego jugamos, ¿de acuerdo?

Él bailó alrededor, gorjeando con sonidos felices antes de aterrizar sobre su pelota blanda, donde normalmente se colocaba a esperarla.

Después de una ducha rápida, ella se puso una camiseta y ropa interior y luego se dejó caer en la cama con su portátil. Ignorar la posibilidad de ser encerrada por el Tribunal, en el peor de los escenarios, o de tener que pedir la ayuda de Tzader para desaparecer en el mejor de ellos, sería una tontería. Abrió un documento nuevo y tecleó: «Para Tzader y Quinn: si pierdo mi caso ante el Tribunal y no regreso…».

Ruidos sordos y gruñidos llegaron hasta ella antes de que *Feenix* apareciera en la puerta del dormitorio. Arrastraba su cocodrilo de peluche y un par de gafas de sol oscuras. Ella tenía cinco pares además de las que llevaba puestas.

Agitó sus alas y subió a la cama, aterrizando suavemente junto a ella. Cuando replegó las alas Evalle levantó el brazo para que pudiera acurrucarse. Él se puso las gafas oscuras y se colocó contra su pecho con el cocodrilo de peluche metido debajo de un brazo.

Ella lo abrazó. Le dolía el corazón ante la posibilidad impensable de tener que dejar a *Feenix*, su apartamento, a Tzader, a Quinn… y al resto del equipo que la había apoyado aquella noche.

Y estaba Storm, que sabía que ella era mutante y no tenía problemas con eso.

Empezaba a pensar que él le había dicho la verdad cuando afirmaba que no estaba ayudando a que Sen pudiera apartarla. Pero él no podía impedir que Sen la llevara ante el Tribunal para que este tomara una decisión.

Empleó una sola mano para teclear, ya que no quería dejar de abrazar a *Feenix*. El dolor ante la idea de perder a aquel pequeño le oprimía los pulmones cuando trataba de respirar, pero se aseguraría de que él nunca quedara a merced de la compasión del mundo como le había ocurrido a ella.

En este mundo no había compasión para los inadaptados.

Tristan tenía razón en eso.

Cuando terminó de teclear la carta, la adjuntó a un correo electrónico para que fuera enviada a Tzader y a Quinn el jueves a mediodía. Si el Tribunal la encerraba, la carta le procuraría a *Feenix* un futuro seguro, pero su pequeño estaría perdido sin ella.

A la gente le gustaban los perros y los gatos.

No una criatura que come tuercas y escupe fuego. Solo Tzader y Quinn lo protegerían.

Él dejó de murmurar palabras y sonidos cuando ella cerró el portátil. Debería decirle que tal vez no volvería, pero no era capaz de hacerlo todavía.

—Vamos a ver qué hay para ti en el cajón de utensilios de la cocina.

Feenix se volvió hacia ella y la abrazó con un ala.

—Mía.

Ella tragó saliva con un nudo en la garganta y le devolvió el abrazo.

—Tú también eres mío, pequeño.

Por ahora.

Tenía que haber algo que ella pudiera hacer, ¿pero qué? La única de los merodeadores que quedaba en la ciudad no tenía información acerca de los kujoo. La humana que tenía la piedra no podía ser rastreada después de la teletransportación. A Vyan claramente no le gustaba Tristan, pero eso no significaba que no fuera a entregar a la mujer y la piedra a los kujoo.

Estar allí sentada con el tiempo desintegrándose la estaba volviendo loca. Tenía que hacer algo.

Se desplazó en la pantalla revisando los correos electrónicos mientras se quejaba mentalmente y se detuvo en uno de Nicole que decía en la línea de asunto: IMPORTANTE. Lo leyó:

DEBO VERTE PRONTO.
AUNQUE SEA A LA LUZ DEL DÍA.

Evalle cogió el teléfono y marcó el número de Nicole, que respondió al primer ring.

—Hola, Nic.

—¿Dónde has estado?

—Hundida hasta el cuello. ¿Qué ocurre? —Evalle hizo callar a *Feenix,* cuyos ojos se encendieron de excitación al darse cuenta de que estaba hablando con Nicole.

—Estás metida en problemas serios.

—Dime algo que no sepa, Nic.

—Ven aquí y lo haré. No por teléfono. Lo siento, pero no me fío del teléfono con el trabajo que haces y para lo que tengo que decirte.

Nic tenía razón. Desde luego Isak podría intervenir su teléfono si averiguaba el número. Pero ir a ver a su amiga ahora supondría ponerse el traje especial a pleno sol, y tampoco tenía tiempo de hacerlo esa noche.

—¿Puedes darme una pista?

—¿Estás buscando una piedra?

Oh, mierda. Tendría que aguantar el calor.

—Voy a verte.

—Salida. —*Feenix* se apartó y se puso de pie en la cama, dando botes mientras ella colgaba el teléfono—. Salimos. Vamos a salir.

Ella lo había llevado a dar una vuelta en la moto una noche y a él le había encantado, especialmente cuando pararon en casa de Nicole. Él adoraba a Nicole.

Nicole nunca había conducido, y necesitaba a alguien que condujera su furgoneta adaptada a la silla de ruedas cuando viajaba. Por ella, Evalle sería capaz de desplazarse a la luz del día. Y para conseguir ayuda con la piedra. Si el tráfico estaba bien, podría llegar a Avondale en quince minutos. Conducir sola sería más rápido, pero le quedaría poco tiempo para compartir con *Feenix* si es que perdía ante el Tribunal.

—Vamos, cariño. A vestirte que vamos a dar una vuelta.

Feenix lanzó su cocodrilo al aire y lo atrapó, moviéndose nerviosamente de atrás adelante sobre la cama.

—A dar una vuelta, maldita sea.

—Vamos a tener que pulir tu vocabulario —le dijo ella mientras le buscaba una camiseta—. Necesitarás también estas gafas oscuras. Saldremos bajo el sol del mediodía.

Pero se equivocaba. Mientras se vestía con un traje aerostático ligero confeccionado a medida que acababa de recibir por correo y sacaba la moto del ascensor de coches, el cielo se nubló y bajó la temperatura.

No era lo ideal, pero sí un respiro bienvenido.

Se volvió hacia *Feenix*, que saltó fuera del ascensor aterrizando junto a ella.

—No olvides que hoy eres un robot —le dijo ella.

Feenix inmediatamente se enderezó y fingió mover las manos y pies como un robot caminando en círculo.

—Eres muy bueno. —Le puso gafas para cubrirle los ojos que a veces le brillaban y guantes para impedir que usara su poder sin darse cuenta. Luego lo colocó en el asiento trasero de la moto. Él se sujetó con una correa a cada lado de manera que parecía un animal de peluche pegado a la silla.

La camiseta negra que Nicole le había regalado hizo que en los labios de Evalle se dibujara una sonrisa.

—Vamos allá, maldita sea. —*Feenix* seguía mirando fijamente desde la parte trasera de la moto, pero su boca se curvó en una sonrisa.

—¿Querrás dejar de decir «maldita sea» si te consigo un cubo lleno de tuercas?

—Sí. ¿Qué es un cubo?

—No importa. —El traje que llevaba era ligero pero aun así sentía calor si no había aire en movimiento—. Siéntate derecho y no hables más, ¿de acuerdo?

Él la miró y se señaló la boca, como diciéndole: «Me has dicho que no hable».

Ella sonrió. Se la ganaba siempre.

Puso en marcha el motor y cinéticamente cerró la puerta del ascensor.

El trayecto hasta Avondale, al este del centro de Atlanta, le llevó unos minutos más de lo esperado. *Feenix* se comportó como un buen pequeño jinete en el asiento de atrás, inclinándose con ella cuando tomaba las curvas y dejando escapar un silbido agudo cuando aceleraba.

Nicole vivía en un almacén remodelado cerca de la calle principal, no porque vivir en una buhardilla fuera el estilo de una mujer cerca de los treinta, sino porque le gustaba la sensación de comunidad que encontraba allí.

Evalle usó el código de seguridad para entrar y aparcar en el garaje que había bajo el edificio de cuatro pisos.

Feenix saltó del vehículo y se apresuró hacia el ascensor, agitando las alas para alcanzar el botón.

—*Feenix*. Eres un robot, ¿te acuerdas?

—Perdón. —Se dejó caer sobre el cemento y ejecutó su movimiento robótico circular.

Evalle llegó al ascensor cuando la puerta se abrió y salieron dos mujeres. Lanzaron una mirada a *Feenix* y se detuvieron. Evalle levantó su llavero, que tenía una pequeña caja negra anexada y apuntó hacia *Feenix*.

—Sube al ascensor.

Él hizo la perfecta imitación de una gárgola robot.

Las mujeres se rieron entre exclamaciones.

Bendito *Feenix*, que conseguía no sonreír por mucho que quisiera.

Afortunadamente, el pasillo del cuarto piso estaba libre de humanos. La puerta de Nicole se abrió antes de que llamasen.

Hermosa. Esa palabra saltaba siempre a la cabeza de Evalle cuando veía a Nicole, con su cabello castaño caramelo que se derramaba y se ondulaba sobre sus hombros del color del azúcar moreno. Pero la mujer no tenía la menor vanidad. Llevaba un sencillo vestido suelto que ocultaba las piernas lisiadas con las que había nacido, y se apoyaba sobre un bastón de jacarandá.

—Te estaba esperando. —Se inclinó hacia delante para darle un abrazo que sabía que Evalle no permitía fácilmente. Cuando cojeó hacia atrás y abrió más la puerta, comprobó que Evalle no estaba sola—. Hola, *Feenix*. ¡Oh! Llevas la camiseta que te regalé.

Entrando a saltos en el apartamento, *Feenix* interpretó la exclamación de Nicole como una señal de que podía ser él mismo otra vez. Cambiaba el peso de un pie al otro y señalaba su camiseta.

—Me gusta, maldita sea.

Nicole lanzó a Evalle una mirada intencionada al oír la palabrota.

—No me preguntes. Fue un accidente, y no he sido capaz de repararlo.

Evalle le dijo a Feenix:

—«Maldita sea» no es una buena expresión, así que no la uses, ¿de acuerdo?

—¿Dónde está mi cubo?

—¿Cómo? —preguntó Nicole.

—Esa es otra conversación. ¿Qué es lo que ocurre?

—Tienes muchos problemas.

—No necesito una bruja con habilidades psíquicas para saber eso. Podía haber usado mi Bola Mágica.

—Necesitas a alguien que te haga entender hasta qué punto es grave. —Nicole levantó las manos y murmuró unas palabras, a continuación la habitación se sumió en la oscuridad—. Quítate ese traje y empieza a ponerme al corriente de los detalles mientras preparo el té.

Nicole fabricaba varios modelos de juguetes giratorios de colores que flotaban a través de la habitación. *Feenix* se puso a perseguirlos, volando tras ellos a través del apartamento de cien metros cuadrados mientras Evalle le hacía un resumen a Nicole. Tzader y Quinn la habían advertido acerca de no tratar temas sobre veladores ni VIPER con nadie de fuera de la tribu o de la agencia respectivamente, pero Nicole conocía la existencia de ambos grupos, y a veces sabía detalles que sorprendían a Evalle.

Había conocido a Nicole mientras vigilaba a los hechiceros del sur de Avondale durante su primera semana en Atlanta. Los hechiceros eran brujos masculinos que caminaban en el lado oscuro de la vida, y el trío que aterrorizaba Avondale había sido especialmente peligroso.

Cuando Evalle encontró a los tres matones sobrenaturales creyó que Nicole era solo una mujer en silla de ruedas que corría el peligro de resultar gravemente herida. Pero Nicole había arrastrado intencionalmente a los chicos a un callejón sin salida para automóviles que había en la parte trasera de un centro comercial, después de la medianoche. Se puso al descubierto como bruja, y luego usó su extraño don para mostrarles lo que les depararía el futuro cuando acabaran esclavizados a un hechicero más poderoso con inclinaciones sexuales retorcidas.

Nicole había hecho más en sesenta segundos de lo que nadie había conseguido con esos tres chicos en todas sus vidas. Les había ofrecido la posibilidad de ir a una casa de rehabilitación para brujos o de enfrentarse si no al peor de los juicios por parte de sus colegas por los crímenes cometidos contra los humanos.

Hicieron la elección más inteligente.

Cuando Nicole se dio cuenta de que Evalle había sido testigo de lo ocurrido la custodió para que no fuera vista por los brujos al salir del callejón, con el fin de protegerla de cualquier repercusión por parte de ellos en caso de que la rehabilitación no funcionara.

Evalle nunca había visto un comportamiento tan altruista por parte de nadie a excepción de Tzader y Quinn.

Nicole era una bruja extraña, no porque tuviera habilidades psíquicas.

Estas habilidades no eran infrecuentes en las brujas, pero Nicole podía hablar con los espíritus acerca del futuro, y a veces conseguía dar a ese futuro una forma corporal. Eso podía sonar como una habilidad muy práctica, excepto que abrir un canal a un espíritu del futuro también podía abrir el camino a ese espíritu para que viajara hasta el presente. Sin saber si el espíritu era malvado o no, Nicole se arriesgaba a ser atacada o a que el espíritu se desatara sobre alguien que a ella le importara.

Y cuando el espíritu de Nicole viajaba hacia delante en el tiempo en busca de respuestas, se arriesgaba a quedar atrapada en el camino, de modo que su cuerpo quedara vacío para alojar a cualquier huésped.

Pero ahora mismo se hallaba sentada en un confortable sillón de colores otoñales frente a Evalle, que se había acomodado en el sofá. Nicole sirvió el té sobre la mesa de cristal que había a su izquierda y juntó las manos en su regazo mientras Evalle le hacía un resumen rápido de todo lo ocurrido hasta el momento.

Nicole suspiró suavemente.

—Eso explica algunas de mis visiones. Tú sabes de la antigua tribu que va a la caza de la piedra Ngak, de la criatura que está ayudando a esa tribu y de la mujer humana cuya vida cuelga en medio de todo porque ha encontrado la piedra. ¿Pero sabes por qué la mujer no cederá la piedra?

—¿Porque piensa que es una especie de genio de la lámpara maravillosa que concederá todos sus deseos?

—Esa habría sido mi primera suposición, pero cuando pedí ayuda a los espíritus lo único que me dijeron es que el mundo de esa mujer no es más que un miedo borroso.

—¿Miedo de qué? ¿Alguien le está haciendo daño?

Nicole frunció el ceño con preocupación.

—No todavía. Creo que eso de «borroso» es una parte importante de la frase, pero no sé qué significa. ¿Tú sabes algo acerca de esa mujer?

—Yo la vi.

—¿De verdad? ¿Hablaste con ella?

—No, estaba demasiado ocupada luchando contra la criatura que ayuda a los kujoo. —Evalle se frotó la frente, tratando de aliviar el dolor que sentía por la falta de sueño—. Todo lo que sé es que ella está muy despistada sobre todo esto.

—¿Y qué me dices sobre eso de lo «borroso»?

Evalle repasó la última noche en su cabeza hasta que topó con el detalle de que la mujer no llevaba linterna en la oscuridad y había errado varias veces al tratar de agarrar la correa de su perro. Pero su mirada era aguda y clara cuando sostenía la piedra.

—Puede que sea ciega.

—Ah, no había considerado esa posibilidad, ya que la mujer veía algo. Es erróneo considerar que un ciego no ve nada en absoluto. El miedo a un mundo borroso tendría sentido. ¿Crees que la piedra le permite recuperar la vista?

—Tal vez. —Evalle se incorporó en su asiento—. ¿Sabes dónde está?

—No. Alguien está bloqueando su rostro o protegiéndola.

Mierda.

—Podría ser el kujoo Vyan. Creo que él quiere protegerla. Si es ciega, debe de estar aterrorizada, entre la idea de perder la vista y el hecho de haber sido testigo de todo lo que vio en el parque la otra noche.

—Su miedo no es el único que percibo. ¿Qué hay del tuyo?

La pregunta repentina sorprendió a Evalle sin estar en guardia.

—Nada.

El bonito rostro de Nicole expresó decepción ante la mentira.

Evalle suspiró.

—No es verdad, pero no quiero que indagues en mi futuro.

—Si temes algo que esté por venir, puedo ayudarte.

—Mi futuro siempre ha sido un desastre, pero los dados están lanzados contra mí ahora. —Evalle consideró lo que Nicole podía hacer—. Necesito saber si estoy tomando la decisión correcta acerca de algo. Tengo que encontrar la piedra Ngak antes de que otro mutante le ponga las manos encima.

—¿Hay otro mutante libre aparte de ti?

—Solo porque ha logrado escapar. Es el tipo que trabaja con los kujoo y odia a los veladores casi tanto como los kujoo. Asegura que Brina lo encerró aunque él no se había transformado en una bestia ni había matado a nadie antes de ser enjaulado. Yo no sé si debería creer eso o no, pero estoy más preocupada por averiguar si el mutante, los kujoo o los Medb están tendiendo una trampa a los veladores. Si no, debería haberle contado al equipo acerca de este mutante, pero si él decía la verdad cuando afirmaba que quería que se lo contara a mi tribu en lugar de hacerlo debo encontrar una manera de impedir que caigan en la trampa.

—¿Sabes su nombre?

—Tristan. ¿Puedes ayudarme?

—Lo intentaré. —Asintiendo, Nicole cerró los ojos y se echó hacia atrás. Pasaron varios minutos en silencio, luego Nicole pronunció una frase corta. Sus párpados empezaron a agitarse con un movimiento rápido—. El mutante Tristan... tiene un pasado torturado. Ha vivido como una bestia en la jungla durante cinco años.

¿Pero se había transformado en bestia antes de ser enjaulado o no?

Nicole guardó silencio un momento, luego dijo:

—El mismo hombre a los diecinueve años... está aterrorizado, de pie frente a extraños, veladores, que le hablan sobre sus raros ojos verdes... luego él desaparece de su trabajo cavando tumbas y está en una jungla, aterrado... se transforma en bestia. Está atormentado y solo.

«Suena como si Brina me hubiera mentido acerca de Tristan.» ¿Qué ocurre con los otros mutantes? La garganta de Evalle se tensó. Quería gritar de frustración, pero eso distraería a Nicole.

—Él todavía no tiene la piedra. La piedra Ngak sigue todavía con la mujer que tú conociste. Ella está esperando... te espera a ti. Sigue el camino desde el lugar donde viste la piedra por última vez. El rastro te guiará hasta la casa de la mujer, y allí encontrarás la señal que te ayudará a tomar tu próxima decisión.

Eso no era de mucha ayuda, ya que no había manera de seguir el rastro de la mujer después de que hubiera sido teletransportada. ¿Y qué significaba eso de la señal que la ayudaría a tomar su próxima decisión? Evalle permaneció en silencio, observando cómo se movían los labios de Nicole mientras hablaba con voz suave.

—La confianza abrirá el camino a aquel que haya nacido para la tarea.

«Oh, fantástico. La confianza. Uno de mis fuertes.»

¿Por qué no podía Nicole decirle que patear el culo a los demonios le podría abrir el camino? Tenía mucho talento para eso.

Nicole frunció los labios y las cejas, entregada a un pensamiento profundo.

—El camino conducirá a una elección a la que uno no debería enfrentarse.

Evalle creyó que la cabeza le iba a explotar si seguía conteniendo sus preguntas. ¿Qué elección? Ese camino no sonaba nada prometedor.

—El futuro de tu tribu depende de la elección que tú hagas... de si confías o no.

¿Qué demonios significaba eso? Evalle dio golpecitos con los dedos sobre la tela que cubría el sofá, esperando una señal de que Nicole hubiera acabado.

—Saldrás victoriosa...

Ante eso, Evalle soltó la respiración que contenía en los pulmones.

—.... y perderás.

—¿Cómo? —La palabra se le escapó antes de que pudiera cerrar los labios—. Lo siento.

—Está bien. —Nicole abrió los ojos, soñolientos al principio, y luego iluminados con la aguda inteligencia que chispeaba detrás de esos iris color avellana—. Los kujoo tienen el futuro de tu tribu en sus manos.

—No dudaba de esa parte. ¿Qué querías decir sobre la decisión de confiar o no confiar? ¿Confiar en el mutante Tristan?

—Solo tú conocerás la respuesta a eso… a menos que me permitas investigar tu futuro.

—No. Es demasiado peligroso. Descubriré en quién tengo que confiar. ¿Y eso de que venceré y perderé también? ¿Cómo es posible?

—No existe un ganador absoluto en tu futuro. Debes perder algo.

—Es la historia de mi vida —bromeó Evalle.

—Espero que no. Quiero que sobrevivas a esto.

—Yo también, pero proteger mi tribu es lo primero. —La historia de su vida, que amenazaba con ser una historia corta.

Treinta y dos

Laurette bostezó, pero no iba a poner fin a la conversación con aquel hombre llamado Vyan ni por su propia vida. Había vivido sola durante tanto tiempo que había olvidado lo agradable que era compartir una comida con alguien y hablar sobre las cosas que alguna vez había tratado con su abuelo.

«¿Qué pensaría el abuelo de Vyan?»

¿De dónde había salido aquel pensamiento?

Vyan la hizo volver de nuevo a la conversación mientras se terminaba el pastel de carne que Laurette había preparado para el almuerzo, un plato básico para un martes.

—Mi esposa también daba forma a cuencos y tazas con sus manos. Tenía unas manos de seda como las tuyas que le servían para crear ese arte de la tierra.

Ella no se había dado cuenta de cuánto echaba de menos oír cumplidos acerca de su arte. La última vez habían sido las palabras de despedida de su abuelo antes de partir a un viaje sobre el que no quiso discutir y del que nunca regresó.

El abuelo había sostenido sus manos entre las suyas y le había dicho: «En tus manos tienes un don especial. Prométeme que siempre crearás cerámica, especialmente las grandes piezas, y márcalas como te enseñé. Ten siempre una de tus macetas junto a cada puerta para dar la bienvenida a los invitados».

Ella nunca le había fallado, hasta el momento. Tal vez si le hubiera hecho prometerle que regresaría, él estaría allí ahora. Había regresado junto a ella en sueños, y allí le había dicho que sentía mucho no haber vuelto a casa, luego la había alentado asegurándole que siempre cuidaría de ella y que enviaría a otras personas si alguna vez necesitaba ayuda.

«Ahora sería un buen momento para llamar a la caballería, abuelo.»

Los sueños eran tan reales que ella realmente creía que la vigilaba y cuidaba.

Tal vez él había enviado a Vyan. Eso provocó una sonrisa en sus labios hasta que se dio cuenta de que el guerrero había dejado de hablar acerca de su esposa muerta.

—Siento mucho tu pérdida.

—Te lo agradezco. —Sus ojos parecían mirar atrás a través del tiempo, y luego dejó caer la mirada, apenado—. Ya no soy capaz de ver su rostro.

Eso tenía que ser duro. No tener una foto para recordar a alguien.

—¿La encontrarás cuando regreses?

Él negó con la cabeza.

—No puedo regresar a la época en que ella estaba viva, solo puedo volver al último día de mi vida antes de ser enviado bajo el monte Meru. —Sacudió de nuevo levemente la cabeza como tratando de borrar algo de su mente y continuó—. Fue hace mucho tiempo y me alegra que ella no haya tenido que vivir bajo el monte Meru. ¿Y qué hay de tu familia?

—Ahora yo tampoco tengo a nadie. —Ella todavía podía ver el rostro de su abuelo, pero él no se había marchado hacía ochocientos años.

Vyan levantó una mano con cicatrices de las batallas y tocó el pequeño jarrón de cerámica, que contenía tomillo y menta frescos cortados del pequeño jardín de la parte trasera.

—Me gustaría trabajar en la tierra, en lugar de luchar con espadas.

—Entonces no luches.

—Temo que esa decisión no me está permitida por ahora, pero tal vez un día sea capaz de dejar mi espada. —Apartó el plato a un lado y se echó hacia atrás—. ¿Entregarás la piedra?

—No. ¿Tratarás de quitármela?

Él negó con la cabeza.

—Nunca te haría daño ni permitiría que nadie te lo hiciera, no mientras pueda seguir respirando.

Su corazón se derritió al oír esa promesa. ¿Por qué aquel

hombre no pertenecía a su época? Había compartido más tiempo con él esa mañana que con cualquier otro hombre en muchos años.

Ella nunca hacía que las cabezas de los hombres se giraran como ocurría con otras mujeres. No con esa melena salvaje y pelirroja y las pálidas facciones que la acompañaban. Ser una artista la había convertido en una persona todavía más solitaria.

—Me he dado cuenta de que mi señor de la guerra y Tristan están planeando una venganza contra los veladores. Para eso necesitarán la piedra Ngak. Temo que nuestra gente reciba más maldiciones si buscamos venganza, pero aunque no sea así seguimos necesitando el poder de la piedra. Quiero enviar a mi gente de vuelta a casa o donde sea que quieran ir.

—¿A qué otro lugar podrían ir?

—Algunos están cansados de vivir y prefieren cruzar al otro lado para estar con la familia que han perdido. Si yo tuviera el poder de la piedra pediría que sus deseos sean cumplidos.

—¿Tú también quieres cruzar al otro lado con tu esposa? —La expresión de Laurette adquirió un matiz de dolor ante la idea de tener que dejarlo, lo que era absurdo, ya que apenas acababa de conocer a ese hombre y parecía tan solitario. Nunca pretendería impedirle encontrar la paz.

—No deseo morir todavía, pero tampoco quiero vivir para siempre. ¿Tú concederías a mi gente el don de tener la oportunidad de ir donde escogiesen, si pudieras?

—Por supuesto que lo haría. —Ella no podía imaginarse viviendo en otro mundo sin posibilidad de recuperar todo lo que consideraba que era su vida. Pero no le entregaría la piedra a nadie.

—Hablaré con mi señor de la guerra, Batuk, y veré si puedo hacerlo cambiar de idea. Si no regreso antes de cuatro horas pasada la medianoche, acude a los veladores en busca de ayuda. Ellos te protegerán.

¿Recurrir a otro grupo de gente con poderes? Puede que esa no fuera una buena idea.

—¿Por qué? ¿No podrás regresar?

—No lo sé. Una poderosa bruja que emplea la magia negra está ayudando a mi señor de la guerra, y ella ya me lanzó un hechizo ayer con la finalidad de usarme para capturar a dos jóvenes que servirían de víctimas en sacrificios de sangre.

La expresión asustada que ella debió de haber manifestado ante eso tuvo que ser la razón de que rápidamente añadiera:

—Yo fingí un momento de debilidad para permitir que los dos jóvenes escaparan y advertí al mutante que estaba con ellos de que debía protegerlos de una bruja. Insisto, acude a los veladores si no regreso a tiempo.

Laurette no podía creer cuánto empeoraban las cosas por minutos.

—¿Cómo puedo encontrarlos?

—Pide a la piedra que te traiga un velador. Si eso no funciona, no tengas esa piedra en tus manos cuando el sol salga mañana.

—Creí que me habías dicho que los veladores eran vuestros enemigos.

—Eso es cierto, pero no creo que a ti te hagan daño, y no puedo decir lo mismo de mi señor de la guerra kujoo. Si encuentras a los veladores significará que yo he perdido, así que dales un mensaje. Diles que los kujoo regresarán a su época como guerreros inmortales aún más fuertes y que no dejarán en pie a ningún velador.

¿Qué significaba eso?

—¿Los veladores tratarán de quitarme la piedra?

Vyan se inclinó y colocó la mano sobre la suya con suavidad. Ella la dejó quieta, pero no libre de miedo. La compasión que emanaba de él en aquel momento la colmó con una sensación de seguridad y paz que no había experimentado en mucho tiempo.

Su voz triste encajaba con su mirada.

—Desearía que pudieras conservar la piedra para recuperar tu vista, pero eso supondría provocar una maldición de la que nunca te liberarías.

Querría creer que aquella era una amenaza vacía para asustarla y alejarla así de la piedra, pero después de haber hablado con ese hombre durante catorce horas podía reconocer la verdad en sus palabras.

—¿Qué maldición?

—La piedra es egoísta y peligrosa. Se burla de ti con su poder como alguien que tentara a un niño con golosinas, engañándolo para ponerlo en peligro. Una vez estés unida a la piedra durante el resto de tu vida, te obligará a seguir su voluntad, lo quieras o no.

Vyan retiró su mano, llevándose con ella su fuerza y su calor. Ella suspiró como una adolescente y no le importó. La vida había sido cualquier cosa menos normal en los últimos días. Si podía sobrevivir al hecho de haber encontrado una piedra mágica, ser testigo de cómo un hombre lanzaba rayos luminosos a una mujer con poderes invisibles y haber conocido a un hombre que vivía ochocientos años atrás no podía tener ningún problema con la atracción que sentía hacia un extraño.

Vyan se puso en pie y entraron juntos en el salón, donde levantó su espada y deslizó la peligrosa cuchilla en una funda sujeta a su cadera. Luego se puso el abrigo.

—Dirigiré una oración especial a mi dios para que recuperes tu vista.

—¿Y qué pasa con tus heridas?

—Tus amables manos y mi condición inmortal las han curado ya. Estoy preparado para la batalla.

A ella no le preocupó oír eso.

—¿Cómo podré encontrarte otra vez?

—No me busques por tu cuenta —le ordenó con una voz tan fiera que ella dio un paso atrás. Él cerró los ojos por un momento, luego los abrió y la angustia asomó a su mirada—. No quería asustarte, pero no debes buscarme, porque si lo haces Batuk y Tristan te capturarán. ¿Lo has entendido?

Ella entendía que aquel hombre estaba tratando de protegerla de gente peligrosa.

—Sí. Contactaré con los veladores si no has regresado antes de las cuatro en punto de la madrugada.

Claramente complacido por su conformidad, él le sonrió, y luego la contempló durante un prolongado momento.

Cuando ella frotó la piedra en su bolsillo, pudo sentir sus pensamientos, pudo percibir lo que él no quería confesarle.

—¿Qué?

Vyan avanzó hacia ella y le puso las manos sobre los hombros.

—Gracias por un día de paz como no había disfrutado en

muchos siglos. Has sido un bálsamo para mi alma agotada.

Aquel hombre le estaba robando el corazón a una tajada por segundo.

Ella levantó la mano para tocarle el brazo.

—Desearía que no te marcharas.

—Yo también, pero no puedo quedarme cuando cada minuto que pasa corres mayor peligro.

Al diablo con la normalidad. La vida ya nunca sería la misma, y puede que no volviera a ver a aquel hombre otra vez. Él era todo un caballero y por eso aventuraría un movimiento, pero ella quería algo para recordarlo. Se puso de puntillas y rozó sus labios con los de Vyan. Por un segundo, él no se movió; luego le devolvió el beso.

Y la besó más todavía hasta que ella sintió que sus pies se alzaban del suelo, porque la estaba envolviendo y levantando en sus brazos. ¡Por el amor de Dios! Ningún hombre la había besado jamás así.

Cuando volvió a dejarla en el suelo y alzó la cabeza, Laurette se quedó sin aliento al ver la expresión de sus ojos.

—Me has dado tantos regalos que nunca podré recompensarte.

—Entonces regresa con vida y yo te entregaré la lista de recompensas.

Él sonrió, pero eso no ocultaba la tristeza de sus ojos. Llevó los labios a su frente, luego retrocedió y caminó hacia las escaleras que llevaban al segundo piso.

—¿Dónde vas?

—Voy a salir por el tejado para que nadie pueda seguir mi rastro hasta tu casa.

¿Por qué no podía haber conocido a un hombre como aquel en su propia era?

—Gracias por no llevarte la piedra cuando sé que podías haberlo hecho.

Su rostro brilló con sorpresa y calidez, y luego se marchó.

Ella levantó la piedra a la altura de la vista y miró fijamente sus profundidades que parecían derretirse.

—No he prometido que no lo buscaría por mi cuenta.

Treinta y tres

Esperar le resultaba tan fácil a Evalle como confiar, pero por una vez apareció veinte minutos pronto en lugar de tarde. No habría tenido que cambiar su encuentro con Storm en el parque Piedmont para la medianoche de no haber sido por la caza de merodeadores. Había encontrado seis desde que había oscurecido en Atlanta.

Grady no había sido uno de ellos.

Ninguno de los que había encontrado tenía información significativa sobre la piedra Ngak, pero cada uno de ellos le había preguntado si ella también estaba ofreciendo un trato con dos apretones de manos como los kujoo. Lo cual significaba que Tristan y los kujoo debían de estar convirtiendo a cientos de merodeadores en criaturas agresivas como aquella que la había apuñalado.

¿Dónde estaban esos merodeadores? ¿Acaso estarían Tristan, los kujoo y/o los Medb reuniendo un ejército?

—Las sorpresas no cesan —dijo Storm detrás de ella.

Evalle dejó de caminar de arriba abajo por la acera junto a la entrada del parque y se giró al oír su voz, lo que provocó que casi chocara contra una joven pareja que empujaba un carrito de bebé bajo el cálido aire nocturno.

—Lo siento.

Dirigiéndole una mirada de «mejor mantener las distancias», la pareja pasó junto a ella.

—¿Asustando a los nativos? —se burló Storm.

—Dudo de que queden verdaderos ciudadanos nativos en Atlanta.

Estaba demasiado atractivo para su paz mental, pero cuando sonreía todo se amplificaba, desde sus ojos exóticos hasta su barbilla fuerte. La parte superior de su cuerpo se flexionó bajo su camiseta color moca cuando se cruzó de brazos. El movimiento propagó una esencia viril a través del aire, excitando los nervios de ella en una alarmante danza.

¿Qué le estaría ocurriendo, por qué estaba tan sensible a hombres como Storm e Isak?

Ella nunca había tenido interés por los hombres, no de aquella manera. La próxima vez que viera a Nicole descubriría si acaso su habilidad para la empatía que estaba haciendo aumentar sus emociones.

Porque los hombres la estaban asustando por razones totalmente diferentes a sus temores pasados. Particularmente Storm.

Tenía que lograr que todo volviera al nivel de un asunto de trabajo. Inclinando un hombro hacia las puertas, dijo:

—Tzader quiere que recorramos el parque y estemos atentos a la aparición de alguno de los kujoo, ya que ellos también están registrando esta zona en busca de la mujer. ¿En qué has estado ocupado tú hoy?

Storm se puso a su lado.

—Encontré el cuerpo de la mujer de la morgue.

—¿En serio? ¿Dónde?

—Adrianna y yo seguimos el rastro de magia Noirre hasta una casa en el parque Inman y encontramos el cuerpo allí. Parecía que la familia estaba fuera de la ciudad.

Evalle sufrió un pinchazo de algo que se negó a llamar celos al pensar en Storm trabajando con Adrianna.

—¿Qué fue lo que os incitó a hacer esa expedición?

Storm la estudió en silencio, justo lo suficiente para hacerle saber que había percibido el tono brusco de su respuesta. Sus labios se curvaron ligeramente, apenas sugiriendo una sonrisa, como si hubiera descubierto algo.

—Adrianna sugirió que podía seguir el rastro de la magia Noirre desde tu herida si lo hacía enseguida, así que Trey me contactó y así lo hicimos.

Esperaba que la oscuridad hubiera ocultado su reacción contradictoria. Tenía que reconocer que el plan de Storm tenía sentido y se alegraba de que hubieran encontrado el cuerpo, a pesar de que para ello esa atractiva bruja de Adrianna hubiera pasado todo el día con Storm. Por otro lado también era cierto que aquella era una buena ocasión para usar la palabrota recientemente aprendida por *Feenix*.

—¿Cómo sabes que se trata del mismo cuerpo?

—No lo supimos hasta que llamamos…

—¿A quién llamasteis? —Echarle la bronca no era sensato, ¿pero por qué tenían que haber encontrado el cuerpo precisamente él y Adrianna?

Storm hizo una pausa lo bastante larga para tomar aliento, y su exhalación sonó cargada de paciencia.

—Yo llamé a Trey, quien contactó con un velador de Atlanta que estaba investigando el teléfono anónimo escrito sobre el cadáver. Cuando recibieron los restos en la morgue, el que estaba de guardia lo reconoció.

Ella dejó caer los hombros con alivio.

—¿Era Beaulah quien estaba de guardia?

—Me parece que así se llamaba, sí.

—Yo trabajo con ella. ¿Hablaste con Sen acerca del cuerpo?

—Tuve que hacerlo llegados a ese punto.

Las siguientes palabras de Evalle estuvieron cargadas de amarga decepción.

—¿Debería estar observando a Sen en la próxima esquina?

—No veo por qué. Descubrimos que la bruja no estaba usando el cuerpo de la mujer para un sacrificio de sangre sino que lo ocultaba en el fondo de un congelador, porque en el momento en que Adrianna tocó los restos, el fantasma de la mujer se presentó en la habitación y nos contó que un demonio Cresyl la había matado.

—Estás de broma. —Evalle no podía creer que por una vez algo jugara a su favor—. Eso es fantástico.

—No, no estoy bromeando, y sí, son buenas noticias. Le conté a Sen lo de la muerta y el Cresyl, así que no tiene ninguna razón para sospechar que un mutante la haya matado.

Storm había intercedido por ella de nuevo.

—Gracias.

—De nada. Pero el rastro se detenía allí, así que todavía no estamos más cerca de encontrar esa piedra.

Nicole le había dicho: «La confianza abrirá el camino de aquel que haya nacido para la tarea». ¿No sería un nativo americano quien habría nacido para la tarea del rastreo? ¿Acaso Sen no estaba usando para eso a Storm?

Storm se movía a través de las zonas no iluminadas de Piedmont como si hubiera nacido para la caza, con cada músculo fluyendo naturalmente.

—Yo también hice hoy algún trabajo por mi cuenta —dijo ella, tratando de descubrir si sería él quien encontrara la piedra si ella le concedía algo de confianza—. Me han dicho que alguien que ha nacido con habilidad para rastrear podría encontrar la piedra. Creo que debes de ser tú.

—Yo no lo creo. Acudí más temprano esta noche para ver si podía seguir algún rastro desde el lugar donde encontraste la chica con la piedra y con Vyan. La única energía que fui capaz de percibir fue la de dos poderosos machos. —Hizo una pausa, dirigiéndole una mirada interrogante después de referirse a lo que debía de ser el residuo energético de Tristan y de Vyan. Como ella no le ofreció nada más, él continuó—: Uno de los rastros se desvanecía y el otro terminaba en el mismo lugar de la calle Décima cerca del parque, que fue el mismo sitio donde perdí el rastro anoche.

Ella no necesitaba ver sus ojos para saber que estaba esperando que le contara la verdad acerca de ese encuentro.

—Él no debería haber desaparecido tan deprisa, pero eso es lo que hizo en cuanto alcanzó la calle.

—¿Y quién o qué es él? —preguntó con calma Storm, sin mostrarse exigente.

Aquella cosa de la confianza le recordaba un caso de envenenamiento severo, pero Nicole no podía haberla orientado de manera errónea, y se estaban quedando sin tiempo.

—Si te lo digo no puedes decírselo a nadie sin preguntármelo primero.

Él caminaba a grandes pasos en silencio, con sus largas piernas ganando terreno como un gran animal merodeando.

—De acuerdo.

Ella entrelazó sus manos húmedas, y luego se detuvo al darse cuenta de que se le estaban empapando.

—Se llama Tristan y es un mutante que escapó de una jaula encantada.

Storm soltó un insulto por lo bajo.

—¿Tú te enfrentaste a él y a dos fantasmas dementes? ¿Sola? Podía haberte matado.

La preocupación que mostraba por su seguridad la hizo sentirse mejor respecto a aquel acceso de celos que había tenido un momento antes.

—Me las pude arreglar.

—¿Por qué no les has contado esto a Tzader y a Quinn?

—Es un poco complicado. Para empezar Tristan jura que Brina lo encerró en esa jaula antes de que se transformara ni que hubiera herido a nadie. Yo confirmé eso a través de otra fuente que no quiero meter en esto. El caso es que esto me hace cuestionarme mi fe en Brina. Además, en cuanto yo informe a Tzader y a Quinn acerca de Tristan ellos tienen que comunicárselo a VIPER y a Brina inmediatamente. Y ella tiene la habilidad de encontrar a Tristan al instante…

—¿Y por qué no decírselo para que vuelva a capturar a Tristan?

—Ese es el problema. Él dijo que eso es exactamente lo que los Medb y los kujoo quieren que Brina haga. Han preparado una trampa y quieren que ella convoque a los veladores, que es lo que haría para detener a los kujoo. Y yo tengo la sensación de que Tristan no está mintiendo y de que la tribu de los veladores sería masacrada y de que incluso él esconde algo más que eso.

Storm se estiró para apartar una rama que Evalle no había visto porque tenía la mirada fija en el suelo. Ella le sonrió para darle las gracias.

Después de dar unos diez pasos más, Storm preguntó:

—¿Y no cree Tristan que los veladores lo perseguirían hasta los confines de la tierra?

—Ahí es donde empeora la cosa, la parte que creo que Tristan se está dejando. Dijo que los Medb y los kujoo borrarían de la tierra a los veladores, incluso a sus ancestros, pero no dijo cómo llevarían a cabo esa masacre. No comprendo cómo podrían matar a todos los veladores, pero no quiero arriesgarme a que los Medb tengan éxito.

—Se está pegando un farol.

—Cierto, pero hay alguien más que me ha dicho que las vidas de los veladores dependen de lo que yo decida hacer y que los kujoo tienen el futuro de la tribu de los veladores en sus manos. Eso suena parecido a lo que dice Tristan.

—Sigo sin entender por qué no se lo has contado a Tzader y a Quinn. Creí que erais buenos amigos.

Ella tragó saliva.

—Lo somos. Los mejores amigos, pero temo que si les cuento todo esto a Tzader y a Quinn, ellos me creerán. Entonces, cuando Tzader tratara de prevenir a Brina para que fuera detrás de Tristan, esta pensaría que he logrado convencerlo de que proteja a los mutantes. No quiero que como resultado Tzader tenga que enfrentarse ante el Tribunal, especialmente si estoy equivocada sobre todo esto. Por otra parte, si les cuento todo a los veladores, sé que creerán que pueden defenderse de los kujoo y emprenderán una batalla contra ellos. No importa lo que haga, no existe una buena elección.

—¿Qué otra cosa es lo que no me estás contando? —Había en la voz grave de Storm un matiz de exasperación—. Te estás guardando algo para ti.

Ella caminó en silencio durante un momento.

—Puedo salvar a los veladores si no les hablo sobre Tristan. Él me ha ofrecido una manera.

—No me gusta cómo suena eso.

«A mí tampoco, pero parece que nunca tengo ni voz ni voto en lo que se refiere a mi futuro, no importa de qué asunto se trate.»

Ella murmuró:

—No he dicho que vaya a hacerlo.

—¿Qué es lo que te ofrece?

Si se lo contaba a Storm, estaba bastante segura de que interferiría.

—Quiero esperar hasta que encontremos la piedra para decirte más, porque mis opciones se reducen si antes no encontramos la piedra. Cuanto antes descubramos qué están tramando los Medb y los kujoo, antes sabrán los veladores qué hacer y tal vez no tenga que tomar ninguna decisión.

—¿Por qué tendrías que creer a Tristan?

—No creía en él hasta que vi a una amiga mía que tiene un don y me confirmó lo que él me dijo, aunque de una manera diferente. —El miedo le subió por la garganta ante la posibilidad de cometer un error que tuviera vidas como coste—. Me indicó que puedo encontrar lo que estoy buscando.

Cuando llegaron a los escalones de cemento que descendían hasta la zona de césped del parque, Storm se detuvo, escaneando la zona. Un puñado de personas hacía *footing* por los senderos o paseaba a sus perros.

—¿No se enfadará Brina cuando descubra que no le has comunicado la fuga de Tristan?

—Espero que una vez se dé cuenta de que lo hice para proteger a la tribu comprenda que puse a los veladores en primer lugar. No importa. No quiero poner en riesgo a Tzader o a Quinn ni a ningún otro de los veladores solo para protegerme a mí misma. —Se envolvió con sus propios brazos y miró fijamente el espacio abierto, deseando que la respuesta correcta llegara a ella.

Los dedos de él le rozaron su hombro, deslizándose hacia delante hasta que su mano tomó la curva de su brazo. Un pequeño contacto que le hacía saber que él estaba apoyándola. Ella dejó que su mano descansara allí, atenta a lo que sentía. Storm tenía la habilidad de saber cuánto le estaba permitido, evitando que ella mostrara su resistencia con esos sutiles roces.

Él no tenía ni idea de que estaba golpeando una montaña con un martillo de juguete.

Cuando Storm habló, su voz sonaba con un matiz totalmente práctico.

—Entonces será mejor que nos ocupemos de encontrar a Tristan.

—Creía que no era a él a quien se suponía que teníamos que rastrear.

—Entonces,¿a quién?

—A la mujer que tiene la piedra.

—Ya te dije que no puedo seguir el rastro de alguien que se ha teletransportado.

—Lo sé. —Evalle soltó los brazos y se mordisqueó el borde del pulgar—. Solo sé que la respuesta es localizar esa piedra. ¿Podrías intentarlo otra vez?

—Claro.

Ella se apartó para que Storm pudiera mover bien las manos. Cuando llegaron a la zona donde ella se había enfrentado con Tristan la noche anterior, encontraron a una pareja paseando a un par de perros. Sus zapatillas deportivas brillaban a cada paso en la negrura de la noche.

Evalle esperó a que pasara junto a ellos un grupo de adolescentes con música sonando de su iPod antes de hablar.

—¿Y bien? ¿Cómo va el rastreo?

—Si es magia puedo sentirla en mi piel y continuar moviéndome en la dirección en la que la energía se hace más fuerte, pero aquí no hay nada nuevo aparte de los dos rastros de los que te hablé.

—El de Vyan es el rastro que desapareció tras ser teletransportado junto a la mujer. El de Tristan es el que se desvanece al llegar a la calle. —Evalle se sentó sobre la tierra con las piernas cruzadas—. Si tú no eres capaz de captar ninguna forma energética no sé quién lo haría.

Él se sentó junto a ella de manera amigable.

—¿Y ahora qué?

Evalle comenzó a encogerse de hombros, pero se quedó inmóvil al ver a un hombre mayor que llevaba a un perro con correa. Eso le recordó al chucho de la mujer la pasada madrugada.

—La mujer de la piedra tenía un perro. —Se volvió hacia Storm—. ¿Podrías seguir el rastro del perro?

Esta vez él vaciló antes de responder.

Evalle no podía contenerse.

—¿Storm?

—No puedo hacerlo... en esta forma...

—¿A qué te refieres?

Él encogió las piernas y las rodeó con los brazos, mirando fijamente hacia delante.

—Puedo rastrear en forma humana o puedo rastrear en forma animal.

A ella le llevó un minuto comprender lo que estaba diciendo.

—¿Eres un licántropo?

—No. Vengo de un linaje de chamanes. Por una parte soy un espíritu errante y por la otra soy un *skin-walker*, con la capacidad sobrenatural de convertirme en un animal. Puedo adoptar la forma de un jaguar.

Ella se dio golpecitos en la boca con un dedo.

—De acuerdo, eso va a ser un poco duro en Atlanta. Un lobo habría resultado algo más fácil de explicar.

Él dejó caer la cabeza sobre los brazos, riendo.

—¿Qué te resulta tan divertido?

Levantando la cabeza, la miró incrédulo.

—Estaba preocupado por contarte que puedo transformarme en un jaguar y a ti lo único que te preocupa es que no sea la especie más conveniente.

Ella podía imaginarse hasta qué punto era algo que mantenía en secreto.

—¿Por qué lo ocultas a los demás? Yo creo que estarían encantados de saber que tienes esa capacidad. ¿Lo sabe Sen?

—He guardado tus secretos. Guarda tú los míos. No quiero que ninguno de ellos lo sepa. No se trata de un don, sino de una maldición. De donde yo procedo las trasformaciones en jaguar se consideran algo demoníaco. Llevo mucho tiempo sin cambiar de forma, pero si lo hago puedo captar hasta el más débil rastro de animal.

—¿Naciste con eso?

—No me transformaba hasta que… algo ocurrió. —El timbre de su voz se alteró de una manera que indicaba que no quería seguir profundizando en el tema—. Puedo recurrir a la transformación si tengo que hacerlo.

Eso significaba que ella le estaba pidiendo que hiciera algo que él no quería volver a hacer, de la misma manera que ella no deseaba mutar en su forma de bestia.

—No importa. No quiero ponerte en esa situación.

—No, lo haré. Tiene sentido que podamos encontrar el rastro del perro, y más teniendo en cuenta que ha estado en el parque y habrá marcado su territorio todo el tiempo. Si puedo rastrearlo hasta el vecindario la encontraremos a ella.

—¿Y qué hacemos si alguien se pone un poco nervioso ante el hecho de ver un jaguar rondando por el centro de Atlanta?

—Una bruja podría custodiarme para que no me viera nadie excepto tú. Supongo que podemos pedírselo a Adrianna.

Evalle abrió la boca para objetar. ¿Voy a ser capaz de rechazar la ayuda de Adrianna? Eso le parecía mezquino.

Había que fastidiarse. Le habían pasado cosas peores.

Treinta y cuatro

—No, Adrianna no. —Evalle hubiera deseado no haber pronunciado esas palabras.

—¿En serio? —El alivio de Storm fue tan inmediato como tangible.

—¿Qué? ¿No querrás que una bruja que colabora con la magia negra te ponga las manos encima? —Interesante. Se negaba a decirle a Storm que no quería que las manos de una bruja superior lo tocaran tampoco, ya que él podría leer en su mente las implicaciones que eso tenía para ella. Las brujas superiores eran corruptas. Eso era todo—. Conozco a alguien más que puede protegerte de ser visto, además no dirá una palabra y no tiene nada que ver con VIPER.

Él reflexionó un momento.

—Eso funciona.

—¿A cuánta distancia de aquí está tu vehículo? —Ella no había visto su furgoneta en el camino hacia el parque desde que había aparcado la moto—. Lo necesitaremos para transportarte una vez te transformes.

—Está a la altura de la calle Décima. —Él se puso en pie y le ofreció ayuda para levantarse.

La calidez de sus ojos le robó la respiración. Él quería besarla. Ella lo sabía con cada latido de su corazón, y en algún lugar en lo profundo de su interior, entre todas sus sensaciones confusas, ella también quería besarlo. Pero no podía haber nada bueno en el hecho de permitir que su lado empático revolviera sus emociones. Se apartó de él y caminó deprisa hacia el vehículo.

El viaje a casa de Nicole fue más cómodo que el trayecto hacia su propia casa desde los cuarteles de VIPER el día que había conocido a Storm. Disfrutó mirando su perfil y también le gustó que él le permitiera un silencio cómodo durante ese rato. Llamó a Nicole para avisarle de que iban en camino y que necesitaría hacer el hechizo en el garaje.

Cuando Storm entró en la plataforma del aparcamiento del edificio de Nicole, Evalle le dio las instrucciones recibidas para que aparcara en un rincón que les permitiera privacidad. Allí encontraron a Nicole sentada en su silla de ruedas junto a otra mujer alta, de pie detrás de ella, que no sonreía.

Pero Olivia no habría estado contenta de ver a Evalle en ningún momento, especialmente por la mañana. Olivia Red, de Redwine, tenía el cabello rubio rojizo pegado a las orejas. No era pelirroja, y su cuerpo atlético estaba cubierto con un chándal gris y blanco.

Evalle saltó de la furgoneta en cuanto esta se paró y se dirigió a la compañera de vida de Nicole.

—¿Qué hay, Red?

—Hola, Evalle. —Después Olivia dirigió una mirada de desconfianza a Storm, que esperaba en las sombras, frente al parachoques del coche.

Obviamente no estaba cómodo con nada de aquello tampoco, pero estaba dispuesto a transformarse para ayudarla, así que Evalle le preguntó a Nicole:

—¿Preparada?

Ella asintió.

—Puedo hacerlo, pero solo funcionará unas tres horas. Para que durara más de tres horas tendría que tratarse de un hechizo más fuerte que el que puedo efectuar aquí, y no estoy segura de que evitara que los animales lo percibiesen. —Alzó la vista hacia Storm—. ¿Puedes controlar tu jaguar?

Eso no habría tenido por qué parecer una pregunta extraña si Storm no hubiera respondido:

—No le haré ningún daño a Evalle.

¿Qué había notado Nicole que a Evalle le hubiera pasado inadvertido?

—Tres horas deberían ser tiempo suficiente —dijo Storm para beneficio de todos—. Si no, la luz del día será nuestro siguiente desafío llegados a ese punto.

Red se inclinó al oído de Nicole, pero Evalle pudo oír cada palabra.

—¿Qué ocurrirá si la gente a la que pretenden dar caza descubre que les has ayudado y te persiguen a ti?

Nicole le sonrió.

—Yo no corro peligro, mi amor.

Enderezándose, Red soltó un suspiro y aceptó lo que le había dicho Nicole aunque nada de aquello le gustara un pelo. La mirada de odio que dirigió a Evalle era para recordarle hasta qué punto le resultaba desagradable.

Aquel favor supondría un buen tropezón para la relación. Algo así como un pelo en el plato de un gourmet.

—Adelante, transfórmate, Storm —le indicó Nicole.

Él retrocedió junto al vehículo deportivo. Una puerta al otro lado se abrió durante un momento y luego se cerró.

¿Se estaría desnudando? Evalle asomó la cabeza por la parte trasera de la furgoneta para comprobar que no hubiera nadie en la zona, cuando en realidad se moría de curiosidad por explorar lo que ocurría donde estaba él.

Pero eso sería una invasión de su intimidad que a ella en su lugar no le gustaría.

Nunca había estado cerca de un licántropo ni de un nagual. ¿Cuánto tardaría la transformación? Había pasado apenas un minuto cuando un elegante gato salvaje color negro rodeó el guardabarros delantero.

Sus ojos brillaban como brasas y no parecían en absoluto amistosos. Gruñó con un sonido grave y violento.

A Evalle se le dispararon los nervios, y todos los pelos se le pusieron de punta.

Los dedos de Red se aferraron con tanta fuerza a la silla de Nicole que los nudillos se veían blancos.

Nicole habló a Storm con suavidad, como si estuviera acostumbrada a ver jaguares de más de ciento cincuenta kilos cada día en Avondale. Tendió una mano hacia Evalle con un disco plateado en el centro de la palma sujeto por una tira de cuero.

—Colócale este amuleto alrededor del cuello.

«¿Yo?» Evalle no quería parecer débil frente a Red, así que tomó el amuleto y se volvió hacia Storm, cuyos labios se curvaron mostrando los dientes.

Ella se puso de rodillas y esperó en silencio. No le parecía oportuno decir «aquí, gatito, gatito» a un jaguar gigantesco.

Storm se acercó hasta que su cara estuvo lo bastante cerca como para que ella pudiera oler el cálido aroma animal de su piel. La miró fijamente a los ojos y luego levantó la cabeza para que ella pudiera acceder a su cuello. Mientras le ataba el amuleto se dio cuenta de que estaba exponiendo ante ella su zona más vulnerable.

Pero él había dicho que no le haría daño, tal vez eso significaba que confiaba en que ella no le haría daño a él.

Le agarró la cabeza, poniendo sus ojos al nivel de los de él, y luego le besó la nariz.

—Eres el mejor.

Él le acarició la cara con su hocico, y luego se volvió hacia Nicole.

Evalle se puso en pie y retrocedió mientras Nicole cantaba con una voz suave como la que se usaría para una canción de cuna. Al terminar, miró a Evalle.

—Nadie excepto tú podrá verlo a menos que él escoja revelarse. Tres horas no es un plazo exacto, así que procura tardar lo menos posible. Ya es casi la una en punto. Deberíais iros.

Evalle le hubiera dado un abrazo a Nicole de no haber sido porque estaba allí Red montando guardia. Red era de esas personas celosas con las que era difícil lidiar.

—Gracias, Nicole. Te debo una.

—Te lo acepto si eso significa que volverás aquí para saldar la deuda. —Sonrió, luego le dio unos golpecitos en la mano a Red—. Volvamos arriba.

Después de cargar a Storm en el asiento trasero, donde había más espacio, Evalle se dirigió a la calle Décima y aparcó junto a la cuneta en un vecindario cercano al parque Piedmont. Contuvo la respiración cuando Storm saltó fuera de la furgoneta y se puso a merodear por la acera.

En la esquina, dos hombres haciendo *footing* pasaron junto a Storm. Uno llevaba un perro labrador sujeto con una correa. Ninguno de los humanos advirtió al jaguar que se cruzó en su camino en dirección a un patio principal.

Pero el perro comenzó a dar tirones y a olfatear, hasta que la correa quedó tirante.

Storm los vio pasar, luego la miró a ella. Esta vez, cuando retiró los labios hacia atrás dejando al descubierto su afilada dentadura, ella pensó que más bien parecía una sonrisa.

—Vamos a ver qué podemos encontrar en el parque —dijo Evalle.

Cuando llegaron al lugar donde ella había visto por última vez a la mujer con la piedra, Storm apoyó la cabeza en el suelo y actuó como un predador tras su presa.

Ella estaba encantada de no ser su presa.

Él pasó casi dos minutos allí, luego giró alrededor y se dirigió hacia la calle Décima, y desde allí cruzó la carretera sin dirigirse al paso de peatones donde un semáforo detenía el tráfico.

Corriendo tras él para no perderlo, Evalle agitaba las manos ante los coches tratando de pasar entre ellos para cruzar justo detrás de él.

«Evalle, ¿dónde estás?», preguntó Tzader en su mente.

«De vuelta en el parque Piedmont. Storm cree que puede haber encontrado el rastro de un olor. Literalmente. ¿Dónde estáis vosotros?»

«Sen decidió que no valía la pena arriesgarse en este punto trayendo nuevos reclutas ya que la piedra se vinculará con su nuevo dueño al amanecer. Hemos estado todo el día convocando a más veladores para que inunden la ciudad en busca de los kujoo.»

No. Eso era justo lo que los Medb querían.

«No creo que esa sea una buena idea, Z. No hasta que sepamos a qué se refieren con eso de que quieren exterminar a todos los veladores.»

«Seremos fuertes en número una vez nos vinculemos uniendo nuestros poderes. Levantaré una pared de veladores contra cualquier Medb o cualquier kujoo en el momento que quiera.»

¿Y qué ocurriría si los Medb tenían un plan para matar a Brina cuando los veladores se vincularan? Una carnicería masiva. Pero eso no acabaría con todas las generaciones.

«Tenemos que seguir —dijo Tzader—. Llámanos si descubres cualquier cosa y conseguiremos guerreros para ti.»

«Lo haré.»

El nudo que tenía en la garganta se hacía cada vez más grande. Había puesto su confianza en Storm, porque creyó que era eso lo que señalaba la visión de Nicole.

«Por favor, que no me equivoque.»

Storm serpenteaba a través de las calles, titubeando ocasionalmente para olfatear algún buzón o el neumático de algún coche. Aquella zona estaba llena de animales, lo que tenía que suponer una dificultad adicional para su rastreo.

O era que la joven de la piedra iba por todas partes. Si era ciega e incapaz de conducir, ese podía ser el caso. O si a veces llevaba a su perro en brazos eso habría interrumpido la pista del olor.

Dos horas más tarde a Evalle le dolían las piernas de correr arriba y abajo por un par de cuestas sin detenerse. Ella solo tenía dos piernas, pero no iba a quejarse, maldita sea.

Encorvó los hombros a modo de defensa justo después de insultar mentalmente, a veces anticipaba en el aire una bofetada por parte de Brina, pero eso nunca ocurría.

Tzader decía que Brina oía todos los insultos, pero tal vez oyera al resto de la tribu, y no a los mutantes.

Storm chocó levemente contra Evalle al girar en redondo, tras la pista de algo. ¿Habría captado algún olor especialmente prometedor?

Cuando aminoró el ritmo y enfiló hacia una casa, Evalle lanzó una mirada a su alrededor en busca de animales. El último perro que habían encontrado los había seguido durante un rato. ¿Estaría empezando a fallar la protección de Storm?

Cruzó la calle hacia el camino de entrada de una casa estilo cabaña de madera pintada de azul y blanco. El patio estaba bien arreglado y lleno de flores. Storm dio varios pasos a un lado y a otro de la entrada para coches, y luego levantó la cabeza hacia ella.

Evalle pasó junto a él y miró a través de una ventana lateral de la casa.

La mujer a la que estaban buscando se hallaba acurrucada en un sofá con el chucho junto a ella. Bingo.

Se apresuró a volver junto a Storm y le pasó la mano sobre la suave piel de la cabeza, considerando qué hacer a continuación.

—Esta es la casa de la chica. No quiero asustarla, así que voy a entrar sola.

Él gruñó y le mordisqueó un brazo con los labios.

—Nada de discusiones. Ese perro junto al que pasamos en la última manzana te vio. Estás a punto de perder la protección. Vuelve atrás y ponte la ropa que dejé entre los arbustos. Me encontraré contigo en el parque y llevaré a la chica.

Él no se movió.

—Storm, necesito que hagas esto. No puedes entrar conmigo, y si alguien te ve cuando la protección ya no funcione podrían llamar a la patrulla de control de animales. No quiero que Sen tome represalias contigo por haber hecho esto entre los humanos sin permiso. —Se puso erguida frente a él.

Él frotó su ancha cabeza contra su pierna, luego dio un paso, pero se detuvo, reticente a marcharse en cada movimiento que hacía.

—Yo estoy bien. Puedo llamar a Trey, Quinn y Tzader telepáticamente si me meto en algún problema. Trey tiene velocidad sobrenatural y vive apenas a dos o tres kilómetros como mucho. Puede estar aquí en un minuto. Pero no voy a llamar a nadie hasta que sepa qué pasa con esta chica, la piedra y Vyan. —Se inclinó sobre él y le besó la cabeza—. Esto podría salvar a mi tribu. Gracias.

Él le lamió la mejilla, luego se alejó trotando, mirando hacia atrás cada pocos pasos hasta desaparecer en la noche.

Cuando ella subió los escalones de madera del precioso porche, examinó de cerca una maceta que había junto a la puerta que le llegaba a la altura de la cintura. Estudiaba lenguas antiguas por las noches en su ordenador. Había visto esas letras antes y tomó nota mentalmente de la inscripción en la maceta, pero de momento dejó ese tema de lado y llamó a la puerta. Cuando esta se abrió Evalle se encontró frente a la joven del parque.

—Necesito hablar contigo un momento. Es importante.

La mujer ahogó un grito.

—Te vi en el parque esta madrugada temprano.

Por fin algo podría ser fácil.

—Sí, así es.

—¿Eres un velador?

No era una pregunta que Evalle esperase.

—Sí, lo soy.

—¿Los kujoo son tus enemigos?

Fue entonces cuando advirtió la piedra en la mano de la mujer y reconsideró la primera respuesta que había acudido a su mente, ya que podía ser una mala respuesta a esa pregunta.

Fácil nunca era una palabra que permaneciera en su vocabulario mucho tiempo.

Treinta y cinco

—¿Puedo entrar? —preguntó Evalle a la mujer que sostenía la piedra Ngak, esa piedra que podía provocar la devastación del mundo entero.

—No has respondido a mi pregunta. ¿Los kujoo son tus enemigos?

Evalle consideró rápidamente un par de cuestiones, como el hecho de que aquella mujer había conocido únicamente a Vyan, no a todos los kujoo.

—Yo no tengo ningún problema con Vyan.

El pálido rostro de la mujer expresaba recelo, pero sus ojos azules estaban fijamente concentrados en lo que fuera que estuviera decidiendo. El cabello le caía sobre los hombros en llameantes ondas rojas.

El ladrido de un perro las hizo sobresaltarse a las dos.

El chucho se coló a través de la puerta abierta y danzó alrededor de las piernas de Evalle. Ella instintivamente se agachó para acariciar al animal.

—De acuerdo, *Brutus,* tú ganas, —La mujer le tendió su mano libre—. Soy Laurette Barrett.

—Yo soy Evalle Kincaid, y estoy aquí porque corres un grave peligro.

—Lo sé. —Laurette dijo esto como simple aceptación al tiempo que retrocedía, abriendo más la puerta para que Evalle entrara.

El interior era acogedor, con cortinas finas en las ventanas y cojines floreados sobre un sofá color crema. Todos los muebles de segunda mano habían sido restaurados con cariño. Alguna comida con carne había sido cocinada recientemente y llenaba la casa de un maravilloso olor a casa habitada.

Ahora a Evalle le pareció justificado sufrir un momento de celos ante alguien que vivía en una casa real con esa atmósfera de casa habitada.

Laurette se detuvo en medio de la habitación y la miró de frente.

—Vyan me dijo que buscara a un velador si no estaba de regreso en mi casa a las cuatro de la mañana, y ya pasan cinco minutos de las cuatro. Creo que alguien va a hacerle daño.

—Primero tenemos que hablar acerca de esa piedra que tienes en la mano.

—No voy a hablar contigo a menos que me ayudes a intercambiar esta piedra por Vyan.

Salvar a un kujoo era contraproducente respecto al hecho de salvar a los veladores y su civilización. Evalle no estaba segura de si podría tomar la piedra de esa mujer, pero no estaba dispuesta a entregarla ni a los kujoo ni a Tristan.

—¿Por qué no nos sentamos y hablamos de esto?

Laurette soltó un largo suspiro como si todo el peso del mundo descansara sobre sus hombros, lo cual no estaba muy lejos de la verdad en tanto que sostenía con fuerza la piedra. Estaba sentada en el sofá y el pequeño perro se acurrucaba a sus pies. Sus dedos no dejaban de acariciar la piedra Ngak que tenía en las manos.

—¿Cómo sé que eres un velador?

Evalle nunca tenía una buena respuesta para eso.

—No tengo manera de demostrártelo, pero conozco a Vyan. Lo conocí hace dos años cuando llegué a Atlanta por primera vez.

Laurette asintió.

—Él dijo que así te conocía, sí. ¿Qué son los veladores?

—La versión corta de la historia es que somos una especie de grupo especial que protege la seguridad nacional, y por eso tenemos que hablar de la piedra Ngak que tú tienes.

—¿Pero eres enemiga de Vyan?

«Había que añadirlo a la lista, sí, pero tenía que sortear aquello.»

—Los veladores y los kujoo tuvieron un episodio muy difícil hace ochocientos años, pero ninguno de los veladores de hoy es responsable de eso. ¿Dónde se ha marchado Vyan?

—No lo sé. Le he pedido a la piedra que me lleve con él, pero no lo ha hecho. —Se marchó por el tejado en lugar de usar la puerta principal, para que nadie pudiera seguirle el rastro.

Nadie de la calle, pero alguien podría seguir su rastro de vuelta a la casa de Laurette. Evalle preguntó:

—¿Te dijo algo acerca de la piedra?

—Sí.

—Entonces sabes que estamos trabajando con un calendario apretado y que si no actuamos a tiempo podrías quedar vinculada a la piedra Ngak para siempre... si es que sobrevives al vínculo.

—Tengo que conservar esta piedra.

—¿Eres ciega, Laurette?

—Todavía no, pero pronto lo seré. Sin embargo, puedo ver cuando sostengo la piedra.

—La piedra te está seduciendo. Está hecha para un tipo de persona diferente a ti.

—¿Alguien como tú o como ese tal Tristan? Porque yo desde luego no lanzo rayos luminosos.

—Eso es cierto. Eres humana. —Evalle quería decirle que no se sintiera decepcionada o herida por su condición humana. El hecho de no ser un ser humano no tenía nada de divertido—. Algunos de los hechiceros y magos más poderosos han enloquecido tras establecer un vínculo con la piedra. La piedra existe desde siempre. Cada vez que escoge un nuevo amo su poder se añade al poder ganado previamente. Dudo que un ser humano pueda sobrevivir al vínculo, y aun si lo consiguieras, la piedra te controlaría, no puede ser de otra manera.

Las lágrimas brillaron en los ojos de Laurette.

—Vyan me dijo que no le pidiera a la piedra la recuperación de mi vista. ¿Sería tanto pedirle eso?

—Es peligroso obtener cualquier tipo de ganancia de algo tan poderoso. Si tú le pides recuperar la vista, otro podría perder la suya a modo de intercambio.

Ella ahogó un grito.

—Nunca tomaría lo que es de otro.

—Yo no creo que quisieras hacer eso, lo sé. —¿Qué podría hacerle entregar la piedra aparte de la salvación de Vyan?—.

Tienes que decidirte pronto, Laurette, o la elección ya no será tuya cuando te alcance la luz del día.

Laurette reprimió las lágrimas, esforzándose por hacer lo correcto.

—Entregaré la piedra, pero no antes de saber que Vyan está a salvo.

—¿Por qué crees que corre peligro?

—Porque él no está de acuerdo con lo que planea su señor de la guerra y tiene a los kujoo en contra por no haberme entregado a mí y a la piedra.

—¿Qué es lo que planea su señor de la guerra?

—Vyan me dio un mensaje para los veladores si él no regresaba. Dijo que su señor de la guerra quiere que Tristan use la piedra Ngak para transformar a los guerreros kujoo que hay aquí en superguerreros. Luego Tristan los enviará ochocientos años atrás. Esos guerreros matarán a todos los veladores y por lo tanto vuestra raza será exterminada. Vyan dijo que una bruja le había asegurado que unas criaturas llamadas mutantes quedarían a salvo del genocidio.

Oh, diosa bendita. A Evalle le dio un vuelco el corazón al pensar en las posibles consecuencias de todo eso. A eso se refería Tristan y por eso había dicho que ella estaría a salvo. En la actualidad, los veladores vivían como personas normales y buenos ciudadanos, esparcidos por todo el mundo en cualquier posición... madres, pilotos, médicos, conductores de autobús e incluso políticos en los más altos cargos del gobierno.

Si todos desaparecían de golpe el resultado sería devastador. El mundo quedaría sumido en el caos. No había forma de prepararse para la desaparición repentina de más de un millón de veladores a lo largo del mundo.

Y ella perdería a Tzader y a Quinn.

La voz de Laurette sonó débil y desesperada.

—Vyan está ayudando a tus veladores. Por favor, ayúdalo a él.

Ahora para hacer la elección correcta que Nicole le había advertido que debería hacer, tenía que asegurarse de proteger el pasado y el futuro de los veladores. Evalle se esforzó para que sus palabras fueran serenas, a pesar de que quería gritar a Laurette para que le entregara la piedra.

—Si te prometo ayudar a Vyan, ¿entregarás la piedra a unas personas que conozco?

Laurette se puso en pie y cruzó la habitación para mirar a través de la ventana. Apretó la piedra con las dos manos.

—¿De qué personas estás hablando?

Cuanta menos información compartiera Evalle con esa mujer acerca de los veladores tanto mejor, pero VIPER tenía a una persona con la habilidad de aliviar las preocupaciones de Laurette.

—Se llama Storm. Él te llevará a un lugar seguro donde dejar la roca y yo formaré un equipo para ayudar a Vyan.

El perro de Laurette saltó del sofá y corrió alrededor de sus pies, gruñendo.

—No puedo pensar. Dame un minuto. —Frunció el ceño al pequeño perro—. De acuerdo, *Brutus*. Ahora salimos de nuevo.

Evalle tuvo que sentarse sobre las manos para evitar saltar y sacudir a Laurette para que reaccionara, pero la mujer necesitaba su tiempo. Solo el hecho de que no hubiera dicho que no significaba que planeaba decir que sí.

Casi era demasiado fácil.

Storm estaría a punto de transformarse de nuevo. Después de llamarlo para que recogiera a Laurette y a la piedra, contactaría con Tzader y Quinn para encontrarse en casa de Trey, luego llamarían a todos los veladores de la ciudad para dar caza a los kujoo. En cuanto VIPER tuviera el control de la piedra, Tzader tendría que convencer a Sen de que pidiera a la piedra ayuda para contener a los kujoo, a Tristan y a esas criaturas parecidas a zombis en que habían sido transformados los merodeadores.

Puede que Sen fuera un capullo miserable y un misterio, pero no había ningún operativo más poderoso en el seno de VIPER.

Eso podría funcionar.

Cuando Laurette regresó con el perro, se detuvo ante la puerta de la cocina, con una expresión de aceptación en su rostro.

—Supongo que en realidad no tengo elección.

—En realidad no, pero te doy mi palabra de que salvaremos

a Vyan si podemos encontrarlo a tiempo. Déjame llamar a Storm, uno de nuestros agentes, para que venga a escoltarnos. Cuanto antes nos pongamos en movimiento antes acabaremos. —Evalle sacó el teléfono y se puso en pie.

La puerta principal se abrió de golpe y Tristan entró atropelladamente.

—Debería haber esperado encontrarte aquí.

Laurette apretó la piedra contra su pecho.

—¿Dónde está Vyan?

—Está esperándote. —Tristan le tendió la mano—. Dame la piedra y te llevaré con él.

Evalle saltó delante de Laurette y levantó un campo de fuerza para impedir el avance de Tristan. Le gritó a Laurette:

—Ve con Storm.

Laurette chilló algo que Evalle no pudo descifrar.

La cara de Tristan estalló de furia. Levantó una mano y la movió hacia Evalle, golpeándola por la espalda hacia la cocina vacía, donde chocó contra los armarios.

Se incorporó y se frotó la cabeza. Tenía un chichón en la nuca. Tristan se debía de estar volviendo más fuerte.

Evalle miró a su alrededor, tratando de aclarar su visión.

Laurette había desaparecido.

¿Pero estaría con Vyan o con Storm?

Tristan irrumpió en la cocina.

—Deberías haber hecho lo que te dije y venir a entregarme la piedra.

—¿Acaso te parezco una pupila que seguiría las órdenes de su tutor? —Evalle se incorporó—. No danzo más que al ritmo de mi propia música.

—Si hubieras venido yo te habría salvado.

—Pero matarías a todos los veladores —contraargumentó Evalle—. Ellos no vendrán. No les he hablado de nada de esto.

—Sí vendrán. Ya están por toda la ciudad. Y no creas que esa chica se irá a otra parte con la piedra más que con Vyan.

«Espero que estés equivocado.» Si Laurette acudía a Storm, él podría regresar y seguir el rastro desde la casa.

—Ponte en movimiento, Evalle. —Tristan retrocedió para que ella pudiera ponerse en pie—. Me has hecho perder el tiempo al no acudir a mí.

Ella ignoró sus palabras, planeando contactar con Tzader tan pronto como averiguara adónde la llevaba Tristan. Si se arriesgaba ahora y Tristan tenía la habilidad de interceptar su comunicación telepática, perdería su única oportunidad. Él dijo que la quería para sí, por tanto de momento estaba a salvo, al menos mientras no consiguiera la piedra. Mantuvo la esperanza firme en su pecho hasta que salió de la casa con Tristan.

Entonces sus manos se unieron por delante de su cuerpo sin que ella pudiera impedirlo.

Tristan no había hecho eso.

Evalle miró más allá de él y vio a una sacerdotisa Medb planeando sobre la hierba del jardín principal.

—Ah, la bella durmiente regresa.

La bata de Kizira brillaba en la noche y flotaba a su alrededor como si hubiera una brisa en medio del verano.

—¿Dónde está la piedra?

—La chica desapareció con ella y se fue… a alguna parte. —Tristan podía haber dicho que Evalle sabía dónde, pero él estaba seguro de que Laurette se había marchado con Vyan.

O tal vez estaba protegiendo a Evalle.

Ni hablar.

Los ojos de Kizira brillaron como dos diminutos soles amarillos cuando sonrió.

—Puede que lograras escapar de mí hace dos años en Utah, mutante, pero no será así esta vez. Me dirás dónde está la chica.

—Está viajando en primera clase con la aerolínea de la roca Ngak. Si pudiera decirte dónde está también jugaría a la lotería. —Evalle luchó por liberar sus manos empleando la fuerza kinésica mentalmente, pero era imposible. Solo le cabía esperar que donde fuera que la llevasen hubiera tiempo suficiente para que Storm la encontrara, si es que podía seguirles el rastro.

Pero tenía que alertar a Tzader del plan de los kujoo.

«Tzader, estamos en…» Sintió una punzada de dolor en la cabeza. Se le doblaron las rodillas, pero Tristan la agarró del brazo para mantenerla en pie.

—¿Qué le has hecho? —preguntó exigente Tristan a Kizira.

—He impedido que contacte con otros veladores antes de

que estemos preparados para que les envíe un mensaje. Disfrutaré haciéndote pagar por haber matado a mi hermano, mutante —le dijo Kizira a Evalle.

Y yo disfrutaré haciéndote comer las suelas de mis botas, bruja.

La sacerdotisa alzó los brazos y pronunció palabras que Evalle no podía entender hasta que todo comenzó a girar y se sumió en la oscuridad.

«Ah, no, teletransportación no.»

Ahora Storm jamás la encontraría.

Treinta y seis

El dolor le abrasaba el cuello, la espalda y las piernas. Evalle estaba colgada de las muñecas, sujeta por hilos invisibles al techo del auditorio de un viejo colegio de Atlanta que llevaba años cerrado. Con todas las ventanas rotas, el aire nocturno que respiraba debería haber sido fresco, y no obstruido con el desagradable olor de la magia Medb.

Había sangre cubriendo las paredes. Aquel lugar parecía sacado de una película de terror de Freddy Krueger en reposición. Fuera lo que fuese lo que hubieran estado haciendo allí los Medb, había dado como resultado la explosión de unos cuantos cuerpos. Criaturas espantosas que probablemente antes habrían sido merodeadores estaban agazapadas por todas partes contra las paredes, el suelo y el techo, con varias partes de su cuerpo en forma sólida y el resto reluciente.

El sudor le caía por la cara y le escocían los cortes que tenía en el cuello y en los hombros. Tenía un ojo hinchado porque uno de los merodeadores, a quien ella solía dar chicles, le había soltado esta vez un revés con la mano.

Evalle perdonó a la pobre criatura sin alma cuyos ojos no la habían reconocido.

Y por si la vida no fuera lo suficientemente divertida, la luz del día llegaría en menos de una hora, y la pared de cristales rotos daba al este.

Tristan estaba de pie a un lado de la habitación cavernosa con la sacerdotisa Medb y un grupo de guerreros que tenían que ser los que habían escapado del monte Meru.

Tristan la había sorprendido al intervenir cuando a ella le habían dado el primer golpe en la cabeza, pero Kizira lo había encerrado en una jaula de magia.

Kizira tenía la cabeza cerca de la de Tristan y le hablaba como si diera instrucciones a su jugador número uno. Sus afiladas uñas estaban todavía extendidas, y se movían por el suelo cerca de ella como afiladas cuchillas.

¿De dónde habría sacado Kizira esa ocupación con las uñas?

A Evalle le ardían los cortes que esas uñas le habían hecho en la piel, introduciendo magia Noirre dentro de su cuerpo. Dudaba de que alguien pudiera encontrarla allí, ni siquiera Storm. Había tratado de transformarse, con la esperanza de luchar y poder escaparse aun a costa de exponerse ante el mundo en forma de bestia.

Pero Kizira le impidió esa posibilidad con un hechizo.

—Esperan que llames a los veladores con tu mente —dijo una débil voz masculina a su izquierda.

Evalle volvió la cabeza y vio a Vyan colgado cerca de ella. Al menos lo tenía del lado del ojo que le funcionaba mejor. No llevaba las gafas, pero la luz de las velas estaba lo bastante lejos como para que no la cegara.

—Desperdician su tiempo. No expondré a los veladores a una trampa. No soy una traidora. ¿Por qué no viniste con nosotros, Vyan?

—Los veladores solo quieren la piedra Ngak. Yo quiero que mi gente se libere de la maldición que oprime sus vidas.

Ella no podía discutirle eso, y advirtió que él no se había incluido en el deseo.

—¿Evalle?

Oyó su nombre pronunciado suavemente por debajo de ella, allí donde los merodeadores cautivos estaban agrupados en un círculo de poder.

—¿Grady? —susurró para evitar llamar la atención de sus secuestradores. Él estaba allí. Tal y como ella temía—. ¿Por qué te han hecho esto?

Sus ojos cansados nunca habían estado tan hundidos.

—Quería tener una hora de forma humana esta noche.

Bendita Macha. Evalle no podía haberle concedido una hora, pero tal vez habría podido impedir que fuera raptado por los kujoo si Isak no la hubiera secuestrado a ella.

«Estamos de camino, Evalle», oyó decir en su mente.

«¿Trey? ¿Eres tú?»

«He estado intentando encontrarte desde hace media hora, pero tengo que hallar el modo de traspasar una barrera.»

«El hechizo de una bruja. No me está prestando atención ahora. Debe de ser así como lo has conseguido.»

Ella puso los ojos en blanco.

Trey dijo:

«Estamos fuera. Tzader y Quinn están conmigo.»

No sabía cómo la habían encontrado, pero no podía permitir que entraran allí a salvarla.

«Es una trampa. No entréis y no le pidáis a Brina que se presente. La están esperando.»

«Tzader lleva un hacha para cuando entremos. Él no guiaría a nuestra tribu a una carnicería ni permitiría que le ocurriera nada a Brina. Tienes que aprender a confiar en nosotros. No puedes salvar a la tribu tú sola.»

«Te oigo.»

Ella dejó escapar el aliento. Gracias a Macha, Tzader la había encontrado y tenía aquello bajo control.

«¿Tzader ha conseguido poner la piedra en un lugar seguro? »

«Está lo bastante a salvo por ahora.»

«Tiene que estar en un lugar absolutamente seguro. Dile a Tzader que los kujoo planean enviar superguerreros al pasado para aniquilar la raza entera de los veladores. Todos vosotros moriríais.»

«Todos nosotros moriríamos», repitió Trey, enfatizando la primera persona del plural. Estamos preparados para ello.

Evalle tragó saliva ante esa demostración de apoyo de un velador. Ella no moriría en vano. Su tribu continuaría.

Los grotescos merodeadores comenzaron a aullar.

Desde abajo, Tristan levantó la cabeza. Kizira giró en redondo. Aquel que ahora Evalle conocía bajo el nombre de Batuk rugió a sus hombres que sacaran las espadas, y luego se desplegaron por la habitación.

Había dobles puertas en el extremo del edificio que parecían ser nuevas. Kizira se había tomado tiempo haciendo una pequeña remodelación, ¿eh? Las puertas estallaron hacia el interior. Tzader y Quinn marchaban los primeros junto a Trey, Storm, Casper y doce veladores más.

Evalle podía sentir que su propio cuerpo daba la bienvenida a su poder.

Entonces Laurette apareció cerca de Tzader.

Con la piedra Ngak en la mano.

«Oh, no. Así es cómo me encontraron.»

Tristan se rio.

—Sabía que vendrían a por ti, Evalle.

«¿Qué estás haciendo, Z?—gritó telepáticamente Evalle a Tzader—. Llévate a Laurette y a esa piedra de aquí.»

«Ella no entregará la piedra hasta que tú y Vyan estéis libres.»

—¿Así es como te ocupas de los inocentes? —le rugió Vyan a Evalle.

—Yo no la he traído aquí, maldita sea. Es culpa de la bruja... —Entonces Evalle le gritó a Quinn: «La bella durmiente está aquí».

Detrás de Tristan apareció un humo ardiente a la vez que la sacerdotisa desaparecía. Tristan y el líder de los kujoo intercambiaron miradas de preocupación.

—Suelta a Evalle y Vyan si quieres vivir —ordenó Tzader.

Ahora, libre para moverse, Tristan dio un paso adelante.

—Entrégame la piedra y yo te los entregaré a ellos dos.

—¡No lo harás! —gritó el señor de la guerra.

Tristan miró al líder de los kujoo con una malvada expresión de desprecio.

—Mentiste sobre lo que ibas a hacerle a Evalle. Haré lo que he dicho.

—¡No entreguéis esa piedra! —Evalle captó la mirada que Laurette dirigía a Vyan, que murmuraba una oración.

No le serviría de mucho si estaba hablando con Shiva. El dios hindú se había negado a intervenir.

Storm se movió hacia delante y Tzader lo detuvo. Evalle dedicó a Storm una pequeña sonrisa para agradecerle que hubiera venido. Se dirigió a Laurette.

—Libéranos a mí y a Vyan.

La mirada de Laurette fue de arriba abajo entre Evalle y la piedra que esta sostenía en la mano. La joven dijo algo a la piedra y Evalle cayó al suelo, pero Vyan siguió colgando por encima de ella.

Evalle se puso en pie y le preguntó a Tristan:

—¿Todavía quieres un desafío?

Tristan soltó un gruñido de disgusto.

—No me hagas esto, Evalle. Perderás.

—No lo creo. Tenemos la piedra de nuestra parte.

Eso provocó una risa irónica en el macho mutante.

—¿Le vas a quitar la piedra?

—No. Pero una vez que me vincule con ella tendré ese poder además de ser una mutante. No me hagas usarlo contigo.

—No puedes vincularte con un ser humano que no sea velador. —Pero lo que dijo sonó falto de convicción.

Evalle se volvió hacia Laurette.

—¿Dónde aprendiste a escribir esas palabras gaélicas en tus cerámicas?

—De mi abuelo.

—¿Sabes lo que significan?

—No.

—Yo sí. —Evalle dirigió una mirada a Tzader y al resto de los veladores al hablar—. Las palabras dicen: «Esta es la casa de un descendiente de los veladores. Cuidad de mi nieta como yo lo haría». —Se volvió hacia Tristan, cuyos labios se abrían con sorpresa—. Podemos vincularnos con ella, y tú estarás perdido.

«¡Así se hace!, Evalle», murmuró Tzader en su mente.

«Sí, pero en realidad no sé si le haríamos daño o no a Laurette si intentamos vincularnos con ella.»

Tristan abrió la boca para hablar, pero el señor de la guerra gritó a sus hombres y a los merodeadores:

—¡Matadlos!

Evalle se entregó a la batalla mientras todos los veladores se distribuían por la habitación, a excepción de los dos que protegían a Laurette.

Vyan le gritó a Evalle:

—¡Mi espada! En el rincón.

Ella siguió la dirección que indicaba el gesto de su cabeza y vio el arma, que dio un salto hacia ella por fuerza kinésica justo antes de que un merodeador enloquecido se lanzara a atacarla. Ella giró la espada y lo partió por la mitad.

De las manos de Quinn salían cuchillas disparadas a tanta velocidad como las balas de un rifle.

Girando mientras se movía, Evalle levantó la espada hacia el señor de la guerra, que se dio la vuelta a tiempo para detener el arma con la suya y partirla en dos.

«¿Cómo podía ocurrir todo eso siendo Vyan inmortal también?»

De pronto Brina apareció en un rincón levantando las manos y cantando.

Todos los veladores de la habitación recibieron instantáneamente una espada brillante con el emblema en la empuñadura y un símbolo celta grabado en el metal. Incluso Evalle. A Storm y Casper les fueron entregadas también sus correspondientes espadas, pero no eran armas de veladores.

Tzader giró sus cuchillas bien consciente en dirección a un kujoo, y abrió un tajo en la cabeza de su enemigo. Los inmortales eran difíciles de matar, pero cortarles la cabeza solía funcionar.

La sangre salpicó el cuello y el hombro de Evalle cuando Casper le cortó el brazo a uno de esos espíritus malignos, que huyó gritando. Casper luchaba como un guerrero de las Tierras Altas y sus movimientos eran tan rápidos que apenas se lo veía, cuando empleaba la espada como alguien que ha nacido para eso. Storm manejaba su espada con igual fervor, de manera diestra y letal.

Un velador cayó bajo las garras de un montón de merodeadores corrompidos.

Evalle lanzó una ola de poder contra ellos, lo que los obligó a dispersarse.

Puede que no hubiera suficientes veladores para ganar la batalla contra guerreros inmortales a quienes los Medb habían insuflado magia Noirre.

Evalle miró a Laurette, que estaba de pie temblando en un rincón detrás de dos hombres dispuestos a protegerla con sus propias vidas. La joven estaba completamente aterrorizada. Evalle le gritó:

—¡Laurette, mírame! —Cuando obtuvo la atención de la chica continuó gritando—. Tú eres un velador también. Esta es tu tribu.

Antes de que pudiera decir más, un kujoo la atacó. Evalle luchó en respuesta, parando cada uno de los golpes con su espada hasta que consiguió alcanzar el cuerpo de su enemigo, partiéndolo por la mitad. Gritó a Laurette:

—Ordena a la piedra que cese esta carnicería.

Laurette miró la piedra Ngak en sus manos temblorosas y gritó:

—¡Haz que todo el mundo se detenga!

El cuerpo de Evalle quedó congelado. Mierda. Debería haber sido más específica.

Laurette recorrió la habitación con sus ojos aterrados y luego clavó su mirada en Evalle.

—¿Y ahora qué?

Evalle trató de hablar pero solo conseguía emitir ruidos.

Laurette levantó la piedra.

—Libera a Evalle para que pueda hablar.

Los músculos de Evalle se soltaron inmediatamente.

—Buena chica. Sal de detrás de esos hombres, porque ellos no pueden moverse. —Cuando tuvo a Laurette totalmente a la vista, Evalle le dijo—: Casi no te queda tiempo.

—Quiero enviar a los kujoo a casa. Le dije a Vyan que lo haría.

—No estoy segura de que puedas hacerlo mientras estén congelados, pero no quiero que los liberes y sigan matando veladores. —Evalle se volvió hacia Brina, sorprendida de que no hubiese hablado—. ¿Qué quieres que haga ella?

—Yo no puedo ordenarle que pida nada a la piedra. Esta lleva magia Noirre entre sus poderes.

—¿La piedra Ngak? —Evalle no se lo había imaginado, pero tenía sentido. Tal vez por eso los Medb habían podido localizarla. Evalle había supuesto que la piedra era únicamente hindú en sus orígenes, pero algo que sobrevivía desde el principio de los tiempos habría adquirido muchos poderes diferentes.

Laurette tragó una bocanada de aire.

—Lo entiendo. Tengo que decidir. —Dio a la piedra una nueva orden—. Libera a todo el mundo, pero haz que se queden donde están y no permitas que nadie ataque a nadie.

Todos los cuerpos de la habitación respiraron a la vez, pero ninguno abandonó su sitio ni trató de golpear a nadie.

Tristan se dirigió a Laurette.

—Dame la piedra y yo liberaré a los kujoo… y haré que recuperes la vista. He oído que ibas a quedarte ciega. Yo tengo poder para curarte los ojos.

La esperanza que asomó al rostro de Laurette le partía el corazón a Evalle, pero negó con la cabeza.

—No puedes hacer eso.

Laurette asintió, con los ojos enrojecidos.

—Lo sé.

Brina habló.

—No tengo nada que decir sobre la piedra, pero los kujoo no pueden salir de aquí todavía. Han roto la tregua y deben ser castigados.

—¡No! —gritó Laurette a Brina, que simplemente ladeó la cabeza como si mirara a una niña confundida—. Le entregaré la piedra a Tristan si no me prometes que liberarás a los kujoo.

Tzader y Evalle intercambiaron miradas de preocupación.

—Haz algo.

«¿Yo?»

—¿Algo como qué?

—Sí, Evalle —replicó Tristan—. ¿Qué hay de tu oferta de ayudar a los otros mutantes? ¿De vernos a todos libres?

Evalle reparó en la mirada incrédula de Tzader y Quinn.

—Cállate la boca, Tristan.

Brina se olvidó de Laurette y dirigió a Evalle una mirada que prometía que toda la posibilidad de buen trato con su diosa se había acabado. Luego clavó una mirada de odio enTristan, examinando su rostro.

—¿Tristan? ¿El mutante que logró escapar?¿Y tú, Evalle, te ofreciste a ayudar a escapar a los otros mutantes?

—No —se defendió Evalle—. Yo no dije eso…

La frustración de ver que las cosas no salían como él esperaba dotó a la voz de Tristan de un tono de ira mortífera al dirigirse a Evalle.

—Hice lo que deseabas y logré que los Medb los liberaran. Me lo debes.

Evalle se volvió hacia Brina.

—Deja que me explique.

—No tenemos tiempo para eso. —Brina se volvió hacia

Laurette—. Tienes dieciocho minutos, jovencita. ¿Qué es lo que vas a hacer?

—La piedra no siempre hace lo que le pido. —Laurette dirigió la mirada de Brina a Evalle con ojos que imploraban ayuda.

Evalle sintió piedad por ella y comenzó a darle instrucciones.

—Envía a los merodeadores transformados al otro lado de la muerte para que puedan descansar en paz.

Laurette habló a la piedra y las criaturas desaparecieron.

—Envía a los kujoo... —Evalle se detuvo, sintiendo la mirada de odio de Brina sobre ella. Los kujoo no se habían convertido en guerreros sobrenaturales todavía. Si no fueran inmortales, ella tendría fe en que los veladores que vivían desde hacía ochocientos años pudieran protegerse—. Envíalos a su tiempo original, pero sin sus poderes.

—¡No! ¡Terminemos hoy esta batalla! —gritó el señor de la guerra kujoo.

Vyan seguía colgando encima de sus cabezas y había permanecido en silencio hasta el momento. Las muñecas le sangraban y su piel tenía un tono gris enfermizo, pero su voz sonó llena de fuerza cuando habló.

—Sí, terminemos esto hoy. —Dirigió su mirada a Laurette—. Todos estaremos bien. Haz lo que te pedí.

Laurette dirigió a Vyan una larga mirada llena de un dolor que Evalle no entendía pero con el que podía empatizar. Cuando la joven levantó la piedra esta vez, había lágrimas en sus ojos. La acercó a sus labios y susurró unas palabras que Evalle no pudo oír.

Todos los kujoo desaparecieron, incluido Vyan.

Laurette dirigió a Evalle una mirada llorosa.

—¿Y ahora qué?

—Libera a los merodeadores que no hayan sido transformados para que puedan regresar a sus lugares en Atlanta. —Al instante siguiente, Evalle observó cómo los espíritus salían por las ventanas, todos excepto Grady, que se acercó a ella.

Laurette dejó escapar un sonido de dolor.

—La piedra se está poniendo caliente. No puedo sujetarla. —Comenzó a pasar la piedra de una mano a otra, luego se la lanzó a Evalle, que la cogió en el aire y la sostuvo contra su estómago.

La piedra estaba caliente, pero no tanto como para quemarse las manos. ¿Sería porque ella era una mujer poderosa?

Bendita Macha. Poseía ahora el poder para hacer cualquier cosa, excepto salvarse a sí misma de la decisión del Tribunal.

En la habitación reinaba un silencio mortal.

Treinta y siete

Evalle cogió la piedra entre sus manos y múltiples colores estallaron en su mente. El flujo de energía era increíble. Incluso su ojo herido se abrió. Todo el mundo en el abandonado auditorio del colegio seguía helado. ¿Estaban asustados de ella o de lo que había hecho?

—Tristan debe regresar a su jaula —ordenó Brina.

—¡Noooo! —Las venas del cuello de Tristan parecieron a punto de reventar cuando hizo un movimiento agresivo, pero sus pies habían quedado pegados al suelo desde el momento en que Laurette ordenó a la piedra que impidiera que se atacaran unos a otros.

—Evalle, dijiste que te preocupabas por los mutantes y que me ayudarías. Ayúdanos a todos.

Cada palabra que decía caía como un anillo de muerte entre Evalle y Brina. Este no era el momento de tomar una mala decisión.

Brina habló en un tono que tenía la fuerza de una orden general.

—Entrega la piedra a Tzader para ser colocada en la cripta de VIPER.

—No, quédatela, Evalle —gritó Tristan—. Estarás segura para siempre. Puedes vivir libre de persecuciones y de la amenaza de ser enjaulada. Ven conmigo y nos iremos lejos de todos los veladores.

Fascinada por la conexión que sentía, Evalle miró la piedra, que brillaba como un arcoíris fundido. «Vivir. Segura. Libre.» Su mente estaba perdida en una confusión de colores y palabras. Se sentía drogada.

—Evalle, ¡no lo hagas! —La voz de Brina transmitía una

desesperada amenaza si no era obedecida—. Esa piedra pondrá en riesgo el futuro de todos los veladores si no está en un lugar seguro. Los kujoo podrían encontrar una manera de regresar a este tiempo y destruir a la tribu completa la próxima vez. Siempre debes anteponer el bien de la tribu.

—¿Cómo que anteponer el bien de la tribu? —retó Tristan a Brina—. Una tribu no debería volver la espalda a los suyos. Me encerraste sin ningún motivo. Evalle, pregunta a Brina si hice algo antes de que me enviara al purgatorio. ¡Pregúntale!

La pregunta de Tristan le llegó a Evalle. Sacudió la cabeza para quitarse las telarañas y alzó la mirada hacia Brina.

—¿Cometió Tristan alguna ofensa o se transformó en una bestia?

—No te atrevas a cuestionarme —le advirtió Brina.

Evalle se volvió hacia Tzader pensando en hacerle una pregunta telepática, pero cambió de idea. Todo el mundo debía escuchar su respuesta.

—¿Conoces la verdad?

Tzader cruzó una mirada con Brina y luego volvió a mirar a Evalle.

—Sí, pero yo no tomé parte en la decisión de castigarlo. Él dice la verdad.

—¡Tzader! —El holograma de Brina resplandecía de luz. Salían chispas de sus bordes. Le dirigió una mirada sofocada antes de arrastrar su mirada hasta Evalle—. Hago lo que sea necesario para mantener a los veladores libres de peligro.

La sensación de estar drogada debió de ser la razón por la que Evalle siguió con su argumento.

—Por favor, Brina. Necesito saber la verdad. He estado del lado de los veladores desde que cumplí los dieciocho años y necesito saber que actuaste con honor.

Tzader hizo un ruido que Evalle interpretó como un insulto reprimido.

Cuando Brina habló fue en un tono reverente.

—Estoy obligada por un juramento también. Muchos juramentos, de hecho. Hay cosas que no puedo compartir con nadie. No eres la única que tiene que acometer tareas difíciles, pero en tu caso tienes el don de tomar decisiones en el camino.

A mí me ha sido dada una tarea sobre todas las demás y es la de cuidar y proteger a mi tribu. La protección tiene distintas formas. Más allá de eso diré que sí actué con honor.

Por primera vez desde que había jurado como guerrera velador, Evalle se preguntó cómo sería llegar a ser como Brina. Vivir lejos de todos, manteniendo el poder de los veladores por su presencia en una isla. Existir solo para servir y no tener opción en el asunto.

Quizás no le había dado a Brina suficiente crédito.

Pero aún no sabía cómo se sentía respecto a Brina.

—¿Y yo? —preguntó Evalle con tranquilidad—. ¿También soy una criatura peligrosa que debe ser encerrada?

Brina no dudó.

—Si lo fueras no estarías aquí ahora.

Evalle notó que Brina realmente no había respondido a su pregunta.

La roca irradiaba calor, enviando ondas de energía al brazo de Evalle. Tragó saliva, intentando pensar con claridad.

Quinn preguntó a Evalle:

—¿Estas dispuesta a dar la espalda a los veladores? Si no obedeces a Brina, es lo que estarías haciendo.

Un sentimiento de indecisión se cernió sobre ella. Sabía qué era lo correcto pero había una pequeña parte de su ser que desesperadamente quería sentirse segura y a salvo. Saber que podía vivir sin la sombra de una duda siempre encima de ella.

«Saber quién eres es el mayor poder de todos.»

De nuevo sonaba esa extraña voz en la mente de Evalle. La misma que le comunicó que la roca había sido encontrada.

¿Quién era?

Tristan le suplicó:

—Trae la piedra y ven conmigo. Yo cuidaré de ti, Evalle.

«Yo cuidaré de ti», el doctor que la había violado cuando tenía diez años había dicho las mismas palabras.

Eso limpió su mente de la niebla que la roca había estado tejiendo en sus pensamientos. Los veladores la habían salvado de estar atrapada en un sótano a merced del mundo. Tzader había dicho que ella tenía que dar confianza para recibirla a cambio.

Quedarse con esta piedra Ngak significaba que estaría protegida para siempre de ser enjaulada pero corriendo el riesgo de alejarse de quién era y de todo lo que amaba.

—Soy… una… velador.

El rostro de Brina se ablandó de un modo que nunca había visto. Con una voz más amable dijo:

—Sí, lo eres. Nos ocupamos de los nuestros. Es hora de acabar con esto.

—Lo siento, Tristan. —Y lo sentía. Evalle levantó la roca hacia él.

—¡No! Mátame. Ahora.

Incluso a pesar de todos los problemas que había generado Evalle sintió su agonía. Ella también habría preferido morir que ser enjaulada. No podía perdonarle, ni tampoco a los otros mutantes, pero tenía que proteger al mundo y a su tribu primero. Le habló a la piedra Ngak:

—Envía a Tristan a su jaula en Sudamérica.

Tristan dio un grito que podía coagular la sangre y atravesó toda la habitación hasta reducirse a silencio cuando desapareció.

Evalle cerró los ojos y tragó saliva. Le pidió a la piedra que lo mantuviera a salvo hasta que ella pudiera ayudarlo. Con su siguiente aliento dijo:

—Libera a todos los veladores.

Tzader avanzó hacia el holograma, y le dijo por lo bajo a Brina:

—Ten en cuenta que Evalle encontró la roca y puso su vida en juego para prevenir cualquier daño a los veladores.

La mirada de Brina estaba irritada de fastidio.

—No la voy a castigar, por lo que no tienes que rogarme por su vida.

Evalle se acercó a Brina.

—No te hablé de Tristan porque pensé que eso era lo que querían los Medb que hiciera para poder atraparte. Tristan dijo que tenía un plan que aseguraba destruirte a ti y a Tzader.

Miró de reojo a Tzader por un momento, feliz de no ver que lo condenaba.

—No podía arriesgarme a que le hicieran daño a ninguno de los dos. Hice lo que pensé que era honorable.

—Entiendo. —Brina cruzó los brazos e inclinó la cabeza—. Y estoy orgullosa de ti.

Evalle se quedó sin habla al oír estas palabras que nunca habría pensado que le dirían. Un remolino de calidez rozó la piel de Evalle cuando Brina le sonrió.

La mirada de la reina guerrera se paseó por la habitación antes de regresar a Evalle.

—Estaré mañana contigo cuando te encuentres ante el Tribunal y testificaré que mi velador protegió al mundo.

«Mi velador», Evalle repitió las palabras en su cabeza hasta que la mano de Tzader tocó su hombro. Ella se volvió hacia él y dijo:

—Me dijiste...

«... que confiara en Brina —concluyó telepáticamente—. Haré un mejor trabajo de ahora en adelante.»

La sonrisa que le ofreció fue respuesta suficiente.

«Te estás quedando sin tiempo antes del amanecer.»

«Tengo siete minutos. Sen puede traer uno de los vehículos para llevarme a casa.»

Storm se mantuvo a su lado, mirando mientras hacían el intercambio. Evalle le hizo un guiño para hacerle saber que lo vería pronto.

Brina cerró los ojos, hablando en un tono de solicitud:

—Sen, por favor, ven a recoger la piedra Ngak.

Un vapor se concretó al lado de Brina, luego Sen apareció con un recipiente del tamaño de una caja de cigarros tallado en mármol color madreperla.

—¿Dónde está la piedra Ngak?

—Aquí. —Evalle la levantó y luchó para no sonreír ante su sorpresa al ver que era ella quien tenía el peligroso tesoro. Esperó a que él viniera y luego colocó la piedra en la caja abierta que sostenía con sus dos manos. La tapa se cerró de inmediato y la unión entre tapa y fondo desapareció.

Su ojo herido se volvió a cerrar y los latigazos en su espalda ardieron como el demonio.

—Necesito ayuda para regresar a casa. —Laurette susurró las palabras como si tuviera miedo de decirlas. Sus ojos segían con la visión disminuida.

Evalle le debía tanto a aquella joven.

—Yo la llevaré.

—No. —Brina sacudió la cabeza buscando con la mirada por la sala donde estaban los veladores mientras agentes VIPER se movían hacia ellos—. Quinn puede llevarla.

Laurette volvió a ignorar a Brina y se acercó a Evalle, quien tomó la mano de la joven cuando le habló:

—Gracias por hacer lo correcto y por estar dispuesta a enfrentarte a todo esto para salvarnos a Vyan y a mí. Después de ver esas palabras en el macetero que tienes junto a la puerta de tu casa estoy bastante segura de que tu abuelo fue un velador. Habría estado orgulloso de ti.

Laurette intentó sonreír a pesar del profundo dolor que cubría su rostro.

—Su abuelo fue uno de nuestros guerreros. —Brina hizo el anuncio—. Macha me acaba de informar de que antes de entrar en combate no esperaba sobrevivir. El abuelo de Laurette le pidió a Macha que librara a su nieta de tomar la espada porque Laurette nació como una velador también. Él sabía que pasaría su vida sola una vez que él se marchara, y quería que fuera libre de seguir su corazón y fuera una artista. Macha estuvo de acuerdo. Realmente eres parte de la tribu velador, Laurette.

Evalle estrechó la mano de Laurette.

—Si necesitas algo, has de saber que esto te convierte en parte de la familia. Quinn es maravilloso, te acompañará a casa y te proporcionará seguridad.

Quinn apareció al lado de Evalle y puso su mano sobre el hombro de Laurette.

—No tardaremos mucho tiempo. —Se giró hacia Sen—. ¿Por qué no nos teletransportas?

Sen asintió y luego ordenó a Laurette:

—Toma la mano de Quinn, visualiza tu hogar y avísanos cuando estés preparada.

Evalle le dirigió a Sen una aguda mirada. Él nunca le hacía a ella tantas advertencias.

En el momento en que Laurette alcanzó la mano de Quinn, dijo:

—Estoy lista. —Y la pareja desapareció.

Evalle se acercaría a visitar a Laurette en los próximos días.

Se giró hacia Brina deseando hablar con ella sobre la reunión del Tribunal, pero la reina guerrera se le adelantó:

—El Tribunal enviará a alguien para acompañarte después de medianoche, Evalle. Asegúrate de estar sobre la tierra en ese momento. No te retrases.

Evalle le respondió a Brina, ignorando que Sen estaba lo suficientemente cerca de ella como para oírla:

—Esperaré a mi acompañante en el parque Woodruff.

Brina arqueó las cejas mirando a Sen, quien bajó el mentón en señal de reconocimiento. Aparentemente Brina había concluido su trabajo allí, por lo que desapareció.

Las espadas desaparecieron en el mismo momento.

Mierda. Evalle había querido que Brina pidiera a Sen que reservara un vehículo para llevarla a casa. Tzader se lo hubiera pedido.

Sen miró en la dirección de Trey.

—Dile a Adrianna que venga y limpie todo este desorden. Está fuera, ocultando el edificio a los civiles.

Trey se balanceó desde donde estaba informando a los agentes VIPER y a los veladores.

—¿Parezco tu lacayo?

Sen se encogió de hombros.

—Evalle puede hacerlo… con sus manos.

—Traeré a Adrianna. —Tzader llamó a Trey pero luego disminuyó el paso junto a Sen mientras salía:

—¿Nunca te tomas el día libre de ser un imbécil?

Sen dejó a su resplandor hablar por él.

Una vez que Tzader estuvo a una cierta distancia , la mirada aguzada de Sen se endureció aún más. Metió la caja con la piedra bajo su brazo y avanzó a grandes pasos.

Ella no veía un vehículo reservado en su futuro.

Sen se detuvo cerca de Evalle y se inclinó:

—Sé puntual en tu audiencia con el Tribunal y no me hagas ir a buscarte. Si no logro encontrarte, Tzader se convertirá en el responsable. Si no estás en la reunión del Tribunal, Tzader tendrá que tomar tu lugar y aceptar las consecuencias del fallo.

—¿Alguien se ha meado en tus cereales esta mañana? —Evalle no podía permitir que Tzader tuviera que enfrentarse al Tribunal, y Sen lo sabía.

Pero Brina había dicho que estaría ahí. Era el momento para otra dosis de confianza.

Storm había terminado de hablar con uno de los veladores y se acercó a donde ella estaba hablando con Sen. Se colocó a su lado como si pretendiera protegerla con su cuerpo.

Pero Evalle no necesitaba ser salvada ni protegida. Era una velador. Levantó el mentón hacia Sen.

—Ahí estaré, pero no aguantes la respiración esperando a que el Tribunal te haga feliz y me encarcele.

La sonrisa orgullosa de Sen era enfática antes de que se teletransportara con la piedra Ngak.

«Imbécil.» Evalle sintió un estallido en la nuca en el minuto en que pronunció para sí el insulto.

«Lo siento, Brina.» Pero Evalle sonrió ante la reprimenda, que significaba que era parte de la familia de Brina.

—¿Es ese el que te quiere joder? —preguntó Grady.

—Sí. —El Tribunal era un problema mayor que Sen, pero no podía discutir eso aquí con Grady. Había olvidado al merodeador que aún estaba ahí.

—¿Cómo caíste en la trampa de los kujoo?

Sus ojos se alejaron de ella con culpabilidad.

—Fui absorbido cuando oí hablar de los dobles apretones de manos.

Tzader regresó al interior justo a tiempo para escuchar lo que Grady había dicho.

—Sabes que ninguno de nosotros puede hacer eso, y mira lo que sucedió cuando los kujoo se estrecharon las manos con esos pobres merodeadores.

La imagen de Grady temblaba entrando y saliendo, con una mirada de enfado hacia Tzader:

—Tenía una razón.

Adrianna entró en la habitación, miró a Evalle y se giró hacia la ventana por donde estaba entrando la luz del día rápidamente. Los labios de Adrianna se movieron mientras levantaba las manos. Las ventanas se convirtieron en una muralla opaca. Después de eso ignoró a Evalle dirigiendo su atención a Tzader:

—Tengo una pregunta para ti.

Tzader caminó hacia la bruja superior. Evalle estaba comenzando a reevaluar lo que Adrianna había hecho después de todo. Las brujas superiores no dan sin esperar algo a cambio. Que Adrianna no hubiera pedido nada —aún— era razón suficiente para permanecer vigilante cerca de ella.

Con todos los veladores ocupados, Evalle aprovechó la oportunidad para averiguar qué pasaba con Grady:

—¿Por qué necesitas una hora esta noche?

Una sonrisa triste asomó a su rostro.

—Mi nieta se casa en Atlanta. No quiero encontrarme con ella, pero quería escuchar sus palabras. Cuando estoy en la forma de medio vivo mis sentidos del oído y el olfato están embotados. No nítidos como los sentidos humanos. Quiero escuchar la música del órgano tocando su marcha nupcial y oír pronunciar el «sí quiero». Quiero oler las flores frescas. —Sus ojos se perdieron y se volvieron acuosos—. Quiero impregnarme de un recuerdo al que pueda aferrarme por toda la eternidad.

El corazón de Evalle se podría haber roto. Tenía que salir de ahí antes de que perdiera el tembloroso control que aún mantenía sobre sus emociones después de todo lo que había pasado esa noche.

—Comprendo. —Respiró y se aclaró la garganta—. Deberías ir… —Comenzó a decir a tu hogar pero Grady no tenía hogar—. Te veré luego, ¿ok?

Grady la miró durante tanto tiempo que ella pensó que estaba clavado en ese lugar. Finalmente se dirigió a la salida brillando, y luego desapareció.

La habitación estaba mucho más oscura sin las ventanas, pero los tragaluces aún intactos permitían que entrara suficiente luz para ver. Storm terminó de acortar la distancia con ella, claramente sin prestar atención a lo que nadie pensara, y puso el dorso de su mano sobre la mejilla de Evalle:

—¡Vaya ojo morado!

Su corazón dio un vuelco ante el contacto. Pensó que tenía que reevaluar lo que pensaba de él también.

—Tú me dijiste cómo encontrarnos y trajiste a Laurette con la piedra. Ella debe de haberte encontrado sin problemas.

Storm la miró por unos segundos.

—Me estaba abrochando el cinturón detrás de un seto en el parque cuando apareció ante mí sosteniendo la roca.

—Se suponía que tenías que llevar a Laurette y a esa roca a un lugar seguro, no traerla a este lugar.

—No veo que el mundo esté en caos, y esa piedra no iba a ningún sitio hasta que no estuvieras a salvo.

De acuerdo, eso le dio más puntos de los que habría sabido cómo utilizar.

—Gracias, pero ¿y si Tristan se hubiera quedado con la piedra?

—Habría tenido que matarme para hacer eso, y no soy fácil de matar. —Storm se llevó la mano detrás del cuello, se desató el cordón de cuero que sostenía el amuleto que le había dado y se lo quitó.

—Devuelve esto a Nicole cuando la veas.

Evalle se quedó quieta mientras él se inclinaba hacia delante para atar el cordón en su cuello. Los labios de Storm rozaron la mejilla de Evalle antes de que se separara. Él pasó su mano por el hombro de Evalle y ella se encogió cuando sus dedos tocaron las heridas infligidas por las uñas de Kizira.

Para no gemir apretó los dientes.

Storm se puso detrás de ella.

—Tu espalda es un desastre. Necesitamos que Adrianna te vuelva a quitar el veneno Noirre.

—Preferiría deberle algo a un usurero —musitó Evalle.

Storm suspiró:

—No te muevas y aliviaré la quemadura. —Esperó hasta que ella asintió y puso las manos sobre su espalda.

Primero calor, y luego una maravillosa sensación adormecedora corrieron por sus nervios bajo la piel.

Cuando terminó, Storm la besó en el cuello esta vez.

A pesar de preocuparse porque alguien hubiera visto ese contacto íntimo Evalle sonrió.

Pesados pasos se acercaron en su dirección. Tzader avanzó hacia ella, pero su brillo golpeó a Storm, que le devolvió una mirada inquisidora.

Antes que nada irrumpiera entre ellos, Evalle intervino:

—Necesito darme una ducha, dormir un poco y hacer algunos recados antes de presentarme ante el Tribunal.

Tzader dejó de mirar a Storm y se dirigió a ella:

—¿Crees que puedes mantenerte alejada de los problemas de aquí a la medianoche?

Evalle pensó en lo que había decidido solo un momento antes. No quería mentirle a Tzader pero tampoco quería compartir lo que pensaba hacer. Problemas era una manera suave de expresarlo.

—¿Qué? ¿Y renunciar a lo único para lo que soy buena?

Treinta y ocho

El mundo giraba y se desdibujaba en la lechosa visión de Laurette en el momento en que tomó la mano del hombre que Evalle había llamado Quinn.

Este apretó los dedos de Laurette y dijo:

—Ya casi estamos.

Ella esperaba despertarse en cualquier momento para descubrir que se había caído en el parque Piedmont y se había golpeado la cabeza y que todo esto solo había sido una pesadilla. Pero en cuanto sus pies tocaron el suelo, estaba despierta y todavía desesperadamente agarrada de la mano de Quinn.

—¿Ya hemos llegado?

—Si vives en una encantadora casita de campo con persianas azules y un gran jarrón de cerámica al lado de la puerta, yo diría que ya hemos llegado.

Ella solo podía ver borrosamente la luz.

—Es mi casa, pero voy a necesitar ayuda para entrar.

El sonido de Quinn moviéndose a su alrededor fue seguido por el familiar chirriar de la puerta al abrirse. Tomó su brazo con suavidad y la guio lentamente al interior.

—¿Cuán dañada está tu vista?

Tenía una voz amable y llena de comprensión, pero Evalle ya le había dicho que nadie podría mejorar su visión. Laurette no se quejaba.

—Puedo arreglármelas ahora que estoy en el interior.

—Toma esto. —Él le puso un móvil en la palma de la mano—. Sé que ha sido una experiencia horrorosa, pero ahora eres parte de la familia de los veladores. ¿Puedes encontrar el número cinco en el centro del teclado?

—Sí.

—Púlsalo cuando estés preparada para hablar sobre un perro guía y para adaptarte a los cambios a los que te vas a enfrentar. No te vamos a dejar sola ante esto.

—Gracias. —Ella necesitaba que él se fuera o se iba a quebrar en su presencia. La piedra verdaderamente la había seducido, ya que sentía la pérdida de visión tan intensamente como cuando había perdido a su abuelo. Además de esto, no podía calmar el ansia que sentía por volver a ver a Vyan aunque él estaba donde quería estar.

Se alegraba por él y recordaba la manera en que la hacía sonreír. Recordaba la decisión con que se interpuso entre ella y el peligro.

Recordaba su beso.

—Gracias por traerme a casa, pero... —«Vete.»

—Percibo que estás preparada para estar sola. Me voy, pero espero tu llamada pronto. Sabes que me puedes llamar en cualquier momento, sea de día o de noche.

Ella simplemente asintió, porque no lograba sacar palabras de su obturada garganta. Cuando la puerta se cerró se entregó al dolor que se expandía en su pecho. Comenzó a llorar por todo lo que había perdido. Pero había descubierto por qué su abuelo nunca había regresado. Había sido un velador. Ellos hablaban de él como de un héroe. Él solía decirle que las mujeres de la familia Barrett eran fuertes, que sus ancestros eran guerreros. ¡Guerreros!

Ella misma era una velador.

Una velador ciega.

Y, en este momento, su abuelo estaría frunciendo el ceño al verla entregarse a la desesperación. Sorbió y se limpió la nariz con el dorso de su mano.

«Supéralo y actúa como mi nieta.» Ella casi podía oírle decir esto.

Habiendo practicado recientemente, anticipándose a su pérdida de visión, metió el móvil en el bolsillo y tanteó el camino a través de la habitación. Quizás ya no podría crear sus diseños en grandes jarrones pero necesitaba hundir los dedos en la arcilla y sentir el espíritu de su abuelo rodearla de nuevo.

En la puerta del sótano puso una mano en la barandilla y

bajó las escaleras. Llegó abajo y había dado tan solo dos pasos hacia el interior de la habitación cuando sintió la aguda inhalación de aire de alguien.

Su propia respiración se volvió de pronto breve y frenética.

—¿Quién está ahí?

—Soy yo.

El miedo latió junto a la sangre que golpeaba su corazón.

—¿Quién?

—Vyan.

Era imposible.

—¿Qué haces aquí? —Su corazón galopaba ahora por una razón completamente distinta.

—No lo sé. —Sonaba perdido, lo que cortó la excitación de alegría que sentía por encontrarlo aquí.

—Lo lamento mucho. No tendrías que haberte quedado atrapado en este período de tiempo.

—¿Qué le dijiste a la roca cuando echaste a los kujoos? —Sus pasos la acercaron a él.

Pensó en las palabras exactas que había elegido basándose en lo que Vyan le había dicho.

—Le pedí a la roca que enviara a toda la tribu kujoo donde fuera que sus corazones desearan. Pensé que te irías a casa con los demás.

¿Lo había condenado a este mundo por no haber sido más específica?

Él se rio entre dientes y acogió sus manos dentro de las suyas. Su aroma le llegó a ella en el siguiente respiro.

—Sabía que eras una mujer sabia y mi corazón es más sabio que mi cabeza algunas veces. No sabía dónde quería ir pero no quería regresar a la guerra con Batuk ni tampoco me gustaba la idea de dejarte sola. Parece que mi corazón decidió quedarse aquí.

—¿Estás feliz con esto?

—Creo que aquí encontraré la felicidad que no he sentido en muchos años.

Ella no habría sido capaz de ver a través de sus lágrimas aunque no hubiera tenido la vista dañada.

—Eres un regalo que nunca esperé recibir. —Acostumbrarse a ser ciega no iba a ser fácil pero ahora no temía la oscuridad, con Vyan a su lado en este mundo. Aún no podía creer que Vyan estuviera realmente ahí.

Él tomo sus manos.

—Pedí un regalo, pero me fue negado.

Una voz profunda penetró con estruendo en la habitación y dijo:

—No, mi fiel Vyan, no te fue negado. Simplemente esperé a ver si estabas realmente contento y aún deseabas renunciar a tu inmortalidad antes de cumplir tu deseo.

Vyan permaneció en silencio por un momento.

—Si regreso a mi hogar con los otros kujoo se esperará de mí que vuelva a tomar la espada. Mi familia seguirá muerta. ¿Qué razón tendría para continuar con mi vida allí? Ninguna que pueda pensar. Pero me las he arreglado durante dos años y sé que puedo sobrevivir aquí. Más que eso, puedo empezar de nuevo aquí.

Laurette secó sus ojos húmedos.

—¿Realmente no quieres ir a casa?

—Mi corazón te extrañaría. —Le dijo a Laurette. Alzó la voz y se dirigió al dios—. Estoy preparado para el intercambio, Shiva.

—¿Para el intercambió de qué...? —Las palabras de Laurette se convirtieron en un grito ahogado cuando una brillante luz resplandeció en la habitación. Ella se cubrió los ojos con las manos. Unos cálidos dedos tomaron los suyos y los alejaron de sus ojos.

Nítidos detalles de todo lo que había en su estudio inundaron su visión. La cara feliz de Vyan estaba completamente enfocada.

—¿Qué ha sucedido? Mis ojos... Puedo ver. Oh, Vyan, ¡puedo ver!

Sus cálidos ojos —cálidos ojos marrones humanos— se entrecerraron de alegría. Él cubrió la cara de ella con la mano.

—Cuando no pude evitar que Tristan y Batuk regresaran a buscarte y estar seguro de que estarías a salvo le dije a mi dios Shiva que deseaba ofrecer mi inmortalidad a cambio de tu vista. No quería dejarte sola y ciega. Esperaba morir en la batalla con los veladores pero sobreviví. No deseo vivir otros ochocientos años, solo deseo vivir tanto como tú.

Corrieron lágrimas por el rostro de ella.

—Soy una descendiente de veladores. ¿Estás seguro de que quieres quedarte aquí con tu enemiga?

—Nunca serás mi enemiga. —Se inclinó y la besó suavemente, un toque tentativo que a ella le dio la confianza para devolverle el beso.

Ahora podía sentir que la bendición de su abuelo la inundaba.

Treinta y nueve

Evalle nunca se vestía para nadie, pero esa noche era importante. Tenía que tener el mejor aspecto posible. Quería verse así. El sencillo pantalón marrón y la chaqueta a juego probablemente se verían mejor en el astillado maniquí de la tienda de ropa usada, pero no podía haberse presentado con su traje de combate.

Un soplo de aire fresco se deslizó sobre su rostro y sus brazos, un cambio bienvenido frente al calor que bombardeaba Atlanta.

Unos murmullos llegaron a sus oídos, nada específico. La charla rompía el sereno aire de la iglesia bajo el balcón donde se escondía. El pequeño grupo reunido en el vestíbulo principal esperaba con reverencia. Ella nunca había sido de rezar, pero a veces se preguntaba si los que lo hacían eran escuchados.

Dio un vistazo de arriba abajo al elegante anciano a su izquierda. ¿Tendría buen aspecto o qué? Era suficiente con ese genial trabajo de limpieza que había hecho.

Grady llevaba un traje negro levemente gastado que Evalle le había comprado en la misma tienda de ropa de segunda mano. Estaba tan erguido como un general a la espera de encontrarse con el presidente, pero lo que en realidad esperaba era una marcha nupcial.

Ella había traído su ropa y un set de afeitar que había llevado al lavabo de arriba, que daba al balcón de esa iglesia, tan ajetreada los domingos. Sin embargo, no había mucho movimiento durante esa sencilla boda celebrada un miércoles por la noche.

Mirando el reloj, Evalle sacó todo lo que llevaba para Grady en el lavabo, le dio la mano y cerró la puerta.

Él volvió su rostro bien afeitado hacia ella. La sonrisa que le concedió bien valía la sanción a la que tendría que enfrentarse si la pillaban dándole la mano a un merodeador por razones personales, pero se estaba sintiendo bastante bien con su posición entre los veladores.

Grady se inclinó hacia ella.

—Siempre debes confiar, sin que importe mucho en qué. Tzader y Quinn no permitirán que te suceda nada. Y tampoco ese indio.

Ella sonrió ante el nuevo desaire de Grady. Storm no era indio, pero Grady quería provocarla para que dejara de pensar en el Tribunal. Ella le sonrió.

—No estoy preocupada.

No mucho.

La boda de su nieta comenzaría en cualquier momento. En cuanto hubieran terminado Evalle recorrería los más de diez kilómetros de regreso al centro de la ciudad con él agarrado a su bicicleta. Se había perdido después de haber sido liberado de los kujoo esa misma mañana y había pasado horas buscando su manzana alrededor del hospital Grady.

Todo el afeitado y el cambio de ropa desaparecerían en cuanto se transformara de nuevo en fantasma.

Pero guardaría el recuerdo de ese día, por tantas décadas como siguiera siendo un merodeador, lo que sería un largo período de tiempo. A ella le dio un vuelco el corazón al sentir las oleadas de felicidad que provenían de él.

Después de asegurarse de que estuviera a salvo de regreso cerca en el hospital, ella tendría dos horas para pasar con *Feenix*. Llevaría a su querido pequeño de paseo en bicicleta, allí donde pudiera chillar a gusto tanto como quisiera, sin que nadie lo oyera.

Culpa de Grady. Él le había dado la idea de tener experiencias que procuraran buenos recuerdos.

Luego tendría que enfrentarse al Tribunal, pero Brina le había dicho que estaría allí.

La sala inferior se quedó en calma cuando la música del piano se detuvo y Grady se inclinó hacia delante, ansioso por mirar por encima del borde del palco, hacia el lugar donde su nieta había planificado la ceremonia íntima.

Entonces su forma comenzó a desvanecerse. Miró sus manos y luego miró a Evalle con ojos de pánico.

Lo último que ella querría era hacer daño a Grady o arriesgar su media vida de cualquier forma. Evalle abrió la boca para hablar, pero justo entonces dio comienzo la marcha nupcial.

Fue la mirada de angustia en el rostro de Grady lo que terminó con cualquier debate interno. Ella no podría vivir con aquella imagen como último recuerdo de él si existía la posibilidad de que mañana fuera encerrada por el Tribunal.

Esperando que aquello no lo dañara lo alcanzó y tomó su mano.

Alivio y gratitud brotaron de su cuerpo. Él apretó sus dedos y se inclinó para susurrar:

—Recé pidiendo un milagro y Dios te envió. Le hablaré sobre el Tribunal.

Una emoción que nunca antes había sentido obstruyó su garganta. Levantando la barbilla ella sonrió al viejo espíritu, y este le devolvió la sonrisa.

Esa semana había luchado contra los kujoo, contra un mutante y contra varios demonios. Había protegido a su tribu y mantenido sus juramentos.

Si los del Tribunal querían encerrarla, antes tendrían que luchar contra ella. Que no la provocaran.

Agradecimientos

De Sherrilyn

Gracias a mi familia, a mis amigos y a mis admiradores. Os quiero a todos y no podría hacer esto sin vosotros. ¡Sois maravillosos!

De Dianna

Mil gracias a Sherrilyn por querer formar equipo para una nueva serie. ¿Quién no estaría exultante por tener la oportunidad de colaborar con una leyenda de la novela romántica paranormal?

Nunca podré agradecer lo suficiente a mi sorprendente marido, Karl, por su apoyo constante, y por asegurar a mi mundo la estabilidad y el amor que me permiten crear.

La autora Mary Buckham me ayudó en las primeras lecturas, con muchas tormentas de ideas y a veces con un vaso de vino de por medio.

Cassondra Murray es la mejor ayudante que alguien podría pedir, pero tener el beneficio de su mirada aguda y su comprensión de la historia —puesto que ella es también una escritora de talento— no tiene precio. Además, su marido, Steve Doyle, está siempre dispuesto para ofrecer su experiencia como antiguo agente de las fuerzas especiales cuando la necesitamos.

También quiero dar las gracias a Barbara Vey por aquel día en Atlanta cuando me ayudó en la búsqueda de localizaciones, y por toda la información y todo lo positivo que su blog *Beyond Her Book* aporta a la industria editorial.

Gracias, también, a Kim Newman, que ha vuelto a compartir una vez más su conocimiento del español con tiempos muy ajustados.

Me encanta recibir noticias de los admiradores y de los clubs de lectores en dianna@authordiannalove.com

De ambas

Nos gustaría agradecer a todo el equipo de Pocket, y especialmente a nuestra tremenda editora, Lauren McKenna, y a la espectacular Louise Burke. Todo el mundo, desde el departamento de marketing hasta el departamento de arte, pasando por el departamento de edición, ha trabajado con ahínco para procurar una presentación maravillosa a nuestra primera historia de los veladores. También queremos dar las gracias a nuestro maravilloso agente, Robert Gottlieb, que ha dirigido este proyecto desde el principio y continúa demostrando por qué es un icono en nuestra industria.

Por último, pero no por ello en menor orden de importancia, queremos daros las gracias a vosotros, nuestros admiradores y seguidores, por leernos y acompañarnos. Vosotros sois la razón de que escribamos.